D1131308

LE TESTAMENT DE MARIE MADELEINE

DU MÊME AUTEUR
CHEZ LE MÊME ÉDITEUR

Sacrifier une reine
Le Cercle des héritières

Titre original :
A Letter From Mary

7-13 boulevard Paul-Émile Victor – Île de la Jatte
92521 Neuilly-sur-Seine Cedex

Laurie R. KING

LE TESTAMENT DE MARIE MADELEINE

Les aventures de Mary Russell et Sherlock Holmes

Traduit de l'anglais (États-Unis) par François Thibaux

PREMIÈRE PARTIE

Du mardi 14 août au vendredi 24 août 1923

Une plume est sans nul doute le meilleur moyen de fixer l'attention d'un homme et d'enflammer son ambition.

John Adams

1

Alpha

La lettre atterrit sur mon bureau, à trente centimètres de mes yeux harassés, se superposant aux lignes noires du texte hébreu qui, depuis une heure déjà, avaient commencé à se brouiller. Surprise par ce changement soudain, je tentai vaillamment de recouvrer ma vue, avant d'y renoncer pour de bon.

Je me renversai dans mon fauteuil avec un gémissement étouffé, ôtai mes lunettes cerclées, les posai sur mes notes empilées et me frottai les paupières. Le grossier personnage responsable de cette irruption recula jusqu'au fond de la pièce, où je l'entendis décacheter une masse de courrier avant de fourrer les enveloppes dans la corbeille. Puis il gagna le vestibule pour jeter une lettre épaisse sur le guéridon près de l'entrée : les nouvelles arrivées deux jours plus tôt – je l'avais noté –, que Mme Hudson recevait chaque mois de sa sœur exilée en Australie. Il revint vers moi et s'installa près de ma table, une épaule appuyée aux rayons de la bibliothèque et contemplant les Downs en pente douce jusqu'à la Manche. Frottant de mes doigts repliés l'intérieur fiévreux de mes paumes, je m'adressai à mon mari :

— Savez-vous, Holmes, que mon grand-oncle de Chicago dut interrompre une prometteuse carrière médicale pour être devenu quasiment aveugle, à force de rester le nez collé sur ses livres ? Il doit être terriblement frustrant de savoir son avenir compromis par une simple dégénérescence de l'œil. Cela ne l'a pas empêché, ajoutai-je, de faire fortune en vendant des œufs et des salopettes aux chercheurs d'or. De qui peut venir cette missive ?

— Me permettrez-vous de vous la lire, Russell, pour sauver vos muscles oculaires de la perfidie du *metheg* et des attaques sournoises de votre bien-aimé *patach* [1] ?

Sa fausse sollicitude dissimulait mal un ton sardonique, à la limite de l'agressivité.

— Hélas, je dois me résoudre aujourd'hui à n'être que l'humble secrétaire de mon ambitieuse épouse. Faites-moi la grâce de ne pas ricaner, Russell. Ce ton disgracieux ne vous sied guère. Laissez-moi voir.

Son bras survola mon bureau, suivi d'un bruit de papier déchiré.

— Elle vient de Paris, de l'hôtel Impérial, dont le nom est évocateur de matelas affaissés et d'équivoques bruits nocturnes issus des penderies. Elle est adressée à Mary Russell, sans autre précision – ni « madame » ni « mademoiselle ». Une écriture féminine, même si les doigts serrés contre le stylo ont quelque chose de masculin. De toute évidence, une personne très cultivée ; une femme professionnelle, pour employer une de ces expressions fallacieuses à la mode. À mon sens, et j'en prends le risque, cette dame ne compte nullement sur sa féminité pour assumer son existence. Ses « t » trahissent son impatience. Quant à ses droites, elles dénotent un tempérament passionné, ce à quoi s'ajoute un esprit autoritaire et précis, révélé par ses « s » et ses « a ». Elle accorde une grande confiance aux postes française et anglaise, ou alors fait montre d'une assurance à toute épreuve, au point d'avoir négligé d'inscrire nom et numéro de chambre au dos de l'enveloppe. J'opterais pour la seconde hypothèse.

Tout en l'écoutant, je remis mes lunettes pour mieux observer mon compagnon debout devant la fenêtre, penché

1. *Metheg* : accent tonique dans la Bible. *Patach* : voyelle hébraïque correspondant au *a*. (*N.d.T.*)

sur l'enveloppe comme un joaillier sur un diamant. J'eus l'impression de me dédoubler, de l'étudier de ce regard distancié que nous posons parfois sur ce qui nous est familier. Physiquement, Sherlock Holmes avait peu changé depuis que nous nous étions rencontrés dans ces mêmes Downs, dans le Sussex, un peu plus de huit ans auparavant. Sous ses cheveux à peine plus clairsemés et grisonnants, ses paupières s'étaient alourdies, soulignant davantage encore sa ressemblance avec un oiseau de proie. Ses caractéristiques physiques n'avaient fait que s'accentuer, sans autre changement notable. C'était au fond de lui qu'il avait changé. Les passions violentes qui l'avaient dévoré dès les premières années de sa carrière – bien avant ma naissance – s'étaient apaisées ; et le terrible sentiment de frustration qu'il compensait par la cocaïne ou la morphine dès lors qu'il n'avait plus aucun défi à relever n'était déjà plus qu'un souvenir. Du moins le croyais-je.

Je continuai à l'observer, tandis que ses longs doigts caressaient l'enveloppe défraîchie par un long périple et que ses yeux s'attardaient sur la moindre souillure du papier, sur l'encre et le timbre. Et il me vint soudain à l'esprit que Sherlock Holmes s'ennuyait.

Cette constatation n'avait rien de réjouissant. Personne, encore moins une femme, n'aime découvrir que son mariage a étriqué le bonheur de son conjoint. Je chassai cette idée déplaisante, pliai le bras pour masser un élancement dans mon épaule droite et déclarai avec un peu d'irritation :

— Mon cher Holmes, cela confine à la *deductio ad absurdum.* Si vous ouvriez l'enveloppe pour identifier l'expéditeur, cela nous simplifierait la tâche.

— Chaque chose en son temps, Russell. Je remarque, au dos, une empreinte digitale tronquée et noircie, correspondant à celle d'un pouce de l'autre côté. Nous pouvons ne pas en tenir compte, dans la mesure où elles rappellent fortement les mains de notre facteur, dont la chaîne de bicyclette est dans un état déplorable.

— Holmes, mes perfides *patach* m'attendent. La lettre ?

— La patience est la première vertu du détective, Russell. Et, me semble-t-il, de l'érudit. Enfin, à votre aise...

Il se détourna. J'entendis le couteau trancher l'enveloppe bon marché puis le bruit sourd de la lame plantée dans le bois du manteau de la cheminée. Il y eut un léger froissement. Enfin, d'une voix amusée, Holmes se mit à lire :

— Chère mademoiselle Russell... Cela date d'il y a quatre jours...

Chère mademoiselle Russell,

J'ose espérer que vous ne vous formaliserez pas de la façon dont je m'adresse à vous. Je sais que vous vous êtes mariée, mais je ne puis me résoudre à affubler une femme du patronyme de son époux sans qu'elle m'en ait explicitement manifesté le désir. Si cette attitude vous offense, je vous prie de me pardonner ce faux pas ; n'y voyez rien d'intentionnel.

Peut-être vous souviendrez-vous de moi – Dorothy Ruskin, rencontrée au cours de votre voyage en Palestine, voilà plusieurs années. J'y vis toujours, participant en tant qu'assistante à trois campagnes de fouilles, en attendant de pouvoir réunir les fonds nécessaires à mes propres excavations. Je serai sous peu en Angleterre, où je dois rencontrer mes commanditaires éventuels et rendre visite à ma mère, qui semble à l'article de la mort. J'aimerais profiter de ce séjour pour vous entretenir d'un sujet qui me tient à cœur. Si vous me permettiez de troubler quelques heures de votre tranquillité, je vous en serais infiniment reconnaissante. Dans la mesure où je compte regagner la Palestine tout de suite après avoir réglé mes affaires, notre conversation ne pourrait avoir lieu que le 22 ou le 23. Ayez la bonté de m'en confirmer la date et l'heure par télégramme, à l'adresse ci-dessous.

Ce dont je voudrais vous parler présente à mes yeux un intérêt considérable pour le domaine de recherche qui est le vôtre. Si je n'avais pas été persuadée de son importance, je n'aurais jamais pris la liberté de vous importuner, vous et votre mari.

Croyez à toute mon affection,

Dorothy Ruskin

— L'adresse est celle de l'hôtel Impérial, précisa Holmes.

Je lui pris la feuille de papier pelure au nom de l'établissement, effleurai la main si singulière qui me la tendait.

— Belle écriture, en tout cas. Voulez-vous que nous la rencontrions ?

— Nous ? Ma chère Russell, je suis l'époux d'une femme émancipée qui, même si elle n'a pas encore le droit de vote, est au moins libre de recevoir ses amis sans l'autorisation de son seigneur et maître.

— Ne soyez pas grotesque, Holmes. Elle souhaite nous voir tous les deux. Sinon, elle n'aurait pas écrit la dernière phrase. Nous la recevrons donc pour le thé. Mercredi ou jeudi ?

— Mercredi, Mme Hudson prend son congé hebdomadaire. Le goûter de Mlle Ruskin serait meilleur si elle venait jeudi.

— Merci du compliment, répliquai-je sèchement.

J'admets que la confection des petits gâteaux n'est pas mon fort, tout comme la cuisine, mais je déteste qu'on me le dise.

— Je vais lui écrire que n'importe quel jour conviendra, mais que le jeudi me paraît plus approprié. Je me demande bien ce qu'elle peut me vouloir.

— Collecter des fonds pour des fouilles archéologiques dirigées par une femme ? Cela enchanterait les autorités britanniques aussi bien que les sionistes, vous ne croyez pas ? Et imaginez l'impact sur les pèlerins et les touristes ! Cela m'étonne que les Américains n'y aient pas pensé.

— Ça suffit, Holmes ! Disparaissez ! J'ai du travail.

— Venez vous promener.

— Pas maintenant. Ce soir, peut-être, si j'arrive à me libérer pour une heure.

— Ce soir, vous serez plongée jusqu'au cou dans les imprécations du prophète Isaïe, et trop irritable pour une marche. Il y a trois quarts d'heure que vous massez votre mauvaise épaule alors qu'il fait un temps radieux, signe que vous avez besoin de sortir et de respirer un peu d'air frais. Venez.

Il m'offrit une de ses longues mains. Je jetai un dernier coup d'œil aux lignes étriquées qui couraient sur la page, rebouchai mon stylo et laissai mon époux m'aider à me lever.

Nous préférâmes longer les falaises plutôt que de nous risquer sur le sentier périlleux qui déboulait sur la plage. Le cri des mouettes et le déferlement des vagues sur les galets rythmaient nos pas. Le bon air marin emplit mes poumons, éclaircit mon esprit et dissipa la douleur de mon omoplate. Mes pensées finirent par se concentrer, non sur les pièges de la grammaire hébraïque, mais sur les implications de la lettre qui gisait sur mon bureau.

— Que savez-vous des fouilles archéologiques en Palestine, Holmes ?

— En dehors de ce que nous avons découvert il y a quatre ans et demi lors de notre tournée là-bas, et du nombre incalculable de chambres souterraines humides et dangereuses, à peu près rien. Mais j'ai l'intuition que j'en apprendrai sous peu bien davantage.

— Vous croyez donc que la lettre de Mlle Ruskin contient quelque chose d'intéressant ?

— Ma chère Russell, ce n'est pas pour rien que j'exerce depuis plus de quarante ans la profession de détective privé. Je repère un mystère en reniflant le pas de ma porte avant même qu'il n'ait conscience d'en être un. En dépit de ce que je vous ai dit sur votre droit de la voir seule, votre demoiselle Ruskin – oui, je sais, elle n'est pas « votre » demoiselle Ruskin, mais croit l'être – souhaite soumettre une énigme à notre sagacité à tous deux. Et non uniquement à Mary Russell, jeune et brillante étoile montante de la théologie. À moins que vous n'estimiez que mon degré de mégalomanie se double d'une propension à la sénilité, ajouta-t-il galamment.

— Mégalomanie, peut-être ; sénilité, certainement pas, répliquai-je, les yeux braqués sur un petit bateau de pêche ballotté par la houle.

Je me demandai comment agir. Mon travail avançait avec lenteur et je pouvais difficilement me permettre de m'en détourner, fût-ce une demi-journée. Et j'aurais passé avec joie quelque temps en compagnie de cette vieille dame originale, dont je me souvenais très bien. Quant à Holmes, il avait l'air intéressé. Cette rencontre nous procurerait au moins une distraction, en attendant de décider de ce qu'il fallait faire pour lui.

— Très bien. Nous la recevrons donc un jour plus tôt, le mercredi. Je propose le train de midi. Je suis sûre que nous pourrons persuader Mme Hudson de nous préparer quelque chose à l'avance pour le thé, ce qui nous éviterait de mettre en danger la santé de notre convive. J'envisage également d'aller à Londres demain et de faire un tour au British Museum. Cela vous tente ?

— Uniquement si nous y passons la soirée. On joue le *Concerto en ré* de Tchaïkovski à Covent Garden.

— Et nous dînerons chez Simpsons ? m'écriai-je gaiement, ignorant la voix de ma conscience quant à cette perte de temps.

— Bien entendu.

— M'accompagnerez-vous au British Museum ?

— Je ne m'y attarderai pas. J'ai reçu une invitation du propriétaire d'une merveilleuse petite galerie près du musée, pour venir admirer la toile de cet Espagnol, Picasso, que j'ai récupérée pour lui le mois dernier. J'aimerais la contempler dans l'habitat naturel où elle trônait avant qu'on ne la dérobe. Et voir si elle me paraîtra moins extravagante que dans l'entrepôt des bords de la Tamise où je l'ai retrouvée. Je vous avoue que j'ai des doutes.

— Parfait, dis-je poliment.

Holmes fit un brusque bond en avant, me barra le chemin, mit les mains sur mes épaules et son visage tout près du mien.

— Admettez-le, Russell. Vous mourez d'ennui.

Ce verdict correspondait tant à mon analyse que j'en restai bouche bée.

— Voilà plus d'un an que vous vous embourbez dans vos livres depuis notre retour de France. Vous aurez beau vous persuader que vous n'êtes qu'une intellectuelle, vous ne m'abuserez pas. Vous avez soif d'action autant que moi.

Ce diable d'homme avait raison. En même temps, bien sûr, il se trompait : les hommes ont l'art de tout simplifier. Et il lui était commode de minimiser la part de ma vie dont il se sentait exclu. Pourtant, sa diatribe réveilla aussitôt en moi la soif d'action dont il parlait. J'avais eu l'occasion, par le passé, de découvrir ces appels impérieux : marcher au bord d'un précipice, affronter un ennemi redoutable, plonger dans un mystère insoluble et fatal...

Notre promenade fut brève et je renfermai avec énergie ce fantasme dans sa boîte. L'énigme de Dorothy Ruskin, en admettant qu'elle existât, faisait sans doute partie de ces angoisses irraisonnées qui hantent les vieilles personnes. Je soupirai, puis, me rendant compte que Holmes continuait à me dévisager, me forçai à rire.

— Holmes, nous sommes deux incorrigibles romantiques !

Rebroussant chemin, nous regagnâmes le cottage.

2

Bêta

Le mercredi, peu avant midi, j'allai accueillir Mlle Ruskin à la gare, au volant de ma fidèle Morris. Quatre ans et demi s'étaient écoulés depuis notre dernière rencontre, mais je la reconnus sans peine. Je la trouvai vieillie. Ses cheveux courts avaient blanchi. Elle portait des lunettes aux verres très sombres, comme pour dissimuler ses yeux, et évitait de s'appuyer sur sa jambe droite à la descente du train. Tout d'abord, elle ne me vit pas. Elle s'immobilisa sur le quai, regarda autour d'elle, un grand sac de toile kaki à la main. Ma première impression s'affina à mesure que je m'approchais. Pour l'essentiel, elle était restée la même. Le visage tanné par le soleil du désert, elle se tenait aussi droite qu'autrefois, tel un soldat, et ses vêtements rappelaient plus que jamais l'uniforme des premières suffragettes : pantalon flottant, chemisier ajusté sous la veste, les mêmes chaussures montantes qu'en Palestine. Toutefois, souliers et vêtements paraissaient neufs. Même s'ils ne correspondaient à aucune mode connue, ils avaient une touche ineffablement française.

— Bonjour, mademoiselle Ruskin ! m'écriai-je. Bienvenue dans le Sussex.

Elle se retourna avec vivacité. Sa voix profonde, habituée aux grands espaces et aux ordres criés aux indigènes, retentit dans la petite gare de campagne.

— C'est vous, mademoiselle Russell? Ravie de vous revoir. Très gentil à vous de me recevoir aussi vite.

Elle serra ma main de sa paume calleuse. Alors que le dessus de son chapeau écrasé m'arrivait à peine au menton, elle dominait tout le monde de sa présence. Je la conduisis à ma voiture, l'aidai à y monter et démarrai, puis l'interrogeai sur sa jambe.

— Oh oui, très agaçant. Une chute dans une tranchée aux étais effondrés, suivie d'une mauvaise fracture, un mois d'hôpital à plat sur le dos. La poisse. En plus, en plein milieu de la saison. Une année de fouilles perdue. Maintenant, j'utilise du bois plus résistant pour les poutres.

Elle eut un rire sec, semblable à une quinte de toux, auquel je répondis par un sourire.

— J'ai admiré récemment quelques-unes de vos trouvailles au British Museum, lui dis-je. Notamment cette superbe tablette hittite et, bien sûr, le sol de mosaïque. Seigneur, comment parvenaient-ils à fabriquer ces bleus incroyables ?

Ravie, elle se lança dans des explications très techniques sur l'art de la mosaïque qui me passèrent bien au-dessus de la tête, jusqu'à l'allée circulaire qui menait au cottage. Holmes entendit la voiture et sortit pour nous accueillir. Notre invitée descendit maladroitement de la Morris et se porta à sa rencontre, la main tendue. Elle ne cessa de parler pendant qu'ils traversaient le vestibule.

— Monsieur Holmes, très heureuse de vous voir, cette fois tel qu'en vous-même, et chez vous. Même si je dois admettre que vous portez la djellaba mieux que la plupart des Européens, et que votre grimage était parfait. Semblez en pleine forme. Quel âge? Question grossière, je sais. C'est un des avantages de vieillir : on ne nous reproche plus nos mauvaises manières. Vraiment? À peine quelques années de moins que moi. Vous en paraissez au moins vingt de moins. Aurais-je peut-être dû me marier? Un peu tard, maintenant, non? Mademoiselle Russell... Ce nom vous convient-il ? Ou préférez-vous madame Holmes ? Mademoiselle Russell, alors... Je vais vous dire : vous avez épousé un des trois hommes sensés que j'ai rencontrés. Ils ont pour la plupart le cerveau ratatiné. Ne savent que bambocher et gagner de l'argent, pas fichus de voir plus loin que le bout de leur nez. Trop occupés à élaborer leurs généralisations fumeuses. Comment ? Les deux autres ? Ah, oui. Le premier était vigneron en Provence, vigne minuscule, un vin rouge à tomber à genoux. L'autre est mort, un cheikh arabe, sept épouses. Incapable d'écrire son nom, mais il a envoyé tous ses enfants à l'université. Y compris ses filles. Je l'y ai forcé. Ha ! Ha !

Son rire tonitruant rebondit contre les murs du salon, nous crevant les tympans.

Nous déjeunâmes dehors, sous le grand hêtre pourpre. Notre convive émailla le repas d'anecdotes sur l'archéologie en Palestine. Ce domaine était en plein essor depuis la fin de la guerre et l'instauration du mandat britannique, et les autorités encourageaient son développement en tant que discipline scientifique à part entière.

— Avant 1914 c'était l'horreur. Incompétents farfouillant partout et détruisant plus qu'ils ne trouvaient, indigènes surgissant avec des merveilles venues de nulle part, impossibles à dater. Rien d'autre à faire que de les entasser dans un musée avec une étiquette. Origine : inconnue. Période : inconnue. Un désastre.

— N'est-ce pas Pietrie qui compare les musées à des morgues ou des tombeaux ? demandai-je.

— Des charniers, corrigea-t-elle. Plus précisément : « d'immondes charniers remplis de preuves assassinées ». Belle formule, non ? Aurais aimé l'avoir écrite.

Elle la répéta, polissant amoureusement chaque mot.

— Et pendant la guerre, mon Dieu ! Des années passées à empêcher des troufions débiles de se servir de vieux murs et de statues comme cibles de tir ! Pas de limites à la bêtise. J'ai découvert un camp où ils déversaient leurs déjections et leurs ordures dans un puits de l'âge du bronze. Bien sûr, ils ne se rendaient pas compte, ces demeurés, que leur approvisionnement en eau y était connecté. Je sais, j'aurais dû le leur dire. Mais qui suis-je pour me mêler de la justice divine ? Ha ! Ha !

— Aujourd'hui, hasardai-je, les fouilles sont menées avec davantage de précautions. Même avant la guerre, les techniques stratigraphiques de Reisner commençaient à se répandre. De toute façon, le département des Antiquités ne garde-t-il pas un œil sur tout cela ?

Ma rapide initiation auprès d'un des experts les plus serviables du British Museum me permettait au moins de poser des questions intelligentes.

— Oh, oui, la situation s'améliore. Bien sûr, aucune place, à présent, pour des amateurs dans mon genre. On m'autorisera quand même, une fois rentrée, à faire des croquis et à prendre des notes. On parle d'ouvrir la cité de David. Vraiment excitant. Mais on tombe encore sur des Bédouins trimbalant des sacs remplis d'objets inimaginables, poteries, statuettes de bronze... Pas plus tard que le mois dernier, une sculpture en ivoire à couper le souffle, pièce magnifique qui faisait partie d'une scène de procession, totalement inutilisable d'un point de vue historique, bien évidemment. Il n'a pas voulu nous dire de quel endroit du désert elle provenait. Impossible, donc, de la replacer dans son contexte archéologique. Lamentable. Ah, oui, c'est plus ou moins la raison de ma présence ici. Où est mon sac ?

J'allai le chercher dans le salon, où elle l'avait oublié sur une table. Elle l'ouvrit et plongea la main dans un fatras de livres et de papiers qu'elle sortit un à un, en extirpa enfin un objet carré, enveloppé dans un keffieh blanc et noir.

— Voilà, annonça-t-elle en découvrant une petite boîte de bois marquetée et sculptée qu'elle posa devant moi avant de replacer la paperasse dans son sac. J'aimerais que vous examiniez ceci et me disiez ce que vous en pensez. Je l'ai déjà montrée à deux soi-disant experts, des hommes, cela va de soi. Ils y ont jeté un œil et conclu à une contrefaçon. Il ne pouvait en aucun cas, selon eux, s'agir d'un papyrus du Ier siècle. N'en suis pas si sûre. Vraiment pas. Peut-être sans valeur, mais j'ai pensé à vous quand je me suis demandé à qui le confier. Montrez-le à qui vous voudrez. Faites-en ce que vous pourrez. Donnez-moi votre avis. Si, si, examinez-le. Y aurait-il encore un peu de thé dans votre théière, monsieur Holmes ?

La boîte tenait dans le creux de la main et s'ouvrait sans difficulté. À l'intérieur, enrobé dans une pièce d'étoffe, se nichait un petit rouleau de papyrus à la partie supérieure et aux rebords décolorés. Je le frôlai du bout des doigts. Le tissu crissa légèrement.

— Oh, il est solide ! Je l'ai déjà déroulé et les experts ne l'ont pas manié avec des pincettes. « Un faux moderne très réussi », m'a affirmé le premier. Absurde, vu la façon dont je me le suis procuré. « Probablement écrit par une folle à l'époque des croisades », m'a déclaré l'autre. Des experts !

Elle leva les mains de manière éloquente, ce qui provoqua un petit rire approbateur de Holmes.

— En tout cas, puisque ces sommités n'y voient qu'une mystification, nous pouvons, nous autres amateurs, agir comme nous l'entendons. Il vous appartient. J'ai commencé à l'étudier, mais mes yeux ne sont plus assez bons pour un travail pointu de ce genre.

Elle enleva ses lunettes noires, nous dévoilant l'opacité qui embuait en partie ses iris d'un bleu lumineux.

— À cause du soleil, disent les médecins de Paris. Si je porte ces machins encombrants tout en passant mon temps à l'intérieur, ils m'accordent cinq ans avant d'être obligée de passer sur le billard. Leur ai répondu que je ne voyais pas l'intérêt de disposer de ces cinq ans si je ne pouvais plus travailler. Comme ce sont des hommes, ils n'ont pas compris. Si j'obtiens les fonds pour commencer mes fouilles, je peux en faire, des choses, en cinq ans. Ensuite, je me retirerai contente. Rien à voir avec vous, bien sûr, mais c'est pourquoi je vous donne ce manuscrit.

Je sortis le délicat rouleau de sa boîte et l'étalai devant moi. À deux doigts, Holmes en maintint le côté droit plaqué sur la table. Je jetai un coup d'œil à la première ligne, qui, écrite en grec, commençait en haut à gauche. Couvrant les cinquante centimètres du papyrus, l'écriture pointue était nette, même si, par endroits, des taches sombres et l'usure des bords obscurcissaient le texte. Je déchiffrai les premiers mots, puis m'interrompis. Curieux. Je devais me tromper. Je revins en arrière, obtins les mêmes résultats. Perplexe, je finis par lever les yeux vers Mlle Ruskin. Les siens, dépassant du rebord de sa tasse, me scrutaient avec malice.

— Comprenez, maintenant, pourquoi ces experts m'ont ri au nez ?

— C'est évident, mais...

— Et pourquoi je ne tiens aucun compte de leur opinion ?

— Vous ne croyez pas sérieusement que...

— Oh, mais si ! Pas impossible du tout. Je conçois que ça paraisse invraisemblable, mais si vous oubliez toutes les idées préconçues sur la société du Ier siècle, ça ne l'est pas le moins du monde. Près de cinquante ans que je me plonge dans des manuscrits de ce genre et, sans être spécialiste de cette période, désolée, celui-là ne ressemble pas à un faux récent ou au délire de l'épouse d'un croisé.

Je fus bien forcée d'admettre qu'elle parlait avec sincérité. Je la fixai, atterrée et bredouillante.

— Auriez-vous la bonté, toutes les deux, de me laisser participer à votre conversation ? intervint Holmes avec une patience admirable.

Je me tournai vers lui.

— Regardez simplement le début, Holmes.

— Traduisez-le pour moi, je vous prie. J'ai fait de gros efforts pour oublier le peu de grec qu'on m'a inculqué jadis.

Je me concentrai sur ces mots qui me sidéraient et auxquels je ne parvenais pas à croire. Ils restèrent les mêmes : maculés, parfois presque effacés, mais lisibles.

— Il s'agit apparemment d'une lettre, articulai-je. D'une certaine Mariam, ou Marie. Elle se déclare apôtre de Joshua, ou Jésus, l'Oint du Seigneur, et écrit à sa sœur, dans la cité de Magdala.

3

Gamma

Holmes alluma sa pipe avec un léger rictus, les prunelles aussi pétillantes que celles de Mlle Ruskin.

— Je vois... grommela-t-il en guise de commentaire.

— Mais ce n'est pas possible... commençai-je.

Mlle Ruskin me coupa.

— Tout à fait possible. Si vous lisez attentivement le texte grec du Nouveau Testament, sans tenir compte des définitions ultérieures et exclusives du mot « apôtre », il devient évident que Marie-Madeleine était une disciple à part entière, qu'elle fut même envoyée (ce qui est, après tout, le sens du verbe *apostellein*) aux autres apôtres – les hommes – pour leur annoncer la nouvelle de la résurrection du maître. Au XIIe siècle, on parle encore d'elle comme de l'« apôtre des apôtres ». Qu'elle s'efface ensuite, même dans le texte grec, n'a pas grande signification. Si elle a continué à résider à Jérusalem en tant que membre de l'Église primitive, que l'on considérait comme une secte juive de plus, toute trace d'elle a très bien pu disparaître lors de destruction de la ville, en l'an 70. Si elle vivait encore à l'époque, c'était une vieille dame, puisqu'elle pouvait difficilement avoir moins de vingt ans lorsque Jésus fut mis à mort, aux alentours de l'an 30. Impossible ? J'hésiterais à employer ce mot, mademoiselle Russell, vraiment.

Je pris une grande profonde inspiration et tentai de clarifier ma pensée :

— Mademoiselle Ruskin, s'il y a la moindre chance pour que ce texte soit authentique, ce n'est pas à moi qu'il faut le confier. Je ne suis ni spécialiste du grec, ni experte en documents du Ier siècle. Je ne suis même pas chrétienne.

— Je vous l'ai dit, il a déjà été examiné par deux des plus célèbres experts en la matière, qui l'ont tous deux rejeté. Si vous souhaitez en faire parvenir une copie à quelqu'un d'autre, libre à vous. Soumettez-le à qui vous voudrez. Publiez-le dans le *Times* si cela peut vous faire plaisir. Mais conservez l'original. Il m'appartient et j'aime le savoir entre vos mains. Si cela vous gêne, déposez-le au British Museum. Ils le mettront dans un coin pendant quelques siècles, jusqu'à qu'il se décompose, puis un étudiant méritant le découvrira peut-être et en fera le sujet de sa thèse. En attendant, étudiez-le et faites-moi part de vos conclusions. Désormais, il est à vous. J'ai fait ce que j'ai pu pour Mariam.

Je laissai le document s'enrouler de lui-même, et le replaçai pensivement dans sa boîte avant de refermer le couvercle.

— Comment est-il arrivé jusqu'à vous ? Et la boîte ? Elle ne date certes pas du Ier siècle.

— Mon Dieu, non. Renaissance italienne, d'après le style de la marqueterie. Mais je n'y connais pas grand-chose : trop moderne pour moi. Les deux me sont parvenus ensemble. Ai rajouté l'étoffe pour l'empêcher de ballotter. L'ai eu il y a environ quatre mois, juste avant Pâques. J'étais à Jérusalem... Juste de retour d'une visite à Louxor, sur le chantier de Howard Carter. Sacrée découverte, non ? Dommage pour Carnavon, mais bon... Bref, j'étais rentrée depuis un jour ou deux quand ce vieux Bédouin se présente à ma porte avec un lot d'objets à vendre. Drôle d'idée de s'adresser à moi. Savent tous que je n'achète pas ce genre de choses, que je n'aime pas encourager ce trafic. C'est ce que je lui ai rétorqué. M'apprêtais à lui claquer la porte au nez quand il m'a dit quelque chose à propos de « Aurens ». Nombre d'Arabes appellent ainsi Ned Lawrence – vous savez, le Lawrence de la révolte arabe. Entendu parler ? Bien. L'ai un peu connu dans sa jeunesse, quand il travaillait à Carchemish avant la guerre, sur les fouilles de Wolley, en Syrie. Brillant sujet, ce Lawrence. Dommage qu'il ait mal tourné et préféré les explosifs, il aurait pu faire de l'excellent travail. Il a perdu le feu sacré, il me semble. Oh, pas trop tard, il est encore dans la fleur de l'âge. Où en étais-je ? Ah oui, le Bédouin. Avait connu Lawrence, lui aussi, et combattu à ses côtés à dos de chameau, a fait sauter les ponts, les voies ferrées, que sais-je encore...

« Parlait un anglais très rudimentaire – le Bédouin, pas Lawrence. Pourtant, en buvant café sur café, il a réussi, moitié dans son sabir, moitié en arabe – que je baragouine quand même un peu –, à me raconter son histoire. Blessé pendant la guerre. Avait du mal, à présent, à trouver du travail. Beaucoup de ces gens, arrachés à leur mode de vie traditionnel, ne s'adaptent pas au monde moderne. Triste, vraiment. C'était son cas. Vendait donc ce qu'il possédait pour se procurer de quoi se nourrir. Histoire classique qu'on débite aux Européens crédules pour leur soutirer quelques billets. Mais pas lui. Un homme digne, pas un mendiant. Vraiment été blessé : sillonnée de cicatrices, sa main droite était quasiment inutilisable. Tragique, pour un Arabe, ainsi que vous le savez. J'ai donc examiné sa marchandise.

« De la camelote, sauf quelques objets magnifiques : trois colliers, un bracelet, deux statuettes très anciennes. Lui ai dit que je ne pouvais pas les lui payer à leur vraie valeur, mais que je le mettrais en contact avec quelqu'un qui en avait les moyens. Au début, il a cru que je voulais me débarrasser de lui. N'arrivait pas à croire que je ne cherchais pas à marchander. Mais, le lendemain, je l'ai conduit chez un couple de collectionneurs et ai obtenu qu'ils lui payent ses objets rubis sur l'ongle et à leur juste prix. Belle somme, au bout du compte. Il est resté sans voix. Voulait m'en donner une partie, mais impossible d'accepter, non ? Ai répondu que s'il tenait à me payer de retour, il n'avait qu'à me promettre de ne jamais participer à l'exhumation et à la vente illégale d'antiquités. Ça me suffisait. Il est parti ; je suis retournée à mes croquis de fouilles. Un mois après, tard dans la nuit, il a frappé à ma porte, cette fois sur le site, avec un autre sac. Mon Dieu, ai-je pensé, encore ! Mais il m'a tendu le sac et m'a dit qu'il était pour moi. Contenait deux objets. Le premier, une magnifique robe que sa femme avait brodée à mon intention. L'autre, c'était cette boîte. M'a raconté qu'elle venait de sa mère, était dans la famille depuis des générations, bien avant la venue du Prophète. Ai vu tout de suite qu'elle n'était pas aussi ancienne. Il a dû le lire sur mon visage, car il a pris la boîte et l'a ouverte pour me montrer le manuscrit. C'était ça que sa famille possédait depuis si longtemps, pas la boîte, qui lui venait de son père. M'a expliqué, si j'ai bien compris, car il tenait à s'exprimer en anglais alors que mon arabe était meilleur que son pidgin, que le rouleau se trouvait dans une sorte de poterie, ou une petite statue d'argile, quand il était enfant. À douze ans, il l'avait cassée. Toute la famille était terrorisée ; redoutait un horrible malheur. Un genre de lares, des dieux du foyer, non ? Ils n'avaient jamais su qu'il y avait quelque chose à l'intérieur de la statuette. Rien ne s'est produit, toutefois, et quelque temps plus tard, le père de mon Bédouin a placé le manuscrit dans une boîte que lui avait donnée un Européen. Il l'a récupérée après la mort de ses parents, tués pendant la guerre. N'avait pas d'enfants. A donc décidé, d'accord avec sa femme, de me la donner. Essayé de la lui rendre, ce qui l'a offensé. Finalement, je l'ai prise et ne l'ai pas revu depuis.

Nous gardâmes tous trois le silence, contemplant l'émouvant petit objet posé sur la table, au milieu des tasses vides et des restes du plateau de fromage. Il mesurait environ vingt centimètres de long, un peu moins en épaisseur et une quinzaine de centimètres de haut. Le beau bois clair des parois et du couvercle était sculpté d'une frise miniature représentant des animaux et de la végétation. Un palmier minuscule se voûtait au-dessus d'un lion de la taille de mon ongle ; ses yeux d'ambre incrusté scintillaient dans un rayon du soleil. Un des coins de la boîte était ébréché, deux des taches de jais de la girafe manquaient. Mais elle était, dans l'ensemble, fort bien conservée.

— Je crois, mademoiselle Ruskin, que cette boîte seule constitue un cadeau d'une valeur inestimable.

— Je pense qu'elle est effectivement authentique, mais je suis heureuse de vous l'offrir. Impossible pour moi de la garder. De trop nombreux objets disparaissent sur les sites et je ne peux me résoudre à la vendre. Elle est à vous.

— Je ne sais comment vous remercier. Si vous cherchiez un endroit où la mettre en sécurité, vous l'avez trouvé. Je la chérirai.

Un sourire énigmatique joua sur ses lèvres, comme une plaisanterie secrète. Elle répondit simplement :

— Je ne souhaitais rien d'autre.

— Resterez-vous pour le dîner ? Votre télégramme ne mentionnait aucune heure de retour. Notre gouvernante nous a laissé une belle tourte au lapin, ce qui vous évitera de subir mes talents culinaires.

— Impossible. Ce serait avec le plus grand plaisir, mais je dois être à Londres vers 21 heures pour dîner avec un nouveau bailleur de fonds, et vanter à ce vieux crétin la ville glorieuse que fut Jérusalem. Mais j'ai du temps quand même, pour un verre de votre vin et une escapade dans vos collines. Lorsque j'étais enfant, ajouta-t-elle avec un soupir heureux, nous venions sur la côte tous les étés. L'air marin n'a pas changé ; la lumière non plus.

Nous prîmes nos verres et marchâmes jusqu'à la mer. Lorsque nous regagnâmes le cottage, Holmes lui proposa de voir les ruches. Elle accepta. Il dénicha pour elle un chapeau, des gants et une tunique d'apiculteur, panoplie que lui-même utilisait rarement. Elle sembla d'abord inquiète, puis déterminée et enfin fascinée quand il ouvrit une ruche pour lui montrer l'organisation, les quartiers de la reine, la texture nette des nids, la structure logique, impitoyable de la colonie. Elle posa une foule de questions intelligentes, mais parut soulagée de voir cette activité grouillante disparaître à nouveau derrière les cloisons de bois.

— J'ai eu jadis une expérience déplaisante avec les abeilles, dit-elle en retirant son volumineux chapeau. Je vivais à la campagne. Ma sœur et moi étions très proches, à l'époque et nous inventions des tas de jeux, laisser des messages codés, parfois en alphabet grec, dans la citerne abandonnée ; médiévale, sans doute un entrepôt pour racines comestibles. L'appelions l'« Apocalypse » : il fallait soulever le couvercle, vous comprenez. Heureux temps, étés dorés. Un jour, ma sœur cache une barre de chocolat dans l'Apocalypse, retourne la chercher avec moi le lendemain. Un essaim d'abeilles y avait élu domicile. Toutes les deux affreusement piquées, terrifiées. Apocalypse bouchée. Fin du paradis.

— C'étaient probablement des guêpes, commenta Holmes.

— Vous croyez ? Dieu du ciel, vous avez peut-être raison. Pensez donc : toutes ces années à haïr les abeilles, anéanties en un après-midi. J'ignorais que vous étiez psychiatre, monsieur Holmes, en sus de tous vos talents.

Elle gloussa. Nous retournâmes sur la terrasse, où je servis un goûter consistant, au cours duquel elle nous régala d'anecdotes sur les bureaucrates du Caire pendant la guerre. Enfin, elle se leva pour partir. Elle s'arrêta un instant devant la voiture, leva la tête vers la façade du cottage.

— Je crois n'avoir jamais passé d'après-midi aussi agréable.

Elle soupira.

— Si vous disposez d'une autre journée de libre avant votre départ, nous aurions grand plaisir à vous recevoir une nouvelle fois, suggérai-je.

— Oh, j'ai bien peur que ce ne soit pas possible.

Ses yeux se cachaient de nouveau derrière ses lunettes noires, mais son sourire exprimait une mélancolie profonde.

Les charrettes qui encombraient la route en cet après-midi d'été et ralentirent notre trajet vers la ville ne me perturbèrent pas : j'avais prévu une grande marge de temps, ce qui nous donna l'occasion de parler à bâtons rompus de livres et des joies de la vie d'étudiant à Oxford. Soudain, elle changea de sujet.

— J'aime beaucoup votre M. Holmes. Ressemble énormément à Ned Lawrence, vous savez. Tous deux brûlant d'une passion contrôlée par une volonté de fer, tous deux remarquablement intelligents, pleins de bon sens, mais avec cette approche à rebours des problèmes qui caractérise le génie véritable et, en même temps, cette tendance incongrue à la mystification qui les pousse à agir de façon compulsive, pour se protéger, se dissimuler derrière leur mythe, entretenir leur propre mystère. Les extravagances de Ned, poursuivit-elle d'un air rêveur, viennent sans doute de sa petite taille et de la domination de sa mère. Finira mal. En tout cas, n'aura jamais les mains de votre compagnon.

Abasourdie par cette avalanche d'analyses et d'informations données avec une telle placidité, je ne pus que balbutier en réponse :

— Les mains ?

— Il a les mains les plus extraordinaires que j'aie jamais vues chez un homme. Première chose que j'ai observée chez lui, en Palestine. Fortes, mais plus encore. Élégantes. Nerveuses. Non, pas tout à fait ça ; d'une sensibilité exacerbée. Des mains d'aristocrate ouvrier.

Elle agita les siennes avec une grimace, mettant un terme à cette recherche d'adjectifs contradictoires.

— Vous vous souvenez de la boule chinoise ?

— La... Ah oui, le casse-tête...

Je m'en souvenais très bien : une boule d'ivoire sculpté, si vieille qu'elle en était devenue presque jaune. On ne pouvait l'ouvrir qu'en pressant trois points différents en même temps. Dorothy Ruskin l'avait tendue à Holmes, qui l'avait tenue délicatement dans sa paume gauche, la caressant de temps à autre du bout des doigts de la main droite (Holmes, contrairement à moi, est droitier). La conversation avait suivi son cours. Holmes nous avait parlé avec animation de ses voyages au Tibet, de la stupéfiante maîtrise de leur corps dont faisaient preuve les lamas, puis de sa visite de La Mecque. Pendant ce temps, il caressait toujours la boule. J'avais assisté, fascinée, au jeu subtil entre le pouce et les deux doigts qui avaient libéré la serrure, laissant rouler dans le creux de sa paume le trésor de la boule, une chatoyante perle noire.

— Si intelligentes, ces mains. Alors qu'il m'avait fallu six mois pour venir à bout de ce casse-tête, lui l'a fait en vingt minutes. Oh, déjà arrivées ! s'exclama-t-elle avec regret. Merci encore pour cet après-midi. Profitez bien de Mariam. Serais curieuse de savoir ce que vous pensez d'elle. Vous ai-je donné mon adresse à Jérusalem ? Non ? Oh, zut, voilà le train. Où sont ces cartes ? Quelque part là-dedans...

Elle me fourra entre les bras deux prospectus, un texte dactylographié, des lettres, des papiers de bonbons, de vieux télégrammes, des notes gribouillées sur un coin de journal, plus trois revues, un livre et deux étuis à lunettes, dont un vide, avant d'exhumer enfin une carte de visite pliée en deux. Je remis l'attirail dans son sac, pris la carte et l'aidai à s'installer dans son compartiment.

— Au revoir, chère mademoiselle Russell. Revenez me voir en Palestine.

Elle semblait sur le point de dire autre chose, mais le sifflet retentit. Elle n'eut que le temps de m'embrasser sur la joue. Je descendis du train.

Sur le chemin du retour, je dus m'arrêter devant le troupeau de vaches laitières à qui le voisin faisait traverser la route et les ramenait à l'étable pour la nuit. Je coupai le contact et regardai mes mains. Compétentes, pratiques ; épiderme calleux, jointures solides, ongles carrés, taches de rousseur, taches d'encre. L'annulaire et l'auriculaire de la droite un peu tordus, séparés à la base par une mince cicatrice blanche s'étirant, presque invisible, sur la paume : un des vestiges de l'accident d'automobile qui avait coûté la vie à mes parents et à mon frère. Il m'en restait une multitude d'autres cicatrices que je cachais sous mes vêtements. Des semaines d'hôpital, puis des mois de psychothérapie sous hypnose, plus des années sous l'emprise de cauchemars provoqués par un effroyable sentiment de culpabilité. Ces mains posées sur le volant étaient celles d'une étudiante qui s'adonnait aux travaux des champs pendant ses vacances, des mains ordinaires qui tenaient le stylo ou la fourche avec la même aisance.

Celles de Holmes, au contraire, étaient réellement extraordinaires. Désincarnées, elles auraient pu appartenir à un artiste, un chirurgien, un pianiste. Ou même à un cambrioleur passé maître dans l'art d'ouvrir les coffres-forts. Jeune homme, il avait pratiqué la boxe avec talent, ce qui me paraissait criminel. L'escrime, oui, je pouvais l'accepter : des entailles et des coupures qu'il avait reçues, il n'avait gardé que des cicatrices. À l'inverse, employer ces deux outils si délicats pour cogner sur un autre être humain revenait, à mes yeux, à se servir d'une vase de porcelaine pour casser des noix. Mais Holmes n'avait jamais cru qu'un mauvais usage pût endommager une part de lui-même. Preuve que le plus intelligent des hommes est fort capable de se comporter comme un imbécile.

Heureusement, ses mains anguleuses restaient intactes. Ainsi que l'avait vu Mlle Ruskin, elles étaient l'extension directe de son esprit. Ses doigts longs et fureteurs exploraient les surfaces, frôlaient une étagère ou une chaussure jusqu'à arriver, sans intervention apparente de son intellect, au problème clé de l'enquête, tout comme lorsqu'ils exploraient une serrure, bourraient sa pipe, cajolaient un thème complexe sur son Stradivarius, rassemblaient les rênes d'un cheval rétif ou menaient à bien une expérience dans son laboratoire. Il me suffisait d'y jeter un coup d'œil pour connaître l'état et le cheminement de sa réflexion, savoir comment il comptait résoudre une énigme. La personne se révèle par ses mains : leurs cals, leurs rides, les déformations de leurs os. Sherlock Holmes était contenu tout entier dans la force et la sensibilité des siennes. Et cette vie m'était chère.

Je levai la tête. La voie était libre. Seules quelques bouses fumant doucement parsemaient la chaussée. Pardessus la barrière, le fils du fermier me fixait avec curiosité. Je remis le contact et rentrai chez nous.

4

Delta

Pour un épisode aussi bref et sans conséquence apparente, la visite de l'archéologue fit place à un vide déconcertant. Il nous fallut un gros effort pour retourner à nos occupations habituelles : moi à mes livres, Holmes à son laboratoire, qui émit des odeurs sulfureuses jusque très tard dans la nuit. Je m'accordai une heure pour déchiffrer la lettre de Mariam. Puis je retournai aux exhortations viriles du prophète Isaïe, répondis par un vague geste du bras au salut affectueux de Mme Hudson et, plus tard, à son « Bonne nuit, Mary », puis travaillai jusqu'à ce que ma vue décline, aux alentours de minuit. Je fermai mes livres et reportai mon attention sur la boîte. Quelles mains avaient si amoureusement façonné ce zèbre ? Quel artisan italien, si loin de paysages africains visiblement connus de lui et chers à son cœur, avait sculpté ce petit chef-d'œuvre ? J'y laissai longuement errer mes yeux. Lorsqu'ils déclarèrent forfait, je pris la boîte et l'emportai à travers la maison, pour vérifier la fermeture des portes et des fenêtres avant de monter l'escalier.

Sans lever la tête de son établi, Holmes se contenta de grogner quand je lui annonçai l'heure. Il n'avait pas réapparu au moment où je sortis de la salle de bains. Je posai la boîte sur ma table de nuit, éteignis la lampe et restai quelques minutes immobile dans la lumière argentée de la lune qui, pleine trois jours plus tôt, inondait les ondulations figées des Downs roulant vers la mer. Je laissai retomber le rideau et me couchai, solitaire. Tout en me détendant contre l'oreiller, je pris conscience que Holmes n'avait pas lu le moindre journal depuis au moins trois jours.

Remarque futile mais de mauvais augure. Le mariage affine la perception du comportement de l'autre, des petits détails révélateurs de son humeur. Pour Holmes, un de ces indices était son attitude vis-à-vis de la presse londonienne.

Jadis, elle avait joué un rôle capital dans son activité. Les récits du Dr Watson contiennent de multiples références aux journaux, aussi nombreuses que les exemplaires qui s'entassaient dans leur salon. Sans les articles des reporters, leurs commentaires et les messages personnels du courrier du cœur, Holmes aurait été privé d'un sens aussi indispensable que le toucher ou l'odorat.

À présent, son attitude à l'égard de la presse variait considérablement selon que l'affaire qui le préoccupait concernait la politique, le monde de l'art ou les fluctuations de la Bourse. Ou s'il n'y avait pas d'affaire du tout. À intervalles réguliers, il rendait fou notre marchand de journaux. Durant des semaines, il se contentait d'un seul titre londonien et de l'*Express* du Sussex pour Mme Hudson. Mais dès qu'il travaillait sur une énigme, il exigeait qu'on lui livre tous les quotidiens de la capitale, et dans les plus brefs délais. Des jours entiers, la sérénité habituelle de notre maison isolée était troublée par le va-et-vient presque incessant du garçon de courses : un gamin bavard à la peau grêlée, dont la voix nasillarde transperçait les murs.

Lors d'une de mes absences, au printemps précédent, Holmes avait sans motif apparent abandonné le navet qu'il affectionnait d'habitude pour l'austère *Times*. Ce journal évoquait pour moi le rite du petit déjeuner et les miettes de pain grillé. Cet éminent quotidien devait voyager de Londres jusqu'à notre cottage. Il ne nous parvenait jamais avant midi, souvent beaucoup plus tard si le cycliste boutonneux crevait en route ou croisait un ami.

Si Holmes se trouvait à la maison quand il arrivait, je pouvais percevoir son état d'esprit à partir de ses réactions, que j'avais eu tout le loisir d'observer et qui me renseignaient aussi sûrement qu'un baromètre. Certains jours, il guettait le livreur avec impatience. Dès qu'il l'apercevait sur le chemin de terre, il dévalait l'escalier, saisissait l'exemplaire au vol, se précipitait dans le salon, se laissait tomber dans le fauteuil d'osier élimé devant l'âtre et se plongeait avidement dans sa lecture, mêlant pendant une bonne heure exclamations et gémissements. D'autres fois, il l'ignorait. Le journal restait plié, plein de reproches, sur la table du vestibule. Holmes passait devant lui sans un regard, y entassait les lettres à poster, ouvrait le tiroir pour prendre ses gants sans lui manifester le moindre intérêt. Enfin, le soir, ou même le lendemain matin, il faisait mine de le découvrir, le parcourait distraitement puis le jetait avec dépit.

Ces jours-là, je les redoutais. Je savais que Holmes résistait de toutes ses forces à l'appel de Londres, à ce que cette ville avait représenté pour lui. Il se montrait alors délicieux et d'une politesse exquise, signe de grand danger. Un journal non lu révélait son agitation intérieure et suscitait chez moi une appréhension sournoise. Or, au cours des trois derniers jours, Holmes n'avait pas une seule fois feuilleté le *Times* au petit déjeuner.

Longtemps je restai éveillée. Près de mon lit, le clair de lune tombant sur la boîte faisait luire les yeux bleus d'un tout petit singe perché sur un arbre miniature. D'un seul coup, je me sentis exaspérée par cette intrusion dans mon emploi du temps surchargé.

Holmes n'éprouvait que peu d'affection pour la théologie, qu'il qualifiait de pseudo-discipline irrationnelle. Il regrettait ouvertement ce qu'il appelait un gaspillage navrant de mes facultés intellectuelles – une dépendance plus néfaste que la cocaïne – et maudissait son incapacité à m'en éloigner. Je m'efforçais d'ignorer ses réticences, acceptais avec fatalisme ce terrain d'incompréhension mutuelle. Il m'arrivait même de me demander si je ne l'avais pas choisi pour préserver mon identité face à l'écrasante personnalité de mon époux.

Deux fois, depuis notre mariage, des affaires m'avaient monopolisée autant que lui. Holmes, je l'avais compris récemment, était fort capable d'en inventer une pour m'arracher à l'emprise de mes recherches. Pas à partir de la lettre de Dorothy Ruskin, bien sûr ; elle aurait été trop compliquée à mettre sur pied, même pour son esprit tortueux. Mais rien ne l'empêchait d'en tirer parti pour me détacher de mon travail. Une marche le long des falaises ne serait peut-être pas la seule interruption provoquée par la vieille demoiselle.

Fixant sans la voir la petite lueur bleue, je sombrai dans le sommeil. Curieusement, je fis des rêves agréables.

Le lendemain, jeudi, le *Times* arriva à 13 heures. Il resta plié dans le vestibule toute la journée et l'était encore lorsque je descendis tôt le vendredi matin pour boire une première tasse de thé. Deux heures plus tard, en gagnant la salle à manger, Holmes s'en empara au passage. Près de quarante heures s'étaient écoulées entre le moment où j'avais mis Mlle Ruskin dans le train et celui où, sa tasse à la main, Holmes redressa le torse, poussant un cri de surprise.

— Que se passe-t-il ? demandai-je en interrompant la décapitation de mon œuf à la coque.

Je me levai et vins me rendre compte par moi-même de ce qui avait attiré son attention. C'était un communiqué de la police, un petit encart placé au milieu d'une page intérieure et qu'on avait manifestement inséré à la dernière minute avant la mise sous presse.

APPEL À TÉMOINS À PROPOS DE L'IDENTITÉ DE LA VICTIME D'UN ACCIDENT DE LA CIRCULATION À LONDRES

La police recherche toute personne susceptible d'identifier une femme tuée, tard la nuit dernière, dans un accident de la circulation. Il s'agit d'une dame âgée, à la peau très bronzée et aux yeux bleus, vêtue de pantalons marrons, d'une veste, d'un chemisier blanc et portant de grosses chaussures montantes à lacets. Tout lecteur qui pourrait connaître la victime est prié de prendre contact avec le poste de police de son quartier.

Je m'assis lourdement près de Holmes.

— Non ! Oh, ce n'est pas elle ! Mon Dieu ! Quand cela se serait-il passé ? Dans la nuit de mercredi ? Elle avait un dîner prévu à 21 heures.

Pour toute réponse, Holmes reposa d'un air absent sa tasse sur son toast et courut au téléphone. Après avoir attendu longtemps et pesté contre la mauvaise communication, il réussit à savoir qu'on n'avait pas encore identifié le cadavre. Il écarta le récepteur de son oreille, assourdi par la voix qui braillait à l'autre bout du fil. Détournant mon regard de la boîte de Mlle Ruskin, qui semblait inexplicablement m'avoir suivie au rez-de-chaussée, je me relevai avec peine, transie de froid. Ma voix me parut venir d'ailleurs.

— Irons-nous à Londres en voiture ? Ou attendrons-nous le train de midi ?

— Sortez l'auto, Russell. Je vais rassembler quelques affaires et dire un mot à Mme Hudson.

Je montai me changer, enfilai des vêtements convenables. Un quart d'heure plus tard, le moteur en marche, je me retrouvai au volant de la Morris, devant le cottage. Holmes surgit de l'arrière de la maison et, chassant d'un coup d'ongle quelque chose qui irritait le dos de sa main, s'installa à mon côté. Nous prîmes la route de Londres. À bord de la voiture régnait un silence pesant.

5

Epsilon

C'était elle. Étendue de façon absurde, petite et grise sur la table froide de la morgue, elle semblait irréelle, comme tous les morts. En dépit de l'horrible déformation d'un côté de sa tête, elle avait le visage relativement intact. Seule une vague grimace indiquait que ses traits à la fois bronzés et cireux avaient été vivants. Le reste de son corps était recouvert d'un drap. Lorsque Holmes le souleva pour examiner ses blessures, je me détournai, l'estomac révulsé, tout en écoutant ses questions ; j'examinai une rangée d'outils et d'instruments dont je ne voulais pas connaître l'usage.

— Une automobile. Elle est donc tombée devant les roues ?

— Oui, monsieur. Elle a buté sur quelque chose et s'est affalée au milieu de la chaussée. Ainsi que vous pouvez le constater, elle souffrait d'une cataracte. Sa vision nocturne devait être mauvaise. L'agent de service patrouillait à l'autre bout de son secteur et n'est arrivé qu'après avoir entendu les cris d'un témoin. Y en avait deux : un jeune couple qui regagnait son domicile vers minuit et quart. Un peu éméchés, je dois dire. Ne se souvenaient que de la chute de la dame et des crissements de pneus de l'auto qui foutait le camp. Pas de plaque minéralogique. Grosse berline noire, selon eux. Affirment aussi avoir vu un vieux mendiant au coin de la rue. Plutôt rare à cette heure dans un quartier tranquille, non ?

Le rire du jeune policier se répercuta contre les murs. Je sortis soudain de la salle et traversai le hall, courant jusqu'aux toilettes. En revenant, je trouvai Holmes seul dans un bureau contigu à la morgue, assis à une table, devant une pile de vêtements bien pliés : ceux que j'avais vus pour la dernière fois sur la femme allongée sur le marbre. À côté s'étalait une grande enveloppe kraft ouverte, près d'une feuille de papier où l'on avait posé trois épingles à cheveux en acier et un bouton métallique. Je compris tout de suite que ces objets constituaient des indices importants, notamment des traces de peinture laissées par la voiture. Holmes interrompit l'examen minutieux d'une des chaussures de Dorothy.

— Vous vous sentez mieux ?

— Merci. En fait, je n'étais pas malade, mais j'avais le choix entre sortir ou assommer ce crétin avec un de ses innommables instruments. Pouvons-nous partir, maintenant, ou reste-t-il d'autres formulaires à signer ?

— Asseyez-vous un moment, Russell, et jetez un coup d'œil à ces souliers.

Je restai debout devant lui. Son expression ne trompait pas. Je reconnus l'éclat de ses yeux gris enfoncés dans les orbites, son petit sourire, la délicatesse de ses doigts parcourant le cuir. Le soulier qu'il tenait dans la main venait de se métamorphoser, tout comme Dorothy, qui, de victime d'un banal accident, était devenue le centre d'une affaire. Brièvement, j'entrevis Holmes sur une colline battue par le vent, je l'entendis me dire qu'il était capable de renifler un mystère sur le pas de sa porte. Je refusais d'avoir affaire à ce Holmes-là. Tout ce que je souhaitais, c'était rentrer, marcher le long des falaises pour pleurer la perte d'une femme de valeur. Et je n'avais aucune envie d'examiner ses chaussures.

— Que suis-je censée y découvrir, Holmes ?

Sans un mot, il me tendit la droite avec sa loupe puissante. À contrecœur, je l'emportai vers la fenêtre. La chaussure était neuve : bout un peu éraflé, semelle à peine usée. Elle était garnie d'œillets suivis, au niveau de la cheville, de deux longues rangées de crochets. Solide, confortable, facile à lacer ; j'en possédais une paire semblable, mais au cuir plus souple et aux semelles de crêpe. Pas de taches de sang. Je braquai la loupe sur les deux crochets du bas. À l'inverse des autres, ils étaient tordus. À leur base, de chaque côté, s'étirait une entaille de trois centimètres, de l'épaisseur d'un cheveu, que la loupe grossit plusieurs fois : une lame aiguë, très fine, avait heurté le dessous des crochets et incisé le cuir.

Le soulier gauche se présenta et je l'examinai. Lui aussi avait une coupure presque invisible, courant cette fois en biseau sur le bout du pied et obscurcie par la partie un peu râpée qu'elle traversait. Je revins vers le bureau, y posai les chaussures et rendis sa loupe à Holmes. Là-haut, sur le trottoir, au-delà de la fenêtre en sous-sol, marchaient des gens dont je ne distinguais que les pieds.

— Peut-être avait-elle déjà ces marques sur ses souliers lors de sa visite chez nous ?

Holmes replaça les épingles à cheveux et le bouton sur la feuille de papier, puis les glissa dans l'enveloppe.

— Vos yeux vous jouent-ils des tours, Russell ? Ces entailles sont toutes fraîches. Il n'y a pas même un grain de poussière.

— Si on l'a fait trébucher, la collision était délibérée. Un meurtre. Je dois avouer que je m'interrogeais. Un accident et un délit de fuite au milieu de la nuit... Sans compter la disparition de son sac. Cela me paraissait suspect.

— Bien raisonné, Russell. Je constate avec soulagement que mes efforts pour vous former n'ont pas été totalement vains. Je vais me renseigner sur l'emplacement où l'on a tué Mlle Ruskin.

— Et sur les témoins ?

— Et leur adresse. Attendez-moi ici.

Après avoir réussi à nous débarrasser du jeune policier, nous prîmes un taxi jusqu'au lieu de l'assassinat. La circulation, en ce début d'après-midi, était beaucoup plus dense qu'à minuit et quart. Nous la perturbâmes un peu plus encore en encombrant le coin de la rue et en nous accroupissant pour examiner l'angle, ce qui attira de nombreux badauds. C'était un bout de rue tout à fait ordinaire, avec une boîte aux lettres rouge d'un côté, un réverbère électrique neuf de l'autre et un lugubre immeuble de bureaux aux briques jaunes et sales, séparé de la chaussée pavée par un large trottoir. Je m'agenouillai à l'abri de la boîte aux lettres, tournant le dos au carrefour pour éviter d'être piétinée. Des omnibus, des automobiles, des camions et des voitures à cheval ne cessèrent de passer à cinquante centimètres de ma tête tandis que je me penchais pour explorer du bout des doigts l'arrière de la boîte, récemment repeinte. Une femme s'arrêta pour y glisser un paquet de courrier et me lorgna d'un air stupéfait. Je lui souris poliment avant de reprendre mon inspection, cette fois autour de la base, fixant sans les voir les roues qui défilaient. Et mes doigts rencontrèrent ce que j'aurais préféré ne jamais trouver.

Je me déplaçai de l'autre côté, pour m'agenouiller encore. Ma joue touchait le bord du trottoir ; je louchai vers l'entaille minuscule et très nette, à quinze centimètres du socle. Elle s'allongeait sur près du tiers du tour de la boîte et s'approfondissait sur la partie la plus éloignée du réverbère.

Je me redressai, me faufilai vers l'endroit où Holmes était accroupi et lui annonçai ma découverte. La sienne se différenciait de la mienne : l'entaille qu'il avait repérée ceinturait entièrement la base du réverbère et n'était pas aussi profonde. Il me montra, sur le côté le plus éloigné de la boîte aux lettres, deux échancrures parallèles. Il s'allongea sur le trottoir, obligeant les piétons à l'éviter, et sortit sa loupe. Au bout d'une minute, il grogna.

— Un fil de fer très fin. Peut-être même une lourde ligne de pêche. Déguisé en mendiant, l'homme s'est assis contre le mur après avoir fixé par une boucle le fil à la boîte aux lettres et l'avoir enroulé deux fois autour du réverbère pour en augmenter la force, barrant ainsi l'angle de la rue. La voiture attendait un peu plus bas. Lorsque Mlle Ruskin est arrivée, le vieux mendiant a tiré sur le fil, qui s'est tendu à quinze centimètres du sol. Elle est tombée, l'auto l'a écrasée. Dans la confusion qui a suivi, personne n'a remarqué que l'homme coupait le fil, le récupérait, subtilisait le sac de la victime et disparaissait entre les immeubles. Je pense qu'on finira par retrouver la voiture, volée, bien sûr, abandonnée quelque part. Voyons ce que nous apprend le mur.

Sans se soucier des regards et des jurons proférés à voix basse, il se releva et se fraya un chemin jusqu'au bâtiment. Il s'assit sur les talons, tenant sa loupe d'une main, et scruta le sol.

— À peu près ici, dirai-je. Oui. Vous voyez les fibres?

Ma tête se contorsionna contre les briques jusqu'à ce que je distingue une parcelle de tissu à la surface rugueuse. Holmes sortit une pince chirurgicale d'une poche intérieure, préleva une fibre invisible et l'éleva devant sa loupe.

— De la laine, d'un vilain bleu-gris. Et voici de la laine bleu sombre, plus fournie, au niveau de la tête d'un homme de taille moyenne. En dépit des doutes du jeune policier sur la fiabilité des deux témoins éméchés, il y avait bien ici, cette nuit-là, un homme assis en train de mendier ou simplement d'attendre. Tenez les enveloppes, voulez-vous? Voilà. Inutile de chercher des empreintes digitales. L'homme portait certainement des gants épais. Sinon, le fil l'aurait coupé et laissé de belles traces de sang, ce qui n'est pas le cas. Ni cheveux ni cendres de cigarette. La barbe! Hier, nous aurions pu trouver quelque chose de plus intéressant.

Nous nous levâmes. La foule de badauds commença à se disperser. J'inscrivis la nature des échantillons sur les enveloppes, que je glissai dans une de mes poches.

— Russell, à présent, un peu de marche à pied. Nous devons découvrir le restaurant d'où venait Mlle Ruskin et l'hôtel où elle se rendait. Je prends le premier et je vous rejoins ici dans une heure. Ça vous va?

— Ne croyez-vous pas que la police a déjà fait tout cela ? murmurai-je d'une voix plaintive.

— La victime d'un accident de la circulation ne constitue pas pour elle une priorité. Après avoir inséré une annonce dans la presse, elle va se contenter d'attendre la réponse. Selon le jovial agent de la morgue, ses collègues affrontent en ce moment une recrudescence de vols à la tire. De toute façon, s'ils ont déjà commencé à frapper aux portes, ils ne sont arrivés à rien. Sinon, je l'aurais su. Il ne nous sera pas difficile de faire mieux.

Je ne pus qu'acquiescer. Nous partîmes chacun de notre côté, Holmes pour reconstituer les derniers pas de Mlle Ruskin, moi en quête de sa destination.

6

Zêta

La chance me sourit. Les rues avoisinantes n'étaient pas de celles où hôtels et pensions à la semaine sont accolés les uns aux autres. Le sixième, modeste mais prétentieux, fut le bon. Lorsque je m'enquis d'une vieille dame en pantalons et chaussures montantes, le réceptionniste, après avoir jaugé la jeune femme sans gants, sans chapeau et aux souliers plats qui l'importunait, ses lunettes cerclées de fer, sa chevelure épaisse à la coupe démodée, son tailleur-pantalon, son chemisier de soie et sa montre-bracelet à la main droite, répondit avec componction :

— Oui, madame. Cette personne est arrivée ici lundi après-midi. Je l'ai vue dans l'après-midi de mardi, mais je n'étais de service ni mercredi ni jeudi.

— Sa clé est-elle au tableau ?

— Oui, madame. Il y a aussi une lettre pour elle.

— Oh, je me demande si ce n'est pas celle que je lui ai envoyée pour l'inviter à déjeuner aujourd'hui. Puis-je ?

Mon ton et ma main ouverte n'admettaient pas de réplique. Il me remit la lettre, que je m'empressai de saisir. Elle portait un cachet de Cambridge. Je la glissai dans mon sac et souris à l'employé.

— Effectivement, c'est la mienne. Cela m'inquiète au plus haut point. J'espère qu'il ne lui est rien arrivé. Verriez-vous un inconvénient à ce que je jette un coup d'œil à sa chambre, pour m'assurer que ma tante n'est pas malade ? À moins qu'elle ne m'ait laissé un mot. Elle est parfois très distraite.

J'accentuai mon sourire de commande en proférant ce mensonge, tendant la main pour la clé. Même s'il avait été absent pendant deux jours, je trouvais surprenant qu'il n'ait pas entendu parler d'une femme tuée à cinq cents mètres de là. Il est vrai que la police réagit parfois avec une extrême lenteur, surtout si elle n'a aucune raison de trouver suspectes les circonstances d'un banal accident.

L'homme hésita. Fort à point, un taxi déversa devant l'hôtel une famille américaine encombrée de bambins braillards et d'innombrables bagages, qui envahit le vestibule. Le réceptionniste laissa tomber la clé dans ma paume et se tourna vers le chef de famille harassé. Je disparus sans demander mon reste.

La serrure du 17 était usée, mais ne semblait pas avoir été forcée ni crochetée. Je pénétrai dans la chambre, très ordinaire : un lit affaissé, une coiffeuse délabrée et un cabinet de toilette près de l'entrée. J'ignorais les habitudes de Mlle Ruskin et ne pouvais savoir dans quel état elle l'avait laissée en la quittant le mercredi. Ni si la femme de ménage était déjà venue la nettoyer. J'enfilai des gants de coton avant de palper le lit, sifflant doucement entre mes dents – manie qui met à rude épreuve mon mari, mes amis et ceux qui travaillent près de moi dans les bibliothèques. Rien dans les tiroirs de la table de nuit. La pendulette de voyage était arrêtée 7 h 10. Je lui donnai une petite tape, elle se remit aussitôt en marche. Elle s'était donc arrêtée d'elle-même.

Je repérai un peigne sur la coiffeuse, avec plusieurs cheveux blancs. Pas de produits de beauté. Un pot de crème pour les mains. J'y plongeai une épingle à cheveux, n'y découvris aucun objet dissimulé. J'ouvris la penderie, aperçus le sac de Dorothy sur une étagère. Elle avait donc regagné sa chambre avant de se rendre à son dîner et y était restée assez longtemps, sinon pour se changer, du moins pour y déposer son sac. Je braquai ma lampe torche sur le fatras qu'il contenait et que rien ne différenciait, au premier abord, de ce que j'y avais vu le mercredi. Ah... Deux paires de lunettes dans leur étui. Bien sûr... Il faisait presque nuit quand elle avait quitté l'hôtel pour aller à son rendez-vous, elle n'avait donc pas besoin de se protéger les yeux. Rien de significatif dans les poches de ses vêtements suspendus, un imperméable, une autre paire de chaussures, plus légères mais tout aussi fonctionnelles que les autres. Deux valises qui avaient beaucoup voyagé gisaient dans un coin. Le linge, les objets et les papiers qui s'y entassaient en désordre pouvaient aussi bien avoir été laissés par leur propriétaire que fouillés à la hâte.

Une table minuscule contre la fenêtre était recouverte d'une pile de papiers : un rapport dactylographié sur une campagne de fouilles, des croquis de statuettes, des coupes ; deux livres sur les techniques d'archéologie, un essai récent sur la Bible, une grande loupe. « Elle n'aura plus à s'inquiéter de sa cataracte », songeai-je, sous le coup d'une colère noire. Je me penchai, ouvris un tiroir avec brusquerie. Rien. Je m'assis, accablée, et regardai par la fenêtre. Une femme de cœur. Je l'aimais beaucoup sans rien savoir sur elle. Délibérément, brutalement assassinée. Pourquoi ?

Je tirai l'enveloppe de mon sac. Mais je n'eus pas le temps de la décacheter : une clé tournait dans la serrure. Je me levai d'un bond, fourrai dans ma poche la lettre dérobée, preuve de mon délit à l'encontre des services postaux de Sa Majesté. Ce n'était pas le réceptionniste venu récupérer la missive, mais la femme de chambre, une jeune fille soignée aux brillants cheveux sombres, avec un balai et un chiffon à la main. En m'apercevant, elle recula.

— Je suis navrée, madame. J'ai cru qu'il n'y avait personne. Je reviendrai plus tard.

— Non, je vous en prie. S'il vous plaît, pourriez-vous... m'accorder une minute pour répondre à quelques questions ? Je m'inquiétais pour ma tante, qui occupe cette chambre. J'avais rendez-vous avec elle pour déjeuner et elle n'est pas venue. Peut-être l'avez-vous vue aujourd'hui ?

— Non, madame. Je n'ai croisé personne dans cette chambre. Il y avait un charmant jeune homme, la semaine dernière, mais pas de dame.

— Ma tante a dû s'y installer voici quelques jours. Dites-moi, mercredi ou jeudi, y avait-il déjà ici une certaine pagaille ? Je vous pose cette question parce qu'elle est parfois désordonnée. Dans ces cas-là, je viens lui donner un coup de main.

Elle hésita à peine avant de répondre :

— Non, madame. Pas vraiment de pagaille. Mardi, il y avait du désordre, mais pas plus que chez certains autres clients. Mercredi également. Mais hier, on aurait pu penser que personne n'y avait dormi. Pour vous dire la vérité, je n'ai même pas eu à faire le lit. Nell était absente et j'étais débordée. Donc j'ai juste tiré les draps et ramassé quelques objets par terre.

Je ne trouvai pas d'autre façon de poser la question suivante.

— Ma tante avait-elle déplacé des objets entre mercredi et hier ?

La jeune fille eut un regard interrogateur. Elle était aussi vive qu'honnête. Elle me scruta un instant, puis son visage changea : elle venait de faire le lien entre mes questions et la nouvelle qui avait échappé au réceptionniste.

— Pourquoi me demandez-vous ça ? Qui êtes-vous ?

— Je suis une amie, pas sa nièce. Oui, elle est morte dans la nuit de mercredi.

La jeune fille s'assit sur le lit impeccable, leva les yeux vers moi.

— La vieille dame renversée ? Je ne savais pas... Je n'avais pas fait le rapprochement... On a juste parlé d'une personne âgée...

Réponse classique : je ne la connaissais pas.

— Oui. Je l'ai vue tôt ce jour-là et j'aimerais savoir ce qu'elle a fait le restant de la journée. Sa famille voudrait le savoir.

Ce petit mensonge n'avait rien d'invraisemblable. Heureusement, la jeune fille me crut. Je continuai.

— Elle est revenue ici mercredi soir, mais j'ignore pour combien de temps. L'état de la chambre, hier, indiquait-il qu'elle ait pu y rester longtemps ?

Cet appel à sa compétence professionnelle produisit son effet : elle se releva et considéra la pièce.

— Mercredi, j'ai fait le lit, dépoussiéré la penderie, mis des serviettes propres. Il y avait une tasse sur la coiffeuse. Je l'ai enlevée. Les papiers étaient éparpillés sur la table. Je les ai rangés, avant de replacer les stylos dans le tiroir. C'est à peu près tout. Quant à hier... Laissez-moi réfléchir. Elle paraissait avoir fait le lit elle-même, mais mal. Je l'ai donc refait. J'ai replié une serviette jetée dans un coin, près du lavabo, fermé la penderie qui était grande ouverte, ramassé la loupe tombée sous le bureau. Rien d'autre.

— Les papiers et les livres avaient-ils changé de place ?

— Non. Ils étaient au même endroit que mercredi. Ce jour-là, au sommet de la pile que j'avais faite au hasard en rassemblant les feuilles, il y avait une page avec de drôles de petits dessins... On aurait dit une statue. Une grosse femme nue, avec d'énormes... vous savez, ajouta-t-elle en rougissant, portant ses mains à vingt centimètres de sa poitrine. J'ai aussi regardé la page qui était dessous, par curiosité. Vous ne le direz pas à M. Lockhart, le directeur ?

— Bien sûr que non. Qu'y avait-il sous la représentation de la statuette ?

— Un autre dessin : un cheval et une espèce de char.

Je m'approchai des papiers. Les quatre pages du dessus étaient toutes dactylographiées. Je feuilletai la pile, trouvai au milieu la page aux trois croquis représentant la déesse de la fertilité et, en dessous, le dessin du char de guerre.

— Les feuilles ont été déplacées et replacées dans un ordre différent.

— C'est curieux. Je ne l'avais pas remarqué. Elle a dû les consulter mercredi soir avant de partir et les ranger ensuite.

— Peut-être se sentait-elle gênée d'avoir laissé, le matin, la table en désordre ?

— Peut-être, dit la jeune fille d'un ton dubitatif.

Son travail de femme de chambre d'hôtel l'avait visiblement rendue sceptique.

— Bien, merci, mademoiselle...

— Je m'appelle Sally, madame. Sally Wells.

— Et si la famille désire reprendre contact avec vous, quels jours travaillez-vous ?

— J'ai mon samedi après-midi et tout le dimanche. Oh, madame, ce n'est pas nécessaire. Non, je ne peux pas accepter. Enfin, peut-être une partie... Merci, madame.

— C'est moi qui vous remercie, mademoiselle Wells. En mon nom et au nom de la famille. Vous avez été très utile. Non, vous n'aurez pas à nettoyer la chambre au cours des deux ou trois prochains jours. Il faut d'abord que nous venions récupérer les affaires de mon amie. D'ici là, vous nous rendriez un grand service en vous montrant discrète. Il est inutile que des gens entrent ici. Je savais que vous comprendriez. Merci encore, mademoiselle Wells.

Je redescendis au rez-de-chaussée. En posant la clé sur le comptoir, je demandai au réceptionniste pour combien de jours Mlle Ruskin avait payé la chambre.

— À ma connaissance, elle comptait nous quitter cet après-midi, madame.

— Nous prolongeons la location jusqu'à dimanche, dis-je en sortant un billet de mon sac. Cela suffira-t-il ?

— Oui, bien sûr, madame, mais...

— Bien. Je désire que la chambre reste en l'état jusque-là. Personne ne doit s'y introduire.

— Très bien, répondit-il, interloqué. Si je puis me permettre, madame a-t-elle trouvé sa tante ?

— Oh, oui, j'en ai bien peur. Reste à savoir ce que nous allons en faire.

— Je vous demande pardon ?

— Rien. Bonne journée.

Ignorant sa perplexité et ses protestations, je tournai les talons, sortis et gagnai le carrefour où Dorothy Ruskin avait été tuée. La silhouette élancée de Holmes s'appuyait contre le mur de brique jaune où il avait prélevé des fibres de laine. Il lisait le *Morning Post*. À voir ses épaules, je sus que lui aussi avait obtenu des résultats. Profitant d'une accalmie dans la circulation, je m'avançai vers lui.

Au milieu de la chaussée, mon élan se brisa. Je me figeai. Ce qui semblait être de la peinture d'un brun rougeâtre souillait le bord du trottoir d'en face. Le soleil éclairait crûment la tache de sang. Un instant, je crus voir une tête aux cheveux blancs s'affaisser dans le cercle de lumière d'un réverbère, un corps s'effondrer puis tenter de se relever, des phares éclairer de façon fugitive un homme accroupi contre le mur. J'entendis le vrombissement d'une accélération soudaine, un crissement de pneus suivi d'un choc violent. Un sifflement strident envahit mes oreilles, submergeant vision, pensées, conscience.

Je ne me suis jamais évanouie. Mais je l'aurais fait en plein milieu de cette rue, sans la pression d'une main de fer sur mon bras et, tout près, la voix effrayée de Holmes.

— Dieu du ciel, Russell, essayez-vous de revivre l'accident ? Venez, vous avez besoin de vous asseoir. Il y a un bistrot tout près d'ici.

Mouvements divers, regards braqués sur moi. Une inspiration fébrile, profonde. Le vrombissement s'estompa. La main de Holmes serrait toujours mon bras.

— Asseyez-vous. Je reviens de suite.

Les broderies de la nappe. Blanc sur blanc. Deux miettes rondes à la forme parfaite, le visage déformé d'une gigantesque femme blonde se reflétant au dos d'une cuillère. Je fermai les yeux.

Les doigts de fer revinrent avec douceur sur mon épaule. Un bruit de porcelaine.

— Buvez ça.

Une tasse chaude entre mes doigts glacés ; j'avalai un café fort et brûlant, parfumé au cognac. Je restai immobile, les yeux clos. Les doigts, à présent, enserraient mon poignet. Enfin, mon tremblement cessa. J'ouvris les yeux, respirai, fixai mon compagnon puis, pour me donner une contenance, saisis la cuillère.

— Avez-vous avalé quoi que ce soit au petit déjeuner, Russell ?

Je secouai la tête.

— C'est bien ce que je pensais. Tenez. Mangez. Nous parlerons ensuite.

Des assiettes apparurent. Je me forçai à goûter au pain chaud et à la soupe à l'oignon que le garçon venait de déposer sur la table. Après quelques bouchées, je me sentis mieux. J'eus un sourire piteux.

— Je suis navrée, Holmes. J'ai vu... Il y avait du sang sur le rebord du trottoir.

— Oui, je l'ai remarqué. Ne vous excusez pas.

— Je me sens ridicule.

— La mort violente d'un être qu'on appréciait est toujours traumatisante. Bien. Qu'avez-vous découvert ?

Au prix d'un gros effort, je réussis à adopter le même ton que lui.

— Sa chambre... Une femme de ménage, qui m'a révélé sans me le dire qu'on l'avait fouillée entre mercredi soir et jeudi matin... Des papiers dérangés, le lit défait puis refait, ce genre de chose... Et une lettre.

Je l'extirpai de ma poche, la lui donnai.

— Je ne savais pas si je devais l'ouvrir ou non. À vous de décider.

Sans un mot, il la glissa dans une poche intérieure. Levant la main, il appela le garçon, lui demanda d'apporter la note et de commander un taxi.

— Où allons-nous, Holmes ?

Même si je me sentais toujours flageolante, je ne tenais pas à le montrer.

— À mon avis, une visite chez Mycroft s'impose.

Cette perspective me surprit. Je m'étais attendue qu'il me dise : « Scotland Yard », ou me propose l'un des six ou sept refuges qu'il avait aménagés dans divers quartiers de Londres. Mais Mycroft ? Certes, son corpulent et indolent frère aîné pouvait nous apporter quelque lumière sur l'affaire qui nous préoccupait, à supposer qu'elle eût un rapport avec les arcanes de la politique internationale plutôt qu'avec la police criminelle. Toutefois, tant que nous n'aurions pas d'indication sûre à ce sujet, je ne voyais pas l'intérêt de nous adresser à lui.

Je fis valoir mes objections et ajoutai :

— De toute façon, Mycroft ne sera pas chez lui avant plusieurs heures.

Sans se troubler, Holmes laissa un pourboire généreux et m'escorta galamment jusqu'à la porte, avec cette courtoisie qui masque un autoritarisme implacable.

Il garda le silence dans le taxi. Engourdie par mon repas, je n'ouvris pas plus la bouche et me contentait de le regarder à la dérobée.

Lorsque la gouvernante de Mycroft nous introduisit dans son appartement, j'avais assez recouvré mes esprits pour m'interroger quant à l'effet de cet épisode sur Holmes. Je m'effondrai dans un fauteuil confortable. Holmes tira le sien vers moi et sortit son tabac.

— J'ai honte de ma défaillance, Holmes. Comme vous le savez, il m'est difficile de me montrer indifférente dès qu'il s'agit d'un accident d'automobile. J'ai bien peur de m'être laissé emporter par mon imagination.

— Ça suffit, Russell. Tout le monde peut avoir une faiblesse, même une femme du XXe siècle. Vous n'avez nul besoin de me convaincre que vous n'êtes pas une mijaurée sujette à des vapeurs. Bien. Si vous avez fini de déverser à mes pieds votre abjecte humilité, peut-être me ferez-vous la grâce de me donner les détails de votre enquête. Ensuite, je crois que les résultats de la mienne vous intéresseront.

Un mince nuage de fumée bleue stagnait dans la pièce quand j'eus terminé. Après un instant de silence, Holmes déclara :

— Que ses papiers aient été fouillés, c'est l'évidence. Je m'y attendais. Et je suis d'accord avec vous, ils l'ont été après sa mort. S'il y avait eu une chance pour que Mlle Ruskin regagne sa chambre, les intrus auraient pris la précaution de les remettre dans l'ordre où ils les ont trouvés. Vous devriez aller réexaminer son sac pour vérifier si ce qu'il contenait mercredi correspond en tout point à ce qu'il en reste à l'hôtel. Mais pas tout de suite. Voulez-vous un verre de vin ou du thé ?

Il se leva, alla vers le bar, prit des glaçons dans l'antique glacière à gaz et se servit à boire. Il revint et étendit ses longues jambes devant l'âtre froid.

— Moi aussi, j'ai obtenu quelques résultats. Il m'a fallu un certain temps pour dénicher le restaurant, perdu au fond d'une ruelle, à huit rues du lieu de la collision. Je l'ai même dépassé deux fois avant de revenir sur mes pas. Heureusement, le maître d'hôtel était à son poste mercredi soir. Il se souvenait très bien de notre demoiselle. Quant au personnage avec qui elle dînait, c'est un habitué : un certain colonel Edwards. Il m'a même donné son adresse, contre une petite gratification. Le dîner du colonel et de Mlle Ruskin a duré presque trois heures. Selon le maître d'hôtel, ils ont eu une conversation plus qu'animée à propos de documents qu'elle lui avait apportés. Le colonel avait l'air de fort méchante humeur. À un moment, il a brusquement quitté la salle pour passer un coup de téléphone. En fait, toujours selon le maître d'hôtel, il est allé boire un verre en douce pour retrouver son calme. Mlle Ruskin paraissait plus amusée qu'irritée par son exaspération. Il semblerait que le colonel ne s'attendait pas à avoir affaire à une femme, ce qui l'a mis hors de lui. Mlle Ruskin avait un grand porte-documents de cuir marron, qu'elle a emporté en partant. Le maître d'hôtel a même remarqué les lettres de cuivre sur le rabat, *DR*, car ce sont ses propres initiales.

— Donc celui qui l'a renversée, ou plutôt le mendiant, a pris le temps de dérober ses papiers. Les deux témoins devaient être sacrément ivres.

Mon cerveau fonctionnait au ralenti, mes yeux me brûlaient. Je m'efforçai de fixer Holmes à travers la fumée et la lumière diffuse.

— Russell, dit-il, j'ai une proposition à vous soumettre. Je vais aller interroger le colonel et celui des deux tourtereaux sur lequel je réussirai à mettre la main. Vous, restez là, reposez-vous et racontez notre affaire à Mycroft quand il rentrera.

J'étais trop épuisée pour protester. D'autant que toute tentative pour lui prouver ma capacité d'agir eût été aussi ridicule que mon « abjecte humilité ».

7

Êta

En dépit de mes résolutions, je ne pus empêcher le sommeil de me gagner. J'émergeai, au crépuscule, de rêves macabres peuplés de porte-documents de cuir sur une table de marbre et d'yeux bleus embués.

Je me retrouvai sur le lit de la chambre d'amis de Mycroft. Des voix me parvenaient du salon. Je me lavai plusieurs fois le visage, remis mes épingles à cheveux en ordre puis rejoignis mon mari et son frère.

— Bonsoir, Russell. J'espère que vous avez bien dormi.

— Pas vraiment. Bonsoir, Mycroft. Vous avez une mine éblouissante.

— Bonsoir, Mary. Un verre de xérès ou du thé ?

— Il est tard pour le thé, mais je meurs de soif. Puis-je ?

— Bien sûr, répondit-il en actionnant la cloche. Sherlock m'a parlé de votre mystérieuse visiteuse et de vos aventures de la journée. Tout à fait curieux.

— Mon Dieu, nous n'avons appris la nouvelle que ce matin ! J'ai l'impression que c'était il y a une semaine.

La gouvernante se présenta à la porte. Holmes se leva pour lui demander du thé. Il regagna son fauteuil et tendit la main vers son inévitable pipe. Mycroft prit un cigare dans une boîte d'argent ciselé.

— Y voyez-vous un inconvénient, Mary ? Merci.

Sacrifiant au rituel, il en trancha le bout avec des gestes lents. Bientôt, à sa grande satisfaction, un nuage de fumée odorante sortit de sa bouche.

— Qu'en penses-tu, Sherlock ? Pourrait-il s'agir d'un simple cambriolage ? Peut-être possédait-elle quelque chose de valeur ?

— Hypothèse impossible à vérifier, Mycroft. Russell... Ah, voilà votre thé. Ne bougez pas. Biscuits ? Non ? Prenez au moins un de ces sandwiches. Ils risquent de vous servir de souper. Russell, j'ai réussi à joindre le colonel Edwards, juste avant son départ pour un week-end de chasse dans le Berkshire. Il m'a accordé quelques minutes. Mlle Ruskin et lui ont passé leur dîner à étudier les fouilles qu'elle envisageait, en examinant des photographies du site et des tranchées d'exploration. Il a été « favorablement impressionné » et a l'intention – peut-être devrais-je dire « avait » l'intention – d'appuyer le projet auprès de son association.

— De quelle association s'agit-il ?

— Les Amis de la Palestine : un groupe d'officiers et d'ecclésiastiques à la retraite. Ils récoltent des fonds pour soutenir différentes réalisations, principalement en Terre sainte. D'après ce qu'il m'a dit, un club où l'on boit de l'excellent whisky en étudiant la Bible.

— Réservé aux hommes ?

— Uniquement. En fait, il a reconnu avoir été surpris lorsque D. Ruskin s'est révélée être une femme.

— Il n'avait donc pas préparé sa réponse ?

— Apparemment, non. Il a eu l'air sincèrement affecté en apprenant la mort de son interlocutrice, mais cela ne l'a pas fait renoncer à sa partie de chasse. En temps normal, son garage contient trois voitures. Ce soir, il n'y en avait que deux. Aucune ne présentait de traces de réparations récentes. Selon le chauffeur, la troisième automobile est un cabriolet appartenant au fils du colonel. Ce jeune homme est actuellement au volant de ce bolide, en route pour l'Écosse, où il doit disputer une sorte de compétition qu'on appelle un rallye. Terriblement dangereux, semble-t-il, pour le bétail et les promeneurs écossais sans méfiance. Les larges traces de pneus correspondent bien à celles d'une voiture de sport ; et les marques de peinture noire sur le mur, provenant d'un pare-chocs fixé très bas, trahissent un conducteur excessivement distrait ou souvent imbibé.

— À ce propos, avez-vous retrouvé les témoins ?

— Mlle Chessman et M. O'Rourke ont quitté directement leurs bureaux respectifs pour se rendre en train chez les parents de la demoiselle, près de Tonbridge. Selon sa voisine, qui devrait, à mon sens, se méfier des vieillards trop curieux, Mlle Chessman est encore bouleversée par un accident auquel elle a assisté dans la nuit de mercredi à jeudi. À en croire cette personne, ravie d'être dans la confidence, l'événement l'a traumatisée et menée au bord de la dépression. Voilà tous les renseignements que j'ai pu obtenir.

— Et la lettre ?

— Ah oui, la lettre. Nous devrons la remettre à Scotland Yard dans les plus brefs délais. L'inspecteur principal Lestrade et ses collègues croiront-ils que Sherlock Holmes l'aura eue entre les mains sans l'ouvrir ? Jamais. Donc autant s'en charger... Reste-t-il de l'eau chaude dans la théière ?

Je la secouai, faisant clapoter le fond.

— Parfait. Enlevez les biscuits de leur bol et versez-y l'eau. Avez-vous déjà fait cela auparavant, Russell ? Oui, bien sûr. Vous savez donc qu'une hâte excessive peut tout gâcher. Trop de vapeur appliquée trop vite froisse le papier et signe le forfait. Lentement... Vous voyez ? Du papier et de la colle de bonne qualité facilitent la tâche. Ce couteau, s'il te plaît, Mycroft. Enlève d'abord le beurre ! C'est mieux. Voilà, doucement. Je vais utiliser des pinces à épiler, au cas où nos fins limiers décideraient de rechercher des empreintes. Précaution sans doute inutile, dans la mesure où le papier a déjà été beaucoup trituré, mais il vaut mieux ne pas prendre le risque d'embrouiller leurs pauvres cervelles. Enlevez le plateau, je vous prie, Russell. Merci.

Nous nous penchâmes tous trois sur la lettre qu'il étalait sur la table. Il en énuméra assitôt les caractéristiques essentielles.

— Écriture de femme, tarabiscotée. Datée de mercredi, a dû arriver hier. Pas assez tremblotante pour être de la mère, qui doit avoir dans les quatre-vingt-dix ans. Peut-être une sœur.

Nous lûmes :

Chère Dorothy,

Ta visite, ce week-end, nous a causé une grande joie et a vraiment comblé maman (tu ne t'en es peut-être pas aperçue, mais moi, si). J'espère que tu pourras revenir avant de quitter l'Angleterre, même si je puis comprendre que tu aies un empêchement.

Je t'écris parce que peu après ton départ deux messieurs sont venus ici. Ils cherchaient à te joindre à propos d'une contribution financière pour ton projet en Terre sainte. Ils m'ont dit leurs noms, mais j'ai bien peur de ne pas m'en souvenir. Ce sont des noms très longs et étrangers. J'aurais peut-être dû les noter, mais j'étais un peu bousculée et maman m'appelait à l'étage. Néanmoins, tu dois les connaître comme ils te connaissent. Ils étaient tous deux bruns de peau et grands, un peu comme sur les photographies que tu m'as envoyées, des gens au nez aquilin qui travaillent sur tes fouilles. Bien mis, cependant, et très bien élevés. Le nom de l'un d'eux se terminait par quelque chose comme « mad ». En tout cas, je tenais à te prévenir, au cas où ils n'auraient pas réussi à te joindre. Ils semblaient très désireux de te voir avant ton départ et ont eu l'air très déçus de t'avoir manquée. Je leur ai dit que tu comptais aller dans le Sussex, chez M. Holmes et son épouse, et qu'ils pourraient te téléphoner là-bas. Je leur ai également donné l'adresse de ton hôtel à Londres.

Je crains de ne pas les avoir reçus correctement. Mais maman attendait son bain. J'espère qu'ils ne m'ont pas trouvée grossière. J'espère aussi qu'ils te donneront de l'argent. De toute évidence, ils en ont : ils sont arrivés dans une énorme limousine d'un noir rutilant, conduite par un chauffeur en uniforme.

Écris-moi pour me raconter ta rencontre avec les Holmes. Ils doivent former un couple extraordinaire. Mais tu m'en parleras de vive voix, si tu reviens dimanche.

Je t'embrasse avec toute mon affection,

Ta sœur Erica

— Mon Dieu, Holmes, je ne supporte pas l'idée d'avoir à annoncer à cette femme que sa sœur... est morte. Ne serait-il pas temps de confier cette affaire à la police ?

Il ne m'écoutait pas. Après avoir examiné la lettre avec attention, il la remit à son frère.

— Que penses-tu de cette écriture, Mycroft ?

— Je n'ai pas tes compétences en matière de graphologie, Sherlock ; mais elle ne correspond pas à ce qu'on pourrait en attendre, ni par son contenu ni par le personnage qu'elle révèle. Le manque d'instruction que trahissent son style et l'écriture manuscrite indiquent que Mlle Ruskin a acquis sa position sociale grâce à ses seules qualités personnelles. J'aurais quand même escompté, de la part de sa sœur, un peu plus de culture et d'indépendance d'esprit.

— Mais elle est intelligente. Regarde ces ratures !

— Intelligente, oui, mais avec une rancœur qu'exprime la nervosité de ses points.

— Et ces barres de « t »... Je ne crois pas avoir rencontré une telle ténacité depuis...

— Holmes !

— Oui, Russell ?

— Il faut que nous donnions cela à la police. À Scotland Yard.

— Elle a raison, Sherlock, approuva Mycroft. Même si cela ne te plaît guère, c'est leur travail et ils pourraient ne pas apprécier que tu agisses dans leur dos. De mon côté, je peux effectuer des recherches pendant le week-end. Un des membres de mon club est un spécialiste du Moyen-Orient et connaît tout le monde. Il aura peut-être une idée de ce qui se passe.

Je faillis lui demander comment le membre d'un club d'incurables misanthropes pouvait entretenir autant de relations, mais je fus distraite par Holmes, qui, après avoir bondi sur ses pieds, fouilla vigoureusement un des tiroirs du secrétaire, en sortit du papier, un stylo et un pot de colle. Avec un haussement d'épaules, il recolla l'enveloppe.

— Très bien. Si deux esprits supérieurs au mien se liguent contre moi, je ne peux que m'incliner. Russell, auriez-vous la bonté d'écrire un mot à Lestrade, pour accompagner cette lettre refermée avec une telle virtuosité ?

Il s'interrompit un instant pour juger de son travail, appliqua une quantité microscopique de colle sur une bulle récalcitrante avant de reprendre :

— Faites-lui part des conclusions auxquelles nous sommes arrivés. Dites-lui que nous pensons que cette lettre pourrait avoir été expédiée par la sœur dont Mlle Ruskin nous a parlé lors de sa visite chez nous. Insistez sur le fait qu'il ne doit pas prendre contact avec cette dame avant de nous avoir vus et invitez-le à nous rejoindre dans le Sussex le plus vite possible. Ajoutez toutes menaces et insinuations appropriées et précisez-lui pour finir que, selon moi, un petit séjour à la campagne lui ferait le plus grand bien.

Il lissa d'un ongle le dos de l'enveloppe, l'examina à la lumière de la lampe.

— Qu'il vienne avec un photographe. Quant à moi, je me chargerai des empreintes digitales.

Je levai les yeux de la feuille.

— Pardon ?

Ses traits se fermèrent. Il jeta un coup d'œil à Mycroft, scruta une dernière fois l'enveloppe passablement froissée qu'il tenait toujours à la main.

— Quel bel esprit s'engloutit devant nous ! déclara-t-il d'un ton faussement léger, presque mondain. Russell, votre théologie détruit votre cerveau à une allure qui dépasse mes prévisions les plus pessimistes. Vous avez lu la lettre de la sœur.

— Mais vous ne croyez tout de même pas que...

Son visage, empreint de reproche et de déception, me fit honte.

— Que dois-je penser d'autre, Russell ? Elle vient nous rendre visite, meurt de mort violente. On fouille ses papiers et on vole son sac. Deux hommes s'enquièrent à notre sujet et obtiennent notre adresse. Il est possible qu'ils aient trouvé ce qu'ils cherchaient. Mais, dans le cas contraire, pouvons-nous être autre chose que leur prochaine cible ? J'espère simplement que, s'ils se retrouvent bredouilles, ils ne passeront pas leur mauvaise humeur sur notre mobilier.

Mon cerveau se remit péniblement à fonctionner, mon cœur chavira.

— La boîte ! Oh, Holmes, je l'ai laissée sur la table de la salle à manger !

— Vous l'aviez laissée là, Russell. Pas moi.

— Vous l'avez déplacée ? Pourquoi ?

— Sans raison particulière. Appelez cela une manie du rangement.

— Vous ? Ordonné ?

— Ne soyez pas grossière, Russell. Je l'ai déplacée, c'est tout.

— Où ? Non, laissez-moi deviner.

Il grimaça.

— Navrée, je me suis mal exprimée. Laissez-moi déduire. Quand j'ai garé la voiture devant le perron, vous êtes sorti par l'arrière de la maison, que vous avez contournée pour me rejoindre. La remise à outils ?

— Quelle pauvreté d'imagination ! dit-il, outré.

— Désolée de nouveau. Le trou dans le hêtre ? Non, bien sûr. Vous vous grattiez la main. Vous vous êtes fait piquer... Vous avez fourré la boîte dans une des ruches.

Il hocha imperceptiblement la tête. Mon soulagement de bonne élève me parut ridicule.

— Pas « fourrée », Russell. Je l'y ai doucement déposée. Les ouvrières de la troisième construisent des alvéoles royaux avec une frénésie inimaginable. J'ai donc cru bon de les inciter à penser à autre chose. D'autant qu'elles sont très agressives, depuis quelque temps, et que la plupart des gens y réfléchiraient à deux fois avant de plonger la main dans leur ruche, même la nuit.

— Sauf vous. Mais cela signifie-t-il que vous prévoyiez... de la visite, même ce matin ?

— Simple précaution.

Mon cerveau, qui s'éveillait peu à peu, réagit cette fois de façon plus alarmante.

— Mme Hudson ! Seigneur, elle est là-bas toute seule. Il faut la prévenir !

— Elle n'y est plus. Je lui ai téléphoné du café pour lui dire de prendre un jour ou deux. Elle est partie chez son neveu, à Guildford.

— Donc vous saviez ? Déjà ?

— Nous ignorons encore si quelque chose s'est produit. Nous ne parlons que de suppositions, répliqua-t-il avec rudesse, en glissant l'enveloppe dans une poche de son gilet.

J'éclatai de rire.

— Mon cher Holmes, si vous employez une nouvelle fois le mot « sénilité », je vous le ferai rentrer dans la gorge. Vous êtes encore trop rapide pour moi. Je n'avais pas envisagé la moindre possibilité avant d'avoir lu la lettre.

Lui ne rit pas. Il se contenta de regarder son frère.

— Tu comprends pourquoi je l'ai épousée, Mycroft ? Cette exquise combinaison de menaces distinguées et de flatterie servile s'est révélée irrésistible. Russell, martela-t-il en se tournant vers moi, si vous preniez de temps à autre la peine de lever le nez de vos verbes hébreux faibles et irréguliers, vous prêteriez plus d'attention au monde qui vous entoure. Vos études obsessionnelles vous tueront.

Il ne plaisantait pas. Quant à son frère, il arborait une expression aussi lugubre que la sienne.

— Oui, je vois, bredouillai-je d'une toute petite voix. Pouvons-nous rentrer chez nous, maintenant ?

— Souhaitez-vous vous équiper, avant de partir, de ce que les Américains appellent une « puissance de feu » ? suggéra Mycroft, comme une maîtresse de maison proposant un pique-nique pour un voyage. Ou alors je peux vous trouver une escorte d'ici une heure.

— Pas de gardes du corps, merci, Mycroft. Je n'ai jamais été un meneur d'hommes et je me vois mal m'y mettre maintenant. Ton vieux revolver serait néanmoins le bienvenu, au cas où l'on aurait décidé de nous attendre. J'en doute fort, mais on ne sait jamais...

— Parfait, murmura son frère avec une indifférence admirable.

Il se mit lourdement debout, quitta la pièce et revint quelques instants plus tard avec un énorme pistolet, bien huilé, constatai-je avec soulagement, qu'il remit à Holmes en même temps qu'une boîte de munitions suffisantes pour repousser un groupe d'envahisseurs débarquant sur la côte sud. Holmes inspecta l'arme, soupesa la boîte puis, avec difficulté, mit le tout dans ses poches.

Nous prîmes congé de Mycroft, trouvâmes un taxi, récupérâmes la voiture, déposâmes la lettre et ma note à Scotland Yard, et nous enfonçâmes enfin dans la campagne anglaise qui sombrait peu à peu dans la nuit, respirant avec délectation ses parfums familiers.

Peu après minuit, nos phares éclairèrent le dernier panneau indicateur. Entre les haies, la route se rétrécit. Un renard qui serrait dans sa gueule une forme blanche bondit sur le côté et disparut dans les ténèbres. Depuis une heure, Holmes somnolait, ou bien réfléchissait en silence. J'interrompis sa méditation.

— Voulez-vous que nous nous arrêtions à la ferme pour prendre Patrick et une autre arme ?

Cette ferme, qui m'appartenait et où vivait celui qui l'exploitait, se trouvait sur le chemin, quelques kilomètres avant le cottage.

— À moins que nous y couchions cette nuit... ajoutai-je.

— Est-ce vraiment ce que vous souhaitez, Russell ?

Aucune ironie dans sa question, du moins en apparence ; toujours ce ton neutre, pire qu'un sarcasme.

— Non, répondis-je au bout de quelques minutes. J'admets que je redoute un peu de pénétrer dans un cottage plongé dans l'ombre. Le sang sur le trottoir m'a... perturbée. Mais c'est ma maison, à présent, et je m'en voudrais d'avoir peur d'y entrer. Non, je n'ai nulle envie de passer la nuit à la ferme. Toutefois, j'aimerais y faire une halte pour décrocher un fusil de chasse. J'éprouverais le plus grand plaisir à envoyer une giclée de plomb dans l'arrière-train d'un individu ayant quelque chose à voir avec la mort de Mlle Ruskin.

Le siège du passager remua d'étrange façon. Je tournai la tête vers Holmes. Ses dents blanches luisaient dans le noir : il riait en silence.

— Enfin, je retrouve ma Russell. Arrêtons-nous chez Patrick et allons vous dénicher un redoutable tromblon. Ensuite, nous irons libérer notre château.

Bien sûr, il n'y avait personne. Le cœur battant, luttant contre les souvenirs encore trop vifs de la nuit où Holmes et moi avions, quatre ans plus tôt, failli périr dans une embuscade à l'intérieur du cottage, je restai dehors, immobile, pendant un temps interminable, à surveiller deux des portes pendant que Holmes entrait par la troisième dans la maison. Tout demeura paisible. Bientôt, toute la bâtisse s'éclaira et la silhouette de Holmes se découpa sur le seuil. Avec un immense soulagement, je désarmai mon fusil et m'avançai vers lui.

Depuis le matin, j'avais contemplé le cadavre d'une femme que je respectais et pour qui j'éprouvais une sympathie profonde ; j'avais eu la preuve qu'elle avait été assassinée, j'avais vu son sang dans la rue, couru dans tout Londres, conduit plusieurs heures durant sur des routes de campagne et, pour finir, passé vingt minutes à attendre devant un cottage obscur.

À présent, alors que minuit avait sonné depuis longtemps, je mesurais, depuis la porte d'entrée, la désolation et la ruine de ma propre maison.

Aucun livre ne subsistait sur les étagères. Les fauteuils étaient retournés, leurs ressorts à l'air libre, leur bourre répandue par terre. On avait vidé les tiroirs, étalé leur contenu sur le plancher, dont on avait soulevé les tapis. On avait arraché les plinthes avec une pince à levier prise dans la remise, décroché les tableaux des murs, déversé le contenu des corbeilles et des boîtes. Fil à coudre, tabac, dossiers, coupures de presse et bois de chauffage s'entassaient pêle-mêle au centre du salon. On avait arraché les rideaux de leurs tringles avant de les jeter au sommet de la pile. Je ne me trouvais pas à San Francisco lors du grand tremblement de terre, mais j'avais pu voir les photographies de ses effets. C'était ce qu'évoquait la pièce. Un géant insensible l'avait secouée avec vigueur avant de l'abandonner.

— Bien. J'ai l'impression qu'ils n'ont pas trouvé ce qu'ils cherchaient et qu'ils se sont défoulés, ainsi que vous l'aviez prévu, sur le mobilier.

Abasourdie, trop choquée pour éprouver une émotion quelconque, je m'étais exprimée d'une voix placide. Mais, tout d'un coup, la rage me submergea. « C'est ma maison ! pensai-je. Comment ont-ils osé faire ça ? »

Je marchai à travers la pièce, enjambai un tisonnier et quelques feuillets manuscrits d'un livre que Holmes était en train d'écrire. Je ramassai certains volumes, lissai leurs pages froissées, les remis sur l'un des rayons, tirai une photographie de ma mère arrachée à son cadre et coincée sous le seau à charbon, la plaçai sur une autre étagère. Des pas retentirent dans l'escalier. Holmes se profila dans l'encadrement de la porte, des plumes blanches agrippées aux jambes de son pantalon.

— Pour l'amour du ciel, qu'est-ce que vous faites, Russell ? Ce sont des indices. Nous les examinerons à la lumière du jour. Pas cette nuit. Il serait stupide d'inspecter la pièce sans éclairage. Or les accumulateurs de la maison rendraient l'âme avant que nous n'ayons accompli la moitié du travail. Cela attendra jusqu'à demain. Finalement, nous devrons nous rabattre sur votre ferme. Il n'y a plus, là-haut, de lit utilisable.

DEUXIÈME PARTIE

Du samedi 25 août au lundi 27 août 1923

Nous empilons des lettres que nous ne relisons pas et que nous finissons par détruire. Ainsi disparaissent la beauté et le souffle même de la vie, à jamais perdus pour nous et les autres.

GOETHE

8

Thêta

Je ne vis rien de l'aube claire du lendemain. Quelques heures plus tard, le soleil qui finit par envelopper la face nord de la maison me fit émerger du sommeil. Roulant sur moi-même à la rencontre de l'autre occupant du lit, je m'affalai presque par terre. Holmes n'était pas là, ce qui arrivait souvent. Mais ce qui me surprit et m'éveilla, c'était que l'autre moitié du lit semblait, elle aussi, avoir disparu. Je me redressai sur les coudes et examinai la pièce.

Il me fallut un certain temps pour prendre conscience que je me trouvais dans la maison où ma tante avait autrefois régné sans partage, dans mon ancienne chambre mansardée, seul refuge contre sa présence, et sur mon lit étroit de jeune fille. Que faisais-je là ? Où était Holmes ?

Holmes. Lits. Matelas étripés. Bibliothèques renversées. Dorothy Ruskin. Repoussant draps et couvertures, j'attrapai ma montre. Presque 8 heures ! Renonçant à mes vêtements démodés de la veille, j'enfilai mes vieilles nippes de jadis, rangées dans la penderie, plantai à la hâte des épingles dans mes cheveux et me précipitai au rez-de-chaussée, pour tomber sur Patrick qui faisait frire du bacon sur le vieux fourneau noir.

— Bien le bonjour, mademoiselle Mary, dit-il, n'ayant jamais renoncé, depuis mes quinze ans, à ce « mademoiselle ». J'ai conduit dès l'aurore M. Holmes au cottage.

Il veut que vous lui apportiez du café chaud et mon appareil de photo. La Thermos est sur la table. J'étais justement en train de vous préparer des sandwiches au bacon, et Tillie a fait des œufs durs avant de partir... Appelez-moi si vous avez besoin d'autre chose ! cria-t-il alors que je m'en allais.

Le cottage paraissait plus bouleversé encore à la lumière du jour. Pourtant, Holmes avait accompli du bon travail. Je découvris, une fois dans la maison, des marques à la craie sur le plancher et les murs, en prévision de la venue du photographe. Je proposai à Holmes un sandwich graisseux et nous nous installâmes dans deux fauteuils à peu près intacts.

— Lestrade a-t-il téléphoné ? demandai-je.

— Il devrait être là d'ici une heure. La police a reçu un autre coup de fil, d'une des amies de Mlle Ruskin, du British Museum, qui avait pris connaissance de l'appel à témoins. Mais Lestrade accepte de garder l'affaire confidentielle jusqu'à ce que nous nous rencontrions.

— Et la sœur ? Il ne la prévient pas ?

— Même s'il se sent sceptique et peu convaincu, il m'a assuré qu'il ne se rendrait pas dans le Cambridgeshire avant d'avoir vu le corps et entendu ce que j'avais à lui dire.

Le corps. La vie m'avait fait oublier la mort violente, sa laideur. Cette pensée fugitive dut s'imprimer sur mon visage.

— Ressaisissez-vous, Russell. L'émotion est mauvaise conseillère.

— Je sais, murmurai-je, chassant cette pensée et désignant du bout de mon sandwich les ruines du salon. Comment Lestrade pourrait-il se montrer sceptique face à ce carnage ?

— Hélas, il n'y verra sans doute qu'un simple cambriolage, avec une touche de vandalisme.

— Cambriolage ? Dieu du ciel, qu'ont-ils volé ? Votre violon ? Le contenu du coffre ?

Le violon était un Stradivarius acheté des années plus tôt, pour une somme ridicule, à un brocanteur inculte. Quant au coffre, bien caché, il ne renfermait que quelques objets sans valeur et des substances toxiques peu susceptibles d'exciter la convoitise.

— Non. Ils se sont contentés de sortir le violon de son étui et de le jeter par terre, sans lui faire trop de mal, à part une rayure. Ils ont raté le coffre. Mais ils ont trouvé l'argenterie de votre mère et quelques bons du Trésor dans un tiroir. Heureusement, tout cela ne les intéressait pas.

— Au travail, donc, conclus-je en époussetant les miettes et en avalant le reste de café que contenait ma tasse fendue. Voulez-vous que je prenne quelques clichés avant de commencer à ranger ?

— Lestrade appréciera. Mais il faudra que vous les lui donniez à développer. La chambre noire est dans un piteux état.

Une heure plus tard, j'avais restauré une partie de la bibliothèque, tiré deux fauteuils éventrés jusqu'au jardin, cloué un morceau de bois contre les vitres brisées de la cuisine. Je m'attaquais aux plinthes lorsque la voiture de l'inspecteur freina devant la maison.

— Eh bien, cria-t-il joyeusement, que se passe-t-il, ici ? On s'est fait des ennemis chez les gros bras du village, monsieur Holmes ?

— Bonjour, Lestrade. Ravi de vous revoir.

Holmes descendit de l'échelle et se frotta les mains pour en chasser la poussière. Des clous entre les lèvres, je ne dis rien, mais hochai la tête avant de cogner les plinthes à coups de marteau.

— Monsieur Holmes, vous m'avez affirmé être en mesure de me montrer les preuves d'un meurtre. Cet amas de détritus dissimule-t-il un cadavre ?

— Ce chambardement n'est que secondaire, Lestrade. Que votre collaborateur installe son attirail dans la cuisine. Une tasse de thé ? J'ai relevé quelques empreintes, même si, à mon avis, nos visiteurs d'hier soir portaient des gants. Ici, Lestrade, prenez ce siège. Il a encore ses quatre pieds.

Il fit mine de ne pas remarquer le coup d'œil complice qu'échangèrent les deux hommes, ni le haussement d'épaules du photographe déposant son encombrant matériel dans la cuisine, d'ordinaire impeccable, de Mme Hudson.

Lestrade se cala tant bien que mal dans le fauteuil et sortit son carnet de notes. Holmes retourna à ses brassées de papiers, moi à mes clous.

— Bien, monsieur Holmes. Auriez-vous la bonté de m'expliquer le rapport entre le chantier qui nous entoure et Mlle Dorothy Ruskin, et ce que peut bien signifier *archaeopteryx demeuter* ?

Holmes considéra l'inspecteur comme s'il venait de lui réciter le monologue d'Hamlet. Quelques secondes plus tard, son visage s'éclaira.

— Ah, oui, la communication téléphonique était plutôt mauvaise, n'est-ce pas ? Je vous ai parlé d'une « archéologue amateur », Lestrade. La passion de Mlle Ruskin : les fouilles archéologiques en Terre sainte.

— Je vois, grommela le policier.

De toute évidence, il ne voyait rien du tout. Il ajouta, de l'air d'un écolier léchant son crayon :

— Et cette Mlle Ruskin était une de vos amies ?

— Plutôt de Russell, dirais-je. Elle est venue nous rendre visite mercredi, lui a confié une boîte et un manuscrit, est restée pour le thé. Elle a ensuite regagné Londres, où on l'a tuée.

Holmes se tut, étudia l'un des feuillets qu'il avait en main. Lestrade attendit la suite avec une impatience croissante.

— Et puis ? lâcha-t-il enfin.

— Comment ? Oh, oui. Nous ne connaissons la suite que dans les grandes lignes. Elle a regagné son hôtel et troqué son sac contre un porte-documents avant d'aller dîner avec un homme qui ne l'avait jamais rencontrée. Elle a quitté le restaurant, s'est prise dans un piège élémentaire mais efficace, puis elle est morte. Son porte-documents a été volé. Ensuite, tôt le jeudi, des inconnus ont fouillé sa chambre d'hôtel. Ils sont venus ici le lendemain soir, ont mis cette maison sens dessus dessous, avec plus d'énergie et de violence que de talent.

— Ils ?

— Vous avez affaire à au moins trois individus, énonça négligemment Holmes, replongé dans ses papiers. Deux d'entre eux mesurent environ un mètre soixante-quinze et pèsent à peu près quatre-vingts kilos. L'un, au moins, a les cheveux noirs ; tous deux sont droitiers. Le premier s'habille de façon voyante, avec une prédilection pour les chaussures extravagantes, mais bas de gamme : d'où, ajouta-t-il en lui indiquant le sol d'un geste vague, les marques sur le plancher. En plus, il se ronge les ongles. L'autre a des goûts plus simples : chaussures neuves à bout rond, costume de tweed marron et, ayez la bonté de le noter, Russell, une casquette de laine bleu sombre. L'un arbore une écharpe de cachemire blanche et un manteau en poil de chameau. Souliers pointus, probablement. Du troisième larron, qui dirigeait l'opération, je peux dire simplement qu'il a de longs cheveux gris, ce qui n'est guère à la mode, et qu'il a totalement confiance dans les capacités de ses exécutants, puisqu'il est resté dans la voiture pendant qu'ils saccageaient le cottage.

Il acheva sa phrase comme si elle ne le concernait pas, brandit un de ses papiers dans ma direction.

— Russell, vous souvenez-vous de cette affaire de faux que nous avons résolue il y a deux ans ? Je viens d'être frappé par le fait que...

— Monsieur Holmes ! cria l'inspecteur.

Holmes le regarda avec surprise.

— Oui, Lestrade ?

— Qui sont ces hommes ?

— Je viens de vous le dire.

— Oui, mais de qui s'agit-il ?

— Mon cher Lestrade, je me suis incliné devant l'avis des deux seuls êtres au monde, mon auguste personne mise à part, qui aient sur moi la moindre influence. Ils ont insisté pour que nous donnions à Scotland Yard une chance de prouver sa compétence en arrêtant les assassins de Mlle Ruskin. Je vous les ai décrits. Il ne vous reste plus qu'à les retrouver.

Impérial, il se détourna du policier excédé, me jeta un regard qui ressemblait dangereusement à un clin d'œil et s'accroupit au milieu de ses papiers, son genou droit sous le menton.

Lestrade hésitait, semblait-il, entre s'arracher les cheveux et quitter brutalement la maison. Je m'efforçai d'adoucir son humeur.

— Inspecteur, lui dis-je, ils cherchaient un document. Comme ils ne l'ont pas trouvé dans les affaires de la victime, ils sont venus ici, en pensant sans doute qu'elle nous l'avait remis.

— Quelle sorte de document ?

— Cela, nous l'ignorons encore.

— Alors, comment savez-vous qu'il s'agit d'un document ?

Holmes fit un bruit grossier. Je n'en tins pas compte.

— À la façon dont ils ont procédé, aussi bien ici que dans la chambre d'hôtel. Ils ont secoué les livres avant de les jeter par terre, arraché les photos de leurs cadres, relevé les tapis, parcouru soigneusement des dossiers dont ils ont volé des pages.

— Ne m'avez-vous pas dit que Mlle Ruskin vous avait laissé un manuscrit ?

— Une seule page. Mais c'est un papyrus. Impossible à glisser dans un livre sans le plier, ce qui l'aurait endommagé.

— Et ils auraient pu savoir ça ?

— Lestrade, s'exclama Holmes, toujours penché sur sa paperasse, vous venez de poser une question très perspicace ! Russell, je crois vraiment qu'une tasse de thé ferait du bien à tout le monde et que M. Ellis en a terminé dans la cuisine. Auriez-vous l'amabilité... ?

J'acceptai et disparus dans la cuisine, où je ramassai par terre une poignée de feuilles de thé, quelques morceaux de sucre, une bouilloire privée de son couvercle et quatre tasses à peu près intactes. Je retrouvai le pain sous une poêle à frire, débarrassai un bout de fromage de sa saleté.

La situation commençait à m'amuser. Explorant le carrelage à la recherche de conserves au vinaigre, je découvris un grand bocal non cassé plein de petits oignons. Je pus ainsi confectionner un plateau bizarre mais relativement comestible.

— Holmes ? appelai-je.

— Oui, Russell ?

— J'aimerais tout remettre en ordre avant le retour de Mme Hudson. Elle rentre demain, m'avez-vous dit ?

— Oui.

— Souhaitez-vous que je demande par téléphone à Tillie de m'envoyer deux de ses filles pour m'aider ? Ou préférez-vous laisser tout cela en dehors des commérages du village ?

— J'aimerais mieux, en effet, si vous estimez que nous parviendrons à tout faire par nous-mêmes.

— Vous avez raison. Je vais donc proposer à Patrick de venir ce soir avec Tillie. Ils nous donneront un coup de main et eux ne parleront pas.

Je versai l'eau bouillante sur les feuilles, sans me soucier de quelques raisins secs mélangés au thé, apportai le plateau dans le salon. L'expression de Lestrade ne me plut pas. Holmes, que j'interrogeai du coin de l'œil, confirma mon impression.

— Oui, Russell, ce bon inspecteur a des doutes.

— Ce n'est pas tout à fait exact, monsieur Holmes. Puisque vous m'affirmez que nous nous trouvons confrontés à une affaire criminelle, je vous crois. Mais je vais avoir du mal à en convaincre mes supérieurs. Une vieille dame a un accident et votre maison est chamboulée. Bien. Mais un meurtre délibéré ? Utiliser une voiture est une façon foutrement maladroite – pardonnez-moi, mademoiselle Russell – de commettre un meurtre. Cela exige des explications.

— De mieux en mieux, Lestrade : depuis une demi-heure, vous faites des progrès considérables...

J'intervins avec colère.

— Quelqu'un l'a tuée, ça, vous ne pouvez pas le nier, puis s'est enfui !

— Bien sûr. Aucun doute là-dessus. Mais cela s'arrêtera là, sauf si je dispose d'autres éléments. Écoutez, voici comment se présentent les choses. En ce moment, nous sommes sur le fil du rasoir. L'année dernière, trois affaires nous ont coûté une fortune et ont monopolisé une grande partie de notre temps pour des résultats lamentables : il est apparu que la première était un suicide, l'autre un accident, et nous avons dû abandonner la dernière faute de preuves tangibles. Inutile de vous dire que les critiques contre le Yard n'ont pas manqué, y compris au sommet. Depuis, nous marchons sur des œufs.

— Vous irez quand même parler à la sœur de Mlle Ruskin ?

— Pourquoi tout ce foin à propos de cette sœur ? Aller la prévenir n'entre pas dans mes attributions. C'est le rôle de la police de Cambridge. De plus, comment savez-vous que la lettre venait d'elle ? Il n'y avait, sur l'enveloppe, que l'adresse de la victime. Ouvrir un courrier qui ne vous est pas destiné constitue un délit, monsieur Holmes.

— Enfin, Lestrade, qui d'autre que cette sœur, chez qui Mlle Ruskin venait de séjourner, aurait pu lui écrire ? Nous n'avons en aucune façon intercepté sa lettre ; bien au contraire, nous avons fait diligence pour qu'elle se retrouve entre vos mains. En réalité, vous nous devez une faveur pour avoir attiré aussi rapidement votre attention sur elle.

Cette diversion déconcerta le jeune inspecteur, égaré par l'innocence affectée de Holmes. Mais la suspicion reprit vite le dessus. Son visage se figea.

— Quel genre de faveur ?

— Je veux que vous emmeniez Russell avec vous chez Erica Ruskin.

Désarçonnée, je m'abstins de tout commentaire.

— Je ne peux pas faire ça, monsieur Holmes.

— Bien sûr que si. La présence d'une femme vous sera indispensable. Les femmes ont bien plus de talent que nous pour consoler les affligés, vous ne trouvez pas ?

Il se tourna vers moi. Son injonction silencieuse m'interdit la moindre remarque. Je fermai si fort la bouche que j'en eus mal aux dents.

— De toute façon, poursuivit-il, vous auriez été obligé de vous faire accompagner. Russell ne correspond pas tout à fait au profil mais prenez-la, disons, comme conseillère...

Lestrade me scruta, jaugeant la vieille chemise froissée de mon père et le nid que formait ma chevelure au-dessus de mes joues crasseuses, comme s'il s'apprêtait à me gratifier d'un qualificatif peu aimable. Il oubliait qu'il m'avait vue dans de multiples accoutrements, déguisée en belle de nuit, en mendiant aveugle, en jeune héritière distinguée et même, une fois, en Dr Watson. Il pouvait me faire confiance pour revêtir la tenue de l'emploi.

– Si vous m'accordez vingt minutes, je monte me changer et me rendre présentable.

— Dépêchez-vous, m'intima Holmes. Ces messieurs ont presque terminé.

— Un instant. Qui vous a dit que j'irais chez cette femme ? J'ai déjà du travail par-dessus la tête. Pourquoi me précipiterais-je dans les profondeurs du Cambridgeshire, au milieu des charrettes à foin, uniquement pour permettre à votre épouse de m'entendre annoncer à une vieille dame de mauvaises nouvelles à propos de sa sœur ? Soyez raisonnable, monsieur Holmes.

— Elle a été assassinée, Lestrade.

— C'est vous qui le dites.

— C'est ce que j'affirme, en effet.

Les deux hommes se toisèrent. Enfin, Lestrade laissa échapper un soupir exaspéré.

— Très bien, monsieur Holmes. Je le ferai pour vous. J'irai là-bas et j'emmènerai votre épouse. Mais je n'aurai pas le temps de m'aventurer de nouveau dans votre cambrousse. Elle devra rentrer par ses propres moyens.

— Je suis tout à fait capable de prendre le train, inspecteur. Vingt minutes.

Exactement dix-neuf minutes plus tard, je réapparus dans le salon, affublée de ce que Holmes appelait ma « panoplie de jeune fille ». Mon chemisier était un peu froissé et ma robe d'un autre âge plus godiche que jamais. Un chapeau cloche recouvrait mes cheveux enroulés sagement autour de ma tête. Je glissai un crayon et un mince carnet de notes dans mon sac ridicule. Le policier consulta sa montre et se leva.

— Parfait. Ellis doit en avoir fini avec la remise à outils.

— Envoyez-moi des tirages des photographies, Lestrade, vous serez gentil. Russell, avez-vous donné vos pellicules à M. Ellis ?

— Oui. À plus tard, Holmes. Faites attention à la confiture d'orange répandue dans l'office.

En me dirigeant vers la porte, je bousculai presque l'inspecteur, penché de guingois au-dessus de la parcelle de plancher que lui avait montrée Holmes. Il se redressa vivement et sortit. Je le suivis au perron, me retournai pour contempler une dernière fois le salon. Très droit au milieu des débris, Holmes roulait les manches de sa chemise sans col.

— Renoncez à cet air lugubre, Russell.

— Appelez Patrick, Holmes.

— Il ira vous chercher à la gare.

Tony Ellis, qui avait pris tous les clichés nécessaires, rangeait son matériel dans le coffre de la voiture. Lestrade lui tendit un sac. Je constatai avec étonnement qu'il n'avait pas de chauffeur.

— Je vais conduire, Tony. Mlle Russell vient avec nous.

Sans un mot, Ellis me gratifia d'un bref regard avant d'aller tourner la manivelle. Après plusieurs tentatives, le vieux moteur hoqueta, puis démarra. Ellis se glissa sur l'étroit siège arrière. Il paraissait à bout de forces. Je ne fus pas étonnée d'entendre ses ronflements avant même que nous n'ayons atteint la grand-route.

— Votre M. Ellis semble avoir eu une nuit agitée, dis-je à Lestrade. Il a fait la fête ?

— Il est sur la brèche depuis trente-six heures. Nous étions dans le Kent, hier soir, lorsque j'ai reçu votre message. Nous nous étions rendus là-bas avec la voiture. Depuis, nous ne la quittons plus. Le service des frais généraux n'aurait guère apprécié que nous l'abandonnions sur place. Ellis m'a proposé de redescendre avec moi : il me relaie quand nous sommes à court d'effectifs.

— C'est généreux de sa part de se porter volontaire.

— Il tenait à rencontrer M. Holmes.

— Ah... Et vous ? Vous êtes aussi de service depuis hier matin ?

— Oui, mais c'est lui qui a conduit la nuit dernière. Ne vous inquiétez pas, je ne vais pas m'endormir au volant.

— Je ne me fais aucun souci. Toutefois, si vous souhaitez que je vous remplace à un moment ou à un autre, je ne me débrouille pas trop mal.

J'avais formulé cette offre à tout hasard, même s'il n'était pas le genre d'homme à se laisser conduire par une femme.

— Mademoiselle Russell... À propos, est-ce ainsi que je dois vous appeler ?

— Oui, c'est parfait.

— Pourriez-vous me raconter toute l'histoire de votre point de vue, pour combler... euh... les vides laissés par M. Holmes ?

— Certainement. Par où voulez-vous que je commence ? Par la lettre que m'a écrite Mlle Ruskin ?

— Parlez-moi d'abord d'elle. Comment elle était, comment vous l'avez rencontrée, ce que vous savez de ses activités en Palestine, ce genre de choses...

— Mlle Ruskin était une de ces femmes bizarres que l'Angleterre produit de temps à autre, comme Gertrude Bell ou Mary Kinsley. Fascinée par l'exotisme, indifférente au confort et aux convenances, en grande partie autodidacte. Un mélange incongru de confiance inflexible en son jugement et de timidité vis-à-vis de ses pairs la poussait, en société, à s'exprimer d'une voix puissante et avec brusquerie, par phrases courtes, souvent sans verbes ni pronoms. Par écrit ou quand elle évoquait son travail, elle pouvait se montrer très éloquente. Un sens de l'observation redoutable. Une vitalité épuisante. Immensément intelligente, et pleine de sagesse. Il est difficile de l'imaginer morte, même après avoir vu son corps. Elle me manquera.

Lestrade savait écouter et posait des questions pertinentes. Je parlais, il me relançait. Nous nous arrêtâmes à Southwark pour déposer Ellis devant la maison mitoyenne qu'il partageait avec ses trois frères, puis à Scotland Yard, où l'inspecteur laissa les pellicules à développer. Notre conversation reprit dès que nous eûmes quitté les embouteillages de Londres.

— Ce manuscrit... Comment l'appelez-vous, déjà ?

— Un papyrus. Nous aurions dû vous le montrer, mais il est dans un endroit sûr et Holmes préfère le garder caché. Il s'agit d'un petit rouleau de papyrus, sorte de papier épais fait de tiges de roseau, très courant, dans l'Antiquité, en Égypte et dans tout le Moyen-Orient. Il en subsiste très peu. Mlle Ruskin a consulté des experts à son sujet. Selon eux, il ne pouvait s'agir d'un document authentique, en partie à cause de la rareté des papyrus du Ier siècle en provenance de Palestine. Elle pensait, quant à elle, qu'il avait été scellé dans une statuette d'argile, ce qui avait permis sa conservation. Je n'ai pas eu l'occasion de l'examiner avec minutie, mais j'y ai noté, imbriquées dans ses fibres, des traces de poterie rouge. On l'a placé dans la boîte assez récemment, au cours de ces vingt dernières années.

— Parlez-moi de cette boîte.

Je la lui décrivis, avec les animaux, la marqueterie, lui donnai des indications sur ses origines.

— J'aimerais la faire voir par un de mes amis du British Museum. C'est certainement une pièce unique. Elle est en excellent état. Reste à savoir comment elle a pu, depuis l'Italie, atterrir dans une tribu de Bédouins.

— Et le manuscrit ? Quelle est sa valeur ?

— Je n'ai aucun moyen de le savoir.

— Devinez.

— Voilà un mot à ne pas employer devant une élève de Sherlock Holmes, inspecteur.

— Mademoiselle Russell, je ne vous demande qu'un chiffre approximatif, pas une mise à prix pour une vente aux enchères. Alors, sa valeur ?

— Un demi-million de guinées ?

— Quoi ?

Il faillit nous envoyer dans le fossé.

— La route, inspecteur ! Vous êtes sûr que vous ne voulez pas que je conduise ? À votre aise. S'il n'est pas authentique, cet objet, considéré comme une simple curiosité, pourrait aussi bien ne valoir que 10 livres. Mais s'il l'est, seules quelques personnes, à travers le monde, auraient les moyens de l'acquérir. Et les conséquences de son existence seraient... considérables.

Il me fixa avec surprise.

— Vous devriez peut-être m'en apprendre davantage. Il s'agit d'une lettre, m'avez-vous dit ?

Je soupirai. Mon interlocuteur n'avait aucune connaissance sur le sujet. Il fallait que je m'adresse à lui de façon explicite mais simple, presque sommaire.

— Je tiens d'abord à préciser que je n'ai rien d'une spécialiste, ni du grec, ni du christianisme du Iᵉʳ siècle. Mlle Ruskin le savait. Sans doute m'a-t-elle confié ce manuscrit rejeté par les experts, ce qui l'avait scandalisée, uniquement à titre personnel, en pensant que je partagerais son enthousiasme.

Je soupirai puis me jetai à l'eau.

— Il s'agit d'une lettre en *koinè*, une langue grecque véhiculaire de l'époque, assez différente de la langue classique, avec un passage en araméen, variante de l'hébreu très répandue en ce temps-là. Elle aurait été écrite par une femme qui se nomme elle-même Marie, nom assez commun, mais se présente comme apôtre de Jésus et s'adresse à sa sœur, dans la ville de Magdala.

Il fallut un certain temps à Lestrade pour assimiler ce que je venais de lui dire. Il braqua sur moi un regard sidéré, en oublia le volant. La voiture fit une nouvelle embardée. Il la rétablit brutalement, puis éclata d'un rire tonitruant.

— Une lettre de Marie-Madeleine ! Il n'y a que Sherlock Holmes pour dégoter des histoires aussi délirantes. La prochaine fois, il découvrira le Graal dans un mont-de-piété. Marie-Madeleine ! Elle est bien bonne, celle-là ! Et elle disait quoi, cette lettre ?

Nous traversions un paysage de champs, de collines et de prés où broutaient de placides bovins. Tout en contemplant les fleurs sauvages qui parsemaient les haies au bord de la route, je répondis paisiblement, comme s'il m'avait posé une question sérieuse :

— Pas grand-chose. Le milieu du texte est difficilement déchiffrable, à cause de taches qui le masquent en partie et parce que le grec n'est pas toujours clair. Elle commence par un salut semblable à ceux des Épîtres du Nouveau Testament, sauf qu'à la place de, par exemple, « Paul, apôtre de Jésus-Christ par la volonté de Dieu », on y trouve cette formule : « Mariam, apôtre de Jésus le Messie ». Adressée à « ma sœur Judith, à Magdala », elle a été apparemment écrite à Jérusalem au cours des semaines qui ont précédé le sac de la ville par les Romains et la destruction du Temple, conséquences de la révolte juive des années 68 à 70. Marie envoie sa petite-fille à Judith et part elle-même pour le sud, dans un « désert de pierre ». Je n'ai fait que survoler la suite, où elle explique les raisons qui l'ont amenée à suivre le « rabbi ». Je comptais m'attaquer à ce passage vendredi matin, lorsque Holmes est tombé sur la notice du *Times* relative au décès de Mlle Ruskin. J'espère qu'on y trouve un indice suggérant pourquoi Marie s'exprime en grec alors qu'elle aurait dû, du début à la fin, utiliser l'araméen. C'est une belle énigme.

— Vraiment ?

Il tourna la tête vers moi, puis se concentra sur la route. Du coin de l'œil, je constatai qu'il faisait un effort louable pour s'intéresser de façon impartiale à un sujet qui lui était totalement étranger, ce qui me le rendit éminemment sympathique. Enfin, il renonça et se rabattit sur des aspects du problème plus proches de ses compétences.

— Cette boîte... D'après vous, sa valeur justifierait-elle un meurtre ?

— Éléments insuffisants, dirait Holmes. Peut-être aux yeux d'un collectionneur extrêmement pervers, ou d'un fou furieux ; mais je ne crois pas que les assassins aient eu l'appât du gain pour mobile. Leur but, c'était de se débarrasser de Mlle Ruskin. Sinon, ils se seraient contentés de la détrousser. Soit elle les connaissait et aurait pu les livrer à la police, soit elle savait ce qu'ils convoitaient et aurait été en mesure de le révéler. De toute façon, ainsi que je vous l'ai dit, la boîte ne les intéressait pas. Ils cherchaient quelque chose de petit et de plat, comme une feuille de papier.

— Vous ne croyez toujours pas que ce pourrait être ce... comment l'appelez-vous ?

— Papyrus. Je me le suis demandé. Mais seul un irresponsable l'aurait plié et glissé dans un livre ou derrière une photographie encadrée. On peut quand même imaginer que les assassins ne sachent pas précisément à quoi il ressemble. Dans ce cas, leur commanditaire n'est pas un collectionneur. Si c'est le manuscrit qu'ils traquent, nous avons à nos trousses un érudit fou, ou quelqu'un qui veut neutraliser le manuscrit, sinon le détruire. Selon Holmes, il est plus probable que quelqu'un pense que Mlle Ruskin nous a confié un document d'une tout autre nature, soit pour le mettre en sûreté, soit pour une enquête. Ce pourrait être un testament, un codicille ou un traité secret ; elle était au mieux, là-bas, avec le monde politique et aurait fait un courrier idéal. Ou même une simple lettre. Nous ne l'avons pas en notre possession, bien sûr, mais je suppose que le nom de Holmes a provoqué un mouvement de panique. Il faut être terriblement inquiet pour aller jusqu'au meurtre, fouiller une chambre d'hôtel et saccager une maison.

Lestrade ne répondit rien. Aucune expression n'animait ses traits de furet, comme s'il se focalisait sur la route.

— Mais j'oubliais... Vous devez encore établir un lien entre sa mort et ce qui s'est passé chez nous. M'accompagnerez-vous plus tard dans sa chambre d'hôtel et dans la rue où elle a été tuée ?

— Certes.

Il soupira profondément.

— Mademoiselle Russell, je vais être clair avec vous. Vous n'ignorez pas que mon père faisait partie de Scotland Yard et qu'il a, à maintes reprises, travaillé avec votre époux. Vous n'en avez peut-être pas conscience, mais sa façon de procéder l'a profondément influencé. Il lui vouait une véritable vénération. Il nous racontait, quand nous étions enfants, comment M. Holmes avait confondu d'innombrables criminels, uniquement grâce à ses yeux et à sa tête. Même aujourd'hui, il ne rate jamais les numéros du *Strand* où l'on publie des récits du Dr Watson. Je ne suis plus un gamin, mademoiselle Russell, mais je sais tout ce que Scotland Yard doit à votre mari. Ses méthodes, qui paraissaient extravagantes il y a trente ou quarante ans, sont aujourd'hui monnaie courante chez nous. Certains de nos hommes se moquent encore de lui, racontent des blagues sur sa pipe et son violon, se gaussent des histoires du Dr Watson. C'est parce qu'ils ont du mal à admettre que l'étude des traces de pas et l'analyse en laboratoire des taches de sang, des cendres de cigare ou de cigarette, bref, que tout ce qu'on leur apprend provient directement du travail de Sherlock Holmes : même le relevé des empreintes digitales, qu'il a été le premier, dans ce pays, à utiliser. Mademoiselle Russell, quand il me dit qu'il y a eu meurtre et que ce meurtre a un rapport avec un cambriolage, je le crois les yeux fermés. Simplement, il faut que je trouve un moyen de présenter le cas à mes supérieurs. J'ai besoin de preuves irréfutables pour relier à votre salon un accident en apparence banal. Ce moyen, nous le trouverons tôt ou tard. Mais il vaudrait mieux que ce soit le plus tôt possible, avant que la piste ne refroidisse.

Il se tut, essoufflé par cette longue tirade. Quelques kilomètres plus loin, il s'étira et murmura :

— J'ai l'impression que votre amie vous a refilé un nid de frelons.

— Je dois admettre que ma vie était déjà assez remplie sans cela.

— Elle ne pouvait pas savoir ce qui allait en résulter.

— Je n'en suis pas si certaine. Pas sa mort, bien sûr... Mais elle se doutait bien que ce manuscrit me donnerait de sérieuses migraines. Posséder un tel objet n'est pas une mince responsabilité.

— Le croyez-vous authentique ? hasarda-t-il prudemment, se demandant toujours s'il avait près de lui une folle furieuse ou s'il était victime d'un canular soigneusement concocté par Sherlock Holmes.

— Dorothy Ruskin en était persuadée.

— Comment aurait-elle pu le savoir ?

— J'ai confiance en son jugement.

— Ah... De quel genre de responsabilité parlez-vous ? D'une responsabilité liée au demi-mil... à sa valeur ?

Il avait du mal à prononcer la somme astronomique que j'avais avancée en plaisantant à moitié.

— Non, l'argent n'entre pas en ligne de compte. Mais si elle comptait me convaincre de l'authenticité de ce manuscrit, je me retrouve confrontée à une décision : vais-je passer le reste de ma vie à me battre pour faire accepter cette authenticité par les autres ? Je vous ai dit que les répercussions en seraient considérables. C'était un euphémisme. La révélation de la présence d'une femme au nombre des apôtres de Jésus ferait trembler le monde chrétien sur ses bases. Objectivement, il n'y a pas de quoi provoquer un tel séisme. Mais je suis sûre que son impact émotionnel provoquerait une guerre civile d'un bout à l'autre de la chrétienté. Et au centre de ce tumulte, brandissant un morceau de papyrus comme un enfant empêchant un chien de croquer son goûter, se trouverait Mary Russell Holmes. Une juive, pour tout arranger.

Il m'observa de biais, frappé par ma véhémence.

— Et vous appelez ça une amie ?

Je me forçai à sourire.

— Je suppose, oui. Elle ne s'attendait pas que je fasse quoi que ce soit de son legs. Elle me l'a laissé entendre. Après tout, il a attendu presque dix-neuf siècles.

Que représentent cinquante années supplémentaires ? Elle souhaitait simplement que je l'apprécie et que j'en prenne soin. Pour le moment, cela suffit à me poser un gros problème.

— Vous pensez donc que ce manuscrit pourrait, finalement, être la source de tout ? Que quelqu'un tente de mettre la main dessus ?

— À mon sens, les gens susceptibles de le convoiter sont légion. Mais au point où nous en sommes, inspecteur Lestrade, je reste ouverte à toutes les possibilités.

Cette réplique le fit taire jusqu'au moment où nous abordâmes le village et demandâmes notre chemin à une femme qui poussait un landau.

9

Iota

On finit par nous indiquer une petite maison de brique à un étage, entourée d'un jardin où foisonnaient des mauvaises herbes et des rosiers non taillés, ornée d'un perron à la marche cassée et aux fenêtres protégées par des rideaux de dentelle élimée. La sonnerie semblait hors d'usage, mais des coups vigoureux frappés à la porte provoquèrent un traînement de pieds dans le vestibule et l'apparition d'un œil sous la chaîne de sécurité.

— Qui est là ?

Je reconnus les intonations de Mlle Ruskin. Toutefois, la voix me parut faible et plus âgée.

— Pardonnez-moi, je cherche Mlle Erica Ruskin.

— Il n'y a plus de Mlle Erica Ruskin depuis longtemps, jeune homme. Que désirez-vous ?

Le policier ne se laissa pas démonter.

— Inspecteur principal Lestrade, de Scotland Yard. J'aimerais parler à la sœur de Mlle Dorothy Ruskin. On m'a donné cette adresse.

Silence. Deux yeux d'un bleu délavé nous examinèrent. Ensuite, l'espace se rétrécit, la chaîne glissa et la porte s'ouvrit.

En dépit de sa petite taille, Dorothy Ruskin devait dominer sa sœur, autant par la stature que par la personnalité. La femme d'un mètre cinquante-cinq qui se dressait, très droite, devant nous, n'avait ni son autorité ni son charme. Pendant un instant, son fantôme me dévisagea : mêmes paupières, nez identique. Mais il s'évanouit très vite et me laissa devant une étrangère.

— Je suis Mme Erica Rogers, inspecteur : la sœur de Dorothy. Lui est-il arrivé quelque chose ?

— Pouvons-nous entrer, madame Rogers ? Voici Mlle Russell, mon assistante.

Avec mon accord, il avait décidé de me présenter ainsi. Je prendrais des notes et j'observerais tout ce qui passerait.

— Entrer ? grommela la vieille femme.

Elle nous toisa de la tête aux pieds, me forçant presque à vérifier mes boutons et mes épingles à cheveux. Quoi qu'il en soit, l'examen parut concluant et nous fûmes admis à pénétrer dans la maison.

— Par ici, la première porte.

Elle nous introduisit dans un petit salon surchargé de bibelots, de rayonnages, de photographies sépia, de reproductions de médiocres tableaux victoriens, de statuettes de porcelaine, de souvenirs de Brighton et de Blackpool. Il y régnait une odeur de renfermé, une atmosphère confinée et sombre malgré la fenêtre qui éclairait vaguement un tapis chinois décoloré. Un peu de poussière traînait sur les meubles mais les vitres étaient propres. On n'aurait pu rêver décor plus éloigné du logement sale et de l'innommable fouillis où avait vécu Dorothy, dans sa lointaine Palestine.

Mme Rogers nous suivit dans la pièce, ôta son nécessaire à tricot d'un des deux lourds fauteuils de cuir munis d'appuis-tête en dentelle et placés de chaque côté de la minuscule cheminée. Elle désigna le second à Lestrade, puis regarda désespérément autour d'elle, comme si elle espérait faire surgir un troisième siège. Je résolus son dilemme en prenant place sur un tabouret de bois proche de la fenêtre, hors de sa vue si elle faisait face à Lestrade. Je sortis mon carnet, ôtai le capuchon de mon stylo et me préparai à gribouiller des notes incompréhensibles, image même de l'assistante efficace et silencieuse. Mme Rogers s'enfonça dans son fauteuil et attendit. Lestrade se racla la gorge.

— Madame Rogers, commença-t-il, j'ai bien peur d'avoir de mauvaises nouvelles au sujet de votre sœur. Elle a été tuée à Londres dans la nuit de mercredi, par une automobile. Elle n'avait aucun papier personnel sur elle. Aussi nous a-t-il fallu un certain temps pour l'identifier et remonter jusqu'à vous.

À ma grande stupeur, elle n'eut aucune réaction, hormis une légère tension des doigts sur sa pelote de laine. Comme si elle prenait tout d'un coup conscience de ce qu'elle tenait entre les mains, elle en retira une aiguille, libéra du fil et se mit à tricoter.

— Merci de me prévenir, inspecteur, déclara-t-elle d'un ton calme.

Lestrade me jeta un coup d'œil sidéré et se pencha en avant.

— Madame Rogers, m'avez-vous entendu ?

— Oui, bien sûr. Je ne suis plus toute jeune, mais pas encore dure d'oreille. Vous venez de me dire que ma sœur a été renversée par une automobile dans la nuit de mercredi. Je savais qu'elle était morte. J'ignorais de quelle façon. Merci de me l'avoir appris.

Elle leva les yeux de son ouvrage, sans modifier le rythme de ses aiguilles.

— Pourriez-vous vous occuper du rapatriement du corps pour les obsèques ? Je n'ai aucune notion de la procédure à suivre.

— Madame Rogers...

Lestrade se tut. Son visage reflétait une incrédulité totale. Elle le fixa.

— Madame Rogers, comment saviez-vous que votre sœur était morte ?

— Je le savais. Je me suis réveillée peu après minuit, et j'ai compris. Je l'ai sentie s'en aller.

Après un long moment, Lestrade bascula en arrière. Il prit une grande inspiration, puis laissa échapper :

— Madame Rogers, nous avons tout lieu de penser que le décès de votre sœur n'était peut-être pas accidentel.

Abandonnant un instant mes notes, j'observai la vieille dame avec attention. Pas un muscle de son visage ne bougea. Ses doigts se figèrent une seconde, puis reprirent leurs mouvements étranges, désincarnés. Elle ne répondit rien.

— Certains éléments semblent indiquer qu'une personne convoitait quelque chose que votre sœur avait en sa possession, Madame Rogers. Avez-vous une idée de ce que cela pourrait être ?

Les vieilles lèvres se plissèrent et, de nouveau, le fantôme de Dorothy Ruskin se profila devant moi.

— Non, inspecteur, pas la moindre. Je n'avais, depuis plusieurs années, que de rares contacts avec ma sœur, et je ne vois pas comment j'aurais appris ce qui, parmi ses possessions, aurait pu intéresser une autre personne.

— J'ai cru comprendre qu'elle a séjourné chez vous il y a quelques jours. A-t-elle fait une allusion quelconque à propos d'un objet de valeur, par exemple, ou d'un dépôt dans le coffre d'une banque ?

— Non.

— A-t-elle reçu des lettres ou des visiteurs quand elle était ici ?

— Il y a eu une lettre de Londres : un colonel quelque chose. Elle prévoyait de le rencontrer pour discuter avec lui d'un projet archéologique, après être allée voir M. et Mme Sherlock Holmes dans le Sussex. Dorothy était...

Elle s'interrompit puis pivota vers moi, les traits accusateurs. Ou bien était-ce de la peur ?

— Russell ? C'était le nom qui figurait sur le télégramme qu'on lui a expédié.

— Oui, Madame Rogers, répliquai-je poliment. J'assiste l'inspecteur principal Lestrade. Il a pensé que ma présence pourrait vous être utile, que vous aimeriez peut-être savoir comment votre sœur a passé son dernier jour.

Son regard soutint le mien pendant un long moment, avant de se tourner vers Lestrade, puis de revenir à ses mains, qui reprirent leur travail. Sa bouche eut un rictus de colère.

— M'espionner, voilà ce que vous étiez en train de faire. Fouiner ici en feignant la compassion, uniquement pour m'interroger.

— Pourquoi voudrions-nous vous espionner ? demandai-je avec candeur.

Ses doigts s'immobilisèrent ; elle reprit, comme si je ne m'étais pas adressée à elle :

— J'ignore ce que Dorothy faisait en Terre sainte. Elle ne m'en parlait jamais. Elle s'en allait et me laissait seule pour m'occuper de maman. Jamais elle ne m'a proposé de m'aider. Je suis désolée qu'elle soit morte, mais cela ne me surprend pas et je ne peux pas dire qu'elle me manquera beaucoup.

Elle planta ses aiguilles dans la pelote et se leva.

— Maintenant, si vous avez terminé, il faut que j'aille voir ma mère et que je lui prépare quelque chose à manger. Merci d'être venus. Je n'ai pas le téléphone, mais vous saurez où me joindre lorsque vous rapatrierez le corps ici.

Le corps.

— Mme Rogers, je suis désolé. Je dois encore vous poser quelques questions.

Elle resta debout, ce qui empêcha Lestrade de se rasseoir. Je demeurai où j'étais.

— À propos des deux hommes qui sont venus mercredi... Quelle heure était-il ?

— Mardi... C'était dans l'après-midi de mardi. Vers 17 heures.

— Votre sœur est donc partie mardi matin ?

— Lundi soir, en fait. Elle a pris le train de 19 h 40 pour Londres. Elle voulait disposer d'une journée entière là-bas. Pas comme certains d'entre nous, qui n'ont que quelques heures de libres...

— Euh, oui. Et ces deux hommes ? À quoi ressemblaient-ils ? Quel âge avaient-ils ?

— La cinquantaine. Ils étaient arabes, je suppose. Je ne les ai pas examinés de près, mais Dorothy m'envoyait parfois des photographies. Ils avaient de drôles de noms.

— Vous vous en souvenez ?

— Non, ils me sont sortis de la tête. Des noms interminables, en tout cas.

— Et leur véhicule ? Avez-vous aperçu sa plaque d'immatriculation ?

— Je n'y ai pas prêté attention. L'auto était garée devant la maison, au même endroit que la vôtre. Tout ce que j'ai pu voir, c'est qu'elle était longue et noire. Et qu'elle avait un chauffeur. Je l'ai remarqué depuis l'étage, quand ils sont descendus. Il y avait deux têtes à l'arrière. Un troisième homme était donc au volant ; à moins que la voiture ne se soit conduite toute seule.

Elle cherchait à nous faire comprendre qu'elle était lasse de notre présence. Lestrade renonça. Je rangeai mon carnet et mon stylo, puis me dirigeai vers le fauteuil qu'elle avait occupé. L'ouvrage de tricot à côtes et à points de torsade s'y trouvait à nouveau : l'amorce d'un cardigan d'une belle laine bleue.

— Vous faites un merveilleux travail, madame Rogers. Avez-vous tricoté le gilet que vous portez ?

Elle en rabattit les pans sur sa maigre poitrine, comme pour se protéger de ma voix amicale.

— Oui. Je tricote beaucoup. Maintenant, je vous en prie, j'ai mille choses à faire.

— Bien sûr, dit Lestrade. Nous vous ferons savoir quand le corps de votre sœur vous sera rendu, madame Rogers. Voici ma carte. Si des détails vous reviennent à propos des deux hommes, ou si vous avez des questions, mon numéro de téléphone y est inscrit.

Il déposa le rectangle blanc sur la table du vestibule, récupéra son chapeau et nous descendîmes lentement l'allée de pierre grise jusqu'à la voiture.

— J'imagine que l'annonce du décès d'un proche provoque des réactions multiples, hasardai-je.

— Oh, oui. Larmes, hystérie, silence, colère, j'ai tout connu. Mais jamais une attitude comme celle-là.

— Curieuse femme.

— Très. Étrange comportement, en tout cas. Vous avez faim ?

— Pas énormément. Mais je boirais bien quelque chose.

Lestrade me ramena dans le Sussex et passa la nuit sur le plancher de notre chambre d'amis. Le trajet fut paisible. Je relançais parfois la conversation pour empêcher mon conducteur de s'assoupir, me remémorant, dans les intervalles, notre entretien avec Mme Rogers, les traces du fil de fer contre lequel avait buté Dorothy Ruskin (le bord du trottoir avait été lavé depuis la veille), la chambre d'hôtel où le policier avait mis les scellés en attendant l'équipe chargée des empreintes et des indices.

Holmes nous accueillit avec des boissons brûlantes, dans un salon magnifiquement remis en état, mieux rangé qu'il ne l'avait été depuis dix ans. Il avait même allumé un petit feu – pas vraiment utile – qui luisait faiblement dans l'âtre. Gris de fatigue, Lestrade accepta un cognac chaud. Je le conduisis ensuite à l'étage, dans la chambre d'amis dotée d'un simple matelas. J'eus le plaisir de découvrir, dans la nôtre, une nouvelle literie. Je confiai ma surprise à Holmes en le retrouvant devant la cheminée.

— Oui, Patrick et Tillie ont fait merveille. Patrick est allé chercher l'essentiel du mobilier dans votre cottage.

— C'est ce que je vois. Ces fauteuils sont plus confortables que les sièges de la voiture de Lestrade. J'ai lutté pendant toute la route contre les assauts d'un de leurs ressorts.

Je sirotai ma boisson, fermai les yeux et soupirai d'aise.

— Comment un jour qu'on a passé tout entier assis peut-il être aussi épuisant ? murmurai-je.

— Ne vous endormez pas, Russell. Dites-moi ce que vous avez découvert, du moins dans les grandes lignes. Ensuite, je vous autoriserai à vous retirer.

Il me fallut une bonne demi-heure pour lui résumer ma journée. Holmes bourra pensivement sa pipe.

— Elle n'a été ni surprise ni affligée en apprenant la mort de sa sœur ?

— Non, elle nous a simplement fait part de son mystérieux pressentiment, un peu après minuit.

— J'aurais aimé être là. J'éprouve toujours des difficultés à travailler à partir de renseignements de seconde main, même venant de vous.

— Alors, pourquoi n'y êtes-vous pas allé vous-même ? lui assenai-je avec irritation.

— Je ne critique pas, Russell. Je ne trouve rien à redire à votre façon de rassembler des informations ; bien au contraire. Simplement, j'ai encore du mal à m'habituer à n'être que la moitié d'une créature dotée de deux cerveaux et de deux paires d'yeux : créature supérieure à un seul détective, sans le moindre doute, mais il faut quand même du temps pour l'accepter.

Cette déclaration spontanée et inattendue me stupéfia. Plus d'un tiers de mon existence s'était déroulé sous la férule de cet homme, qui m'avait quasiment façonnée. Or voilà qu'il reconnaissait que moi aussi, j'agissais sur lui. Je restai sans voix. Au bout d'un long moment, sans me regarder, il reprit :

— J'ai découvert ici, aujourd'hui, des choses intéressantes, mais elles peuvent attendre jusqu'à demain. Pour répondre à votre question, je ne sais trop quoi penser de l'expérience extralucide de Mme Rogers. En d'autres temps, je l'aurais rejetée. À présent, je ne peux que la considérer comme suspecte. Vous m'avez dit qu'elle paraissait nerveuse, plutôt que bouleversée ?

— Elle a sauté une maille, non en entendant Lestrade lui annoncer le décès de sa sœur, mais lorsqu'il lui a révélé qu'il ne s'agissait pas d'un accident ; une autre fois en réalisant qui j'étais ; et enfin, juste avant de nous enjoindre de partir.

— Significatif. Rien d'autre ?

— Quelques petits détails intéressants. En premier lieu, cette dame est une de vos admiratrices. Trois exemplaires du *Strand*, dont deux, je les ai reconnus, contenaient des articles de Conan Doyle. Ils se trouvaient dans un panier, à côté d'elle. Je dirais également qu'elle a eu sans doute, jusqu'à une date récente, une domestique ou une aide-ménagère à la journée. J'ai noté une fine couche de poussière sur les objets et les meubles, remontant à une quinzaine de jours. Enfin, ses sentiments à l'égard de sa sœur n'étaient peut-être pas aussi affectueux que l'indiquait sa lettre. Il y avait des bibelots partout, sur les tables, le manteau de la cheminée, et même les appuis de fenêtres. Mais quatre, seulement, provenaient du Proche-Orient, et tous avaient été glissés derrière autre chose. Par exemple, un aspidistra masquait la moitié d'une très jolie assiette turque, et la plus horrible coupe du Couronnement sur laquelle j'aie jamais posé les yeux cachait en partie un ravissant petit flacon romain.

— Cela prouve un certain manque de tendresse, je l'admets. Ou un parfait mauvais goût.

— Quant aux photographies, une bonne cinquantaine, trônant dans des cadres d'argent tarabiscotés, seules deux d'entre elles auraient pu représenter Mlle Ruskin : l'une d'une enfant d'environ six ans, l'autre d'une jeune fille prise dans un flou romantique ; très jolie, s'il s'agissait bien d'elle.

— Elle a dû l'être. Quoi qu'il en soit, le manque d'affection vis-à-vis d'une sœur pousse rarement au meurtre.

— Surtout lorsque la personne est une faible femme de plus de soixante ans, je sais. Néanmoins...

— Comme vous dites. Nous lancerons Lestrade sur la piste demain matin. De notre côté, nous essaierons d'en découvrir une autre et de débusquer quelques suspects.

— J'ai l'impression que vous mélangez deux méthodes de chasse distinctes.

— Je le fais souvent, Russell. Il est inutile de se restreindre avant d'être certain de la nature du jeu. Maintenant, allez vous coucher avant que je sois obligé de vous porter. Je vais fumer une dernière pipe.

Je me levai péniblement. Sa voix m'arrêta à la porte.

— À propos, d'où tenez-vous votre science du tricot ?

— Mon cher Holmes, notre bonne Mme Hudson m'a enseigné les rudiments de la pseudo-éducation féminine. Mon refus de me livrer à ces activités dégradantes n'implique pas que j'en ignore les secrets.

Je me détournai avec dignité et sourit en percevant le petit rire qui me suivit dans l'escalier.

10

Kappa

Le lendemain matin, l'arôme du bacon en train de frire m'annonça le retour de Mme Hudson. Par courtoisie envers notre hôte, je renonçai à descendre en robe de chambre et m'habillai. Levé bien avant moi, Lestrade était dehors, sur le patio dallé de pierre, en grande conversation avec Holmes. C'était un matin sublime, déjà baigné par la chaleur de cette fin d'été. On entendait, dans le lointain, le moteur d'une machine agricole.

— Bonjour, Russell. Thé ou café ?

— Café, puisqu'il est là. J'espère que vous avez bien dormi, inspecteur, en dépit de l'absence de lit et de couvertures propres...

— J'aurais dormi comme un bébé, même sur le plancher de ma voiture, mais le matelas était bien plus confortable, merci.

— Russell, vous serez heureuse d'apprendre que votre insistance d'hier a eu l'effet désiré. L'inspecteur est convaincu. Les marques sur le réverbère et la boîte aux lettres, plus celles qui striaient les chaussures de Mlle Ruskin, justifient l'ouverture d'une enquête. Le bacon et les œufs sont dans le réchaud de table. Je vais aller chercher d'autres toasts.

— Avant de partir, j'aimerais voir la boîte que la victime vous a offerte, monsieur Holmes, lança Lestrade au dos qui s'éloignait.

— Bien entendu, Lestrade. De toute façon, il faut que j'aille inspecter les ruches aujourd'hui.

Il ne prit pas la peine d'expliquer le rapport entre la boîte et les abeilles. Quant à moi, j'avais la bouche pleine.

Après le petit déjeuner, il descendit aux ruches avec un vaporisateur et un sac d'équipement. Lestrade resta à table avec moi, pour terminer son café. Nous regardâmes Holmes remonter méthodiquement la rangée de ruches, engourdissant chaque essaim avec de la fumée avant d'y plonger ses mains sans gants. Il s'attarda devant l'une d'elles pour installer un nouveau cadre, effectua la même opération sur celle où il avait dissimulé la boîte, avant de se pencher et de s'activer avec son couteau de poche. Lestrade secoua la tête.

— Le meilleur détective que l'Angleterre ait produit, et il passe son temps en compagnie des abeilles...

Je souris à cette remarque, que j'avais déjà entendue des dizaines de fois.

— Leur société l'aide à comprendre celle des humains. Et, comme pour le violon, les soins qu'il leur prodigue occupent un niveau de son esprit et en libèrent d'autres. Encore du café ?

Je le laissai méditer sur les bizarreries de l'existence et rapportai les assiettes dans la cuisine pour aider Mme Hudson à faire la vaisselle. Les deux hommes apparurent bientôt à la porte qui donnait sur le patio, Holmes avec une petite boursouflure qui déformait une poche de sa veste et une abeille à moitié endormie dans les cheveux.

— Ayez la gentillesse de laisser votre amie dehors, lui dis-je. Elle est tout près de votre oreille gauche.

Il la chassa d'un revers de la main et entra.

— À propos, Russell, la nouvelle reine que nous a donnée votre amie de Marston se porte comme un charme.

Il fourra la main dans sa poche.

— Bien. Lestrade, voici le présent que nous a offert Mlle Ruskin.

Il extirpa la boîte, qu'il avait enveloppée dans du papier huilé. Des traces de cire s'y étalaient par endroits, là où les abeilles avaient commencé à incorporer à leur ruche cet objet étranger, mais la boîte elle-même n'avait subi aucun dommage. Holmes la tendit à Lestrade, qui la tourna dans ses mains en suivant avec émerveillement la parade des animaux, les contours des oiseaux et de la végétation exotique. Je lui accordai une minute pour l'admirer avant de soulever le couvercle et de lui montrer le papyrus.

— Je vais en terminer la traduction. Je verrai ensuite si je peux y découvrir un code ou des signes. C'est peu probable, mais je vais essayer.

L'inspecteur le caressa du pouce, l'examina avec curiosité.

— Je comprends pourquoi vous m'avez affirmé qu'on aurait du mal à le glisser dans un livre. Bonne chance avec ce trésor, mademoiselle Russell. Je suis heureux qu'il soit à vous, et non à moi. J'aimerais en avoir une photographie, ainsi que deux clichés de la boîte.

— Avez-vous retrouvé notre appareil, Holmes ?

— Oui, mais en miettes. Nous nous servirons encore une fois de celui de Patrick.

— Monsieur Holmes, pourriez-vous me fournir une liste de tout ce que les cambrioleurs ont emporté ? Nous l'enverrons au service des objets volés et nous enquêterons chez les antiquaires. Je doute que cela serve à quelque chose, mais on ne sait jamais.

— J'en ai dressé une cette nuit, Lestrade. Là-bas, sur la table du vestibule. Faites attention à ne pas la renverser : elle a perdu un pied.

L'inspecteur me rendit la boîte et se dirigea vers l'entrée, où nous le suivîmes. Il empocha la liste, puis consulta sa montre.

— Mon Dieu ! Il faut que je file. J'ai un rendez-vous à 13 heures. Je vous appelle demain.

— Je serais curieux de savoir ce que vous aurez découvert sur l'environnement de Mlle Ruskin et ce que votre releveur d'empreintes aura trouvé dans sa chambre d'hôtel.

— Dans ce cas précis, ce sera une releveuse, répondit Lestrade d'un air guindé.

Il toucha à mon intention le rebord de son chapeau et referma la porte derrière lui.

Holmes et moi, nous nous regardâmes, tandis que le tumulte des deux derniers jours retombait peu à peu dans notre paisible maison, comme la poussière d'un tapis secoué.

— Eh bien, Holmes ?

— Eh bien, Russell...

Nous retournâmes à notre lugubre tâche, cette fois dans le laboratoire, où, par miracle, aucun vase à bec ou autre récipient de verre cassé n'avait mêlé son contenu à d'autres pour engendrer des substances explosives, corrosives ou empoisonnées.

Malgré l'épaisseur de nos gants, nous avions du sang sur les mains lorsque Holmes, en début d'après-midi, vida la dernière pelle à poussière dans la poubelle. Le matériel, gants, balais et pelle, suivit le même chemin. Holmes fit joyeusement claquer le couvercle et déclara :

— À mon avis, un pique-nique s'impose. Le plein air nous changera des tubes en morceaux, des vieilles dames excentriques et des inspecteurs de Scotland Yard.

Nous quittâmes le cottage pour un endroit sans panorama mais protégé des regards et, pour les intrus, difficile d'accès. Vaillamment, nous attaquâmes mes énormes sandwiches (Mme Hudson avait renoncé à m'apprendre à couper de fines tranches de pain et de viande froide), agrémentés, fort heureusement, d'un excellent vin blanc. Nous avions eu un bel été, assez chaud pour sécher le foin, assez pluvieux pour abreuver les champs. D'ici un mois, je regagnerais Oxford, où je passerais trois jours par semaine. Nous n'avions plus beaucoup de temps.

Un nuage planait au-dessus de ma tête. Pendant que Holmes rangeait les restes du pique-nique dans son sac à dos, je laissai mes pensées vagabonder. Des figures diverses flottaient devant moi : Dorothy Ruskin, femme de caractère qui n'avait sans doute eu aucun mal à se faire des ennemis ; sa sœur, veuve, condamnée à s'occuper d'une très vieille dame dans une maison en ruine ; un colonel à la retraite, son fils absent ; et puis les deux Arabes, avec leur chauffeur et leur limousine noire, sans compter les intrus qui avaient saccagé notre maison.

J'avais emporté la boîte avec moi. Le sens de la propriété m'était inconnu. Certains, d'ailleurs, prétendaient qu'en me léguant leur fortune mes parents n'avaient fait que jeter leur argent au fond d'un puits. Pourtant, de façon inexplicable, cet objet me captivait. Je le contemplai une fois encore. La queue du paon était en lapis-lazuli, auquel se mêlait une autre pierre verte. Jade, turquoise ? Je croisai les doigts au-dessus du coffret posé sur ma poitrine et fermai les yeux sous le chaud soleil.

Je dus m'assoupir, car la voix de Holmes me fit sursauter.

— Vais-je vous abandonner ici, Russell, dans les bras de dame Nature ?

Je souris et m'étirai.

— Et maintenant, Holmes ? dis-je en lui tendant la main pour qu'il m'aide à me relever.

— Je projette de faire une grande promenade dans le voisinage, de boire d'innombrables tasses de thé et de multiples chopes de bière. Pendant ce temps, vous aurez tout le loisir de vous épuiser sur votre papyrus. Je suis prêt à parier que mes yeux et ma colonne vertébrale seront ce soir en meilleur état que les vôtres, conclut-il avec suffisance.

— J'imagine que vous glisserez une allusion à nos visiteurs de vendredi soir dans chaque conversation...

Il me décocha un bref sourire en coin.

— Je constate avec soulagement que vous avez retrouvé votre présence d'esprit. J'admets que ce vendredi m'a quelque peu perturbé.

— En effet. Dites-moi, Holmes, qu'avez-vous découvert samedi matin, pour vous lancer dans ce numéro d'omniscience devant Lestrade ? Certains indices étaient évidents, notamment les traces de pas et les cheveux, mais je présume que vous avez identifié l'écharpe de cachemire et le manteau en poil de chameau à partir de fibres...

— Tout juste. L'individu ainsi vêtu les a laissés en déposant son écharpe et son manteau en travers d'un des pieds de la table de cuisine renversée, sur la parcelle mordue par le chiot du vieux Will le jour où il s'est mis en tête de la manger. Les marques sur le plancher provenaient d'une pointe déclouée d'une de ses semelles, preuve que ses chaussures étaient de mauvaise qualité. Que les deux hommes soient droitiers pouvait se déduire de l'emplacement, par terre, des objets jetés des étagères, de l'angle des entailles de couteau – deux – dans le tissu, de l'emplacement de l'échelle pour permettre à une main droite d'attraper les derniers livres, et du pied sur lequel chaque homme s'était appuyé en grimpant. À ce propos, il y avait, sur les échelons du bas, des traces intéressantes d'une boue encore fraîche, qui ne provient pas d'ici et a dû se coller à leurs souliers plus tôt dans la journée : un sol léger, parsemé de gravier couleur chamois.

— Vous allez l'analyser ?

— Quand le microscope sera réparé, oui. Toutefois, ce matériau n'est pas immédiatement reconnaissable et ne sera utile que lorsque nous en aurons découvert l'origine.

— Et les hommes ? Vous avez affirmé que leur chef avait les cheveux gris et était resté dans la voiture.

— Oui, c'est le plus remarquable. Au départ, j'ai eu du mal à concevoir pourquoi les deux cambrioleurs ne cessaient d'entrer et de sortir, à un rythme bien plus rapide que ne l'exigeait le vol des quelques biens qu'ils ont emportés. J'ai alors trouvé le cheveu gris, de dix centimètres de long, dans une liasse de papiers subtilisés dans vos dossiers. Les pages avaient été reposées près de la porte de votre bureau, et non à côté de votre table de travail. Comme si on avait sorti plusieurs piles de la pièce, pour les faire examiner par quelqu'un avant de les rapporter.

— Cela me paraît mince, Holmes. Ce cheveu aurait pu appartenir à n'importe qui, vous, Mme Hudson, une ancienne femme de ménage, ou même un de mes vieux tuteurs.

— Il était ondulé, et je crois qu'un examen au microscope révélera une coupe transversale ovale. Les miens sont fins et raides, ceux de Mme Hudson épais et ronds.

— Ce qui ne nous laisse que plusieurs dizaines de possibilités.

Je faillis éclater de rire en observant le changement sur ses traits : généralement sardoniques, ils prirent un air à la fois penaud et indigné.

— Il ne s'agit que d'une hypothèse de travail, Russell.

Avec dignité, il ouvrit le portail du jardin pour me laisser passer.

— À mes yeux, cela ressemble dangereusement à une devinette, Holmes.

— Russell !

— Très bien. Je ne décrirai pas à Lestrade l'abîme dans lequel vous êtes tombé. Parlez-moi des couteaux.

— Là, pas de devinette, répliqua-t-il sèchement. Les deux sont très effilés. Celui qu'utilisait l'individu à la semelle au clou branlant et à l'excès de brillantine possède la forme agressive d'une arme blanche. L'autre ressemble davantage à un couteau d'ouvrier. Il comporte une lame plus courte et se replie grâce à une charnière huilée récemment. Il était manié par le personnage aux chaussures à bout rond et en costume de tweed.

— L'homme vêtu comme un truand se promène avec un couteau de truand. Je n'aimerais pas que Mme Hudson se retrouve nez à nez avec lui, murmurai-je en baissant la voix alors que nous approchions du cottage.

— Comme vous dites. Les talents de Mme Hudson, quoique multiples et variés, n'incluent pas les sports de combat.

— Aurons-nous aujourd'hui des nouvelles de Mycroft ou de Lestrade ?

— Plutôt demain, à mon avis. Nous ne pourrons décider d'aucune action avant qu'ils se soient manifestés. Mais je pense que nous devrons installer notre base d'opérations à Londres pendant quelques jours et donner, par conséquent, un congé à Mme Hudson. Le Sussex est un peu trop éloigné du colonel Edwards, d'Erica Rogers et de nos mystérieux Arabes.

— En attendant, les voisins.

— Et vous, le lexique.

— Cette affaire cause des ravages à mon travail en cours, grommelai-je.

Holmes ne me témoigna aucune compassion, bien au contraire. Il fredonnait une aria italienne en quittant la maison, canne en main et casquette sur la tête, caricature du hobereau allant rendre visite à ses gens. J'ouvris mes dictionnaires et déroulai le papyrus.

À la vérité, même si je ne l'aurais jamais avoué à Holmes, je ne regrettais nullement cet accroc dans mon emploi du temps. Je me plongeai avec joie dans la lettre de Marie, jugeai excitant de voir les obscurités du texte se dissiper sous ma plume, de transformer les premières phrases hésitantes en une traduction fluide et claire. J'avais l'occasion de travailler sur une source brute, privilège rare pour une modeste étudiante, et je m'en délectais. Quand Holmes rentra, je constatai avec stupéfaction que j'avais travaillé quatre heures d'affilée.

— Russell, vos yeux n'ont pas encore déclaré forfait ? Souhaitez-vous que je demande à Mme Hudson de garder notre dîner au chaud pour que nous allions nous baigner ?

— Holmes, votre génie ne cesse de m'éblouir. M'accorderez-vous encore dix minutes ?

— Un quart d'heure, si vous voulez. Remonter la falaise de nuit ne me dérange pas.

— Dix. Occupez-vous des serviettes et de nos costumes de bain.

Trois quarts d'heure plus tard, nous faisions la planche dans l'eau laissée par la marée descendante. Je demandai à Holmes ce que lui avaient appris les voisins.

— Ils n'ont rien vu.

— C'est rare, à la campagne.

— Un malheureux concours de circonstances. Il y avait un grand raout au pensionnat, en l'honneur du nouveau directeur. Les environs regorgeaient d'automobiles officielles noires, venues de Brighton pour aller chercher les invités au train. On a été obligé, en attendant la fin de la réception, d'en garer plusieurs dans des chemins de campagne et des cours de ferme. Celle qui nous occupe avait sans doute une plaque d'un autre comté, mais, si c'était le cas, personne ne l'a remarqué.

— Vous auriez dû...

— Pardon ?

— Avec le recul, nous aurions dû, cette nuit-là, charger le vieux Will ou Patrick de surveiller la maison.

— J'y ai pensé, puis j'y ai renoncé. Confier une telle mission à des amateurs enthousiastes est une lourde responsabilité et constitue généralement un handicap. Ni l'un ni l'autre n'auraient pu résister à un affrontement avec les intrus.

— Vous avez sans doute raison, du moins en ce qui concerne le vieux Will.

— J'ai même songé un instant à demander à l'agent Perkins de se cacher dans les buissons. Mais cette solution m'a paru trop aléatoire. Pourtant, si j'avais été certain de la visite des cambrioleurs, je l'aurais fait.

— Perkins ? Il se serait endormi et nous n'aurions pas été plus avancés.

Notre conversation s'acheva sur ce jugement sans appel. Nous sortîmes de l'eau en faisant la course, que je gagnai, escaladâmes la falaise et rejoignîmes le cottage pour un dîner bien mérité.

Après le repas, dévoré jusqu'à la dernière trace de crème anglaise, et après que j'eus aidé Mme Hudson à faire la vaisselle, Holmes alluma un petit feu pour sécher mes cheveux. Ensuite, je lui parlai de la lettre.

Assise devant l'âtre, les pages de ma traduction étalées autour de moi, face à Holmes tassé dans son fauteuil d'osier, les flammes illuminant la moitié de son visage, je lui lus ma version de la lettre de Marie. J'eus l'impression que la voix mélodieuse et calme de cette femme entrait par les portes-fenêtres, murmure mêlé à la rumeur lointaine des vagues sur le rivage.

— Je dois admettre, Holmes, que Mlle Ruskin avait raison. Ce document a quelque chose de profondément émouvant et je ne suis pas loin de croire qu'il pourrait avoir vraiment été écrit par Marie-Madeleine, apôtre oubliée de Jésus de Nazareth... La lettre commence, dans le style épistolaire traditionnel, par les noms de l'expéditrice et de la destinataire. Elle se poursuit par un salut, suivi du message lui-même. Elle est en grec, avec quelques mots d'hébreu et d'araméen, dont deux transcrits en alphabet grec, et cite un passage du prophète Joël, en hébreu.

Mariam, apôtre de Jésus le Messie, à ma sœur Judith, à Magdala, puisses-tu jouir de la grâce et de la paix.

Je t'écris à la hâte, avec peu d'espoir de recevoir une réponse à cette lettre, la dernière. Demain, nous quitterons ce lieu pour n'y plus revenir. Je confie cette missive à ma bien-aimée Rachel et je sais que tu en prendras soin, puisque la mère de sa mère ne le peut plus. Garde-la dans la voie de Dieu et éduque-la bien.

Jérusalem est tombée sous l'assaut des sauterelles, le Temple est profané, une fois de plus, l'exil est sur nous.

Que tous les habitants du pays tremblent,
Car il vient, le jour de l'Éternel,
Car il est proche !
Jour d'obscurité et de sombres nuages,
Jour de nuées et de ténèbres.
Comme l'aurore se déploie sur les montagnes
Un peuple nombreux et fort.
Devant lui le feu dévore,
Derrière lui la flamme consume.
Le pays est comme un jardin d'Éden devant lui,

Derrière lui c'est une lande désolée.
Aussi, rien ne lui échappe.

Mon cœur chavire quand je regarde par la fenêtre et la puanteur des soldats emplit mes narines. Je pars à l'aube avec mon mari et ses frères, mais les Romains n'auront pas ma Rachel. Son avenir repose sur toi. Je penserai à vous deux parmi les grenadiers tandis que je contemplerai mon désert de pierre. J'ignore combien de temps les Romains nous laisseront vivre là-bas ; pas longtemps, je le crains.

Judith, ma sœur, bien des choses nous ont séparées. Je ne sais ce qui t'a le plus blessée, que je t'aie frappée en mes jours de démence ou que je me sois tournée vers le rabbi qui m'appelait et que j'ai suivi partout où il allait. Mes mots, quand je te parlais de lui, te semblaient pure folie et je sais qu'il en ira de même maintenant. Je te dirai simplement que j'ai la certitude, au plus profond de mon cœur, qu'il est l'Oint du Seigneur et que sa vie parmi nous a transformé le monde. Pas dans l'instant, ainsi que je l'ai cru jadis et comme certains l'espèrent encore, mais ma foi en lui ne me quitte pas. Je sais que, derrière le tumulte et la confusion de notre temps, son message est à l'œuvre. Je m'en irai demain l'esprit en paix et le cœur rempli d'amour pour ma famille, mes amis, et même certains de mes ennemis. J'essaie d'aimer les Romains, ainsi que me l'a enseigné le Maître, mais il m'est difficile d'ignorer leurs mains souillées de sang. Peut-être, s'ils ne sentaient pas si mauvais, aurais-je moins de mal.

La nuit avance et j'ai beaucoup à faire avant l'aube. Quand tu recevras ceci, récite la prière des morts à mon intention et ne pense plus à moi. Ce qui vit de moi ne se tient pas dans le désert, mais près de toi, en Rachel. Aime-la pour moi. Mon époux t'envoie ses salutations. Que la paix soit avec toi.

Le feu mourait avec lenteur. Toujours dans son fauteuil, suçant sa pipe vide, Holmes scrutait la pénombre. Je pris ma brosse et commençai à lisser mes cheveux pour la nuit, tandis qu'en écho la voix d'une femme aux os depuis longtemps réduits en poussière résonnait à peine dans la pièce mal éclairée.

11

Lambda

La matinée suivante se passa dans l'attente ; expérience frustrante, toujours liée, croit-on, à la lenteur ou à l'inefficacité du travail des autres. J'enviais Holmes, capable, dans ces cas-là, de calmer son impatience en se jetant à corps perdu dans d'autres activités. Il passa la matinée à s'affairer dans son laboratoire, tandis que je me tournai vers mes livres. J'avais prévu d'achever avant la fin de l'année une première mouture de mon essai sur le concept de sagesse dans la Bible hébraïque, mais c'était avant que la lettre de Mlle Ruskin n'atterrisse sur mon bureau. Quelque chose me disait que la traque de ses meurtriers dévorerait une grande partie de mon temps au cours des jours et peut-être des semaines à venir.

Je réussis, à force de volonté, à me concentrer sur les mots qui s'alignaient devant moi. Pourtant, chaque fois que je tombais sur une référence à *sophia*, terme grec pour « sagesse », la figure de Marie s'imposait à moi. J'étais en train de comparer une citation des Proverbes et un texte religieux de l'ancienne Mésopotamie, récemment publié, à une inscription hiéroglyphique égyptienne, lorsque le téléphone sonna. Je décrochai d'un geste brusque.

— Oui, elle-même. Bien sûr, j'attends.

J'oubliai aussitôt mes livres et criai :

— Holmes ! C'est Mycroft !

Au bruit de ses pas dans l'escalier, je collai l'écouteur contre mon oreille pour saisir quelques bribes d'une communication exécrable.

— Il veut nous voir. Il nous invite à dîner à Londres ce soir... Comment ?

Je hurlai dans le combiné, tentant de couvrir les voix multiples qui, depuis le central, se croisaient sur la ligne.

— Oh... Il dit qu'il a une grouse rôtie et un nouveau porto qu'il aimerait vous faire goûter. C'est du moins ce que je crois avoir compris. Nous y allons ? Parfait.

Je pris une grande inspiration avant de m'exclamer :

— Nous serons chez vous à 19 heures ! Oui, 19. Entendu. À tout à l'heure.

Alors qu'il était resté muet depuis le matin, le téléphone sonna encore, quelques secondes plus tard. L'opératrice m'annonça qu'on m'appelait de Londres et me demanda d'attendre un instant. Enfin, la ligne se mit à crachoter. Je hurlai mon nom, ce qui dut crever le tympan de Lestrade car, cette fois, la communication fut parfaite. La voix de l'inspecteur était aussi claire que s'il s'était trouvé dans la pièce.

— C'est bien vous, mademoiselle Russell ?

Son ton hésitant me fit aussitôt baisser le mien.

— Bonjour, inspecteur. Désolée de vous avoir crié dans l'oreille, mais je sortais à peine d'une conversation inaudible. Vous avez des nouvelles ?

— Pas grand-chose, mais j'en attends davantage dans l'après-midi. Préférez-vous que je vous tienne au courant par téléphone ou par courrier ? Malheureusement, je suis bloqué à Londres.

— Cela tombe très bien : nous y allons ce soir. Serez-vous au Yard, mettons, à 18 heures ? Un instant, inspecteur...

— Invitez-le à dîner chez Mycroft, proposa Holmes, qui venait d'apparaître. Je suis sûr qu'il y aura assez de volatiles pour un régiment.

— Inspecteur Lestrade, êtes-vous libre à dîner ce soir ? Vers 20 heures, chez Mycroft Holmes. Bien. Vous vous souvenez de l'adresse ? Oui, c'est ça. Comment ? Oh, oui, il sera ravi. À ce soir.

Je raccrochai, rappelai l'opératrice, redemandai Mycroft. Cette fois, je l'entendis mieux. Lorsque je lui appris qu'il faudrait plumer une autre grouse pour Lestrade, il me répondit que ce serait avec plaisir, même s'il devait le faire de ses blanches mains, ce qui me laissa sceptique. Je raccrochai.

— Je vais boucler nos bagages. Voulez-vous quelque chose en particulier ?

— Juste le strict nécessaire, Russell. Ce qui n'a pas été endommagé doit encore être nettoyé. Nous achèterons à Londres ce qui nous manquera. Je vais prévenir Mme Hudson de nos changements de projets : elle pensait partir demain, mais nous pouvons très bien la déposer à la gare.

— Et la boîte ? Vous allez la remettre dans la ruche ?

— Non. Il s'agissait d'une cachette temporaire. Elle n'échapperait pas à une recherche approfondie. Je suggère de la dissimuler dans un endroit que les cambrioleurs ont déjà fouillé ou de l'emporter avec nous.

— Chez Mycroft ? Bien sûr ! Elle y sera plus en sécurité que nulle part ailleurs.

Je me levai, commençai à ranger mes papiers et mes livres.

— Holmes, je détesterais retrouver tout cela chamboulé une nouvelle fois. J'y ai consacré de longues heures. À votre avis, y a-t-il une chance pour que nos visiteurs reviennent ?

— J'en doute. Mais emportez tout ce qui vous semble précieux. On ne sait jamais. Cette fois, j'ai demandé au vieux Will et à son petit-fils de garder un œil sur le cottage. Le jeune garçon m'a juré d'éviter tout désagrément à son grand-père, même s'il doit s'asseoir sur lui.

Cette pensée me fit sourire. Will était notre jardinier. Sous la reine Victoria, il avait travaillé pour ce qu'on appelle aujourd'hui l'Intelligence Service. Nos séances le long des rangées de haricots ou dans le carré de plantes herbacées étaient toujours émaillées d'histoires d'espionnage, d'exploits accomplis derrière les lignes ennemies « pendant la guerre », c'est-à-dire la campagne de Crimée. Son petit-fils, âgé de seize ans, rêvait de suivre ses traces et mourait d'envie de se voir confier de telles missions par Sherlock Holmes en personne.

— Avez-vous parlé du petit à Mycroft ?

— Oui. Il s'est montré intéressé mais préfère attendre que le gamin ait terminé sa scolarité.

— Dans ce cas, les amis de Mycroft financeraient ses études à l'université, n'est-ce pas ?

Quels que soient ces amis, pensai-je en mon for intérieur.

— Certainement. Ils préfèrent des espions bien élevés, cultivés, en tout cas. Bon, allez faire les bagages pendant que je mets au point nos nouveaux arrangements avec Mme Hudson et Will. Ne prenez pas trop de livres. Il se peut que vous soyez obligée de tout laisser chez Mycroft.

En fourrant dans un sac de voyage mes documents, quelques livres et une brosse à dents, je pensai à mon beau-frère. J'éprouvais une grande affection pour ce double obèse et flegmatique de Holmes. Mais il me mettait parfois mal à l'aise. Mycroft était sans doute, à l'époque, un des individus les plus puissants d'Angleterre. Or le pouvoir, même exercé par un être aussi incorruptible que lui, n'est pas un compagnon facile. Je n'oubliais jamais que le sien était sans limites, que personne ne le contrôlait et qu'il pouvait se révéler extrêmement dangereux s'il tombait entre les mains d'un homme moins scrupuleux. Bref, j'aimais beaucoup Mycroft, mais il me faisait un peu peur.

Sa position exacte, dans l'agence gouvernementale où il se rendait à pied tous les jours, était celle d'un estimé chef-comptable. Si ce titre l'amusait, il était en partie exact : Mycroft tenait les comptes. Ces comptes, toutefois, se traduisaient rarement en livres, shillings ou pence. Mon beau-frère recensait les tendances politiques en Europe, les dépenses militaires en Afrique, les dirigeants religieux indiens, les développements technologiques aux États-Unis, les conflits frontaliers en Amérique latine. Il surveillait les cours du sucre en Égypte, de la laine en Belgique et du thé en Chine, étudiait les fils qui, par dizaines de milliers, tissaient la tapisserie de la stabilité du monde. Holmes lui reconnaissait une intelligence exceptionnelle, supérieure à la sienne. Cependant, à l'inverse de son frère, Mycroft préférait rester assis et laisser les informations venir à lui plutôt que d'aller les chercher sur place. En un mot, il était paresseux.

Il nous attendait, effectivement, avec un plat de grouse rôtie et un vieux porto sublime. La chaleur et l'humidité de Londres émoussèrent l'appétit d'au moins trois d'entre nous. D'un accord tacite, nous dînâmes sans évoquer l'affaire Ruskin. Nous prîmes ensuite notre porto dans le salon, après avoir ouvert les fenêtres en grand, dans l'espoir de jouir d'un peu d'air frais. L'agitation nocturne du Mall nous enveloppait comme si nous avions été assis sur le trottoir. Je posai mon verre, essuyai les mèches humides qui tombaient sur mon front. J'aurais donné n'importe quoi pour pouvoir porter les vêtements légers à la mode, sans révéler les cicatrices – séquelles d'accident d'automobile et de blessure par balles – que je préférais dissimuler.

— Donc, roucoula Mycroft, vous me soumettez de nouveau un intéressant petit problème. Verriez-vous un inconvénient à ce que je fume, Mary ?

Question immuable, suivie de mon habituel consentement. Mycroft offrit des cigares. Quant à moi, je m'installai dans le fauteuil le plus éloigné des volutes de fumée. Son cigare coupé et allumé, Mycroft se tourna vers l'inspecteur de Scotland Yard, un peu hébété par le gibier, la boisson et, me sembla-t-il, par l'auguste assistance.

— Inspecteur principal Lestrade, si vous voulez bien commencer...

Les yeux étroits du policier s'arrondirent. Il cligna des paupières en sortant son carnet de sa poche intérieure. Son gros cigare dans une main, il s'évertua, de l'autre, à tourner les pages. D'où cet être aux traits ingrats tenait-il son charme ? Son costume lui allait mal, il avait une barbe de deux jours et les cheveux trop longs, son col était usé, ses yeux trop petits, ses oreilles trop grandes. Pourtant, il m'attirait. Tout d'un coup, je me rendis compte que j'éprouvais pour ce petit homme un sentiment maternel. Quelle horreur ! Outrée, je me concentrai sur le problème qui nous réunissait. Lestrade s'éclaircit la gorge, fixa un instant son cigare puis commença son rapport sur un ton officiel et administratif.

— Suite à nos entretiens avec M. Holmes au cours des journées de samedi et dimanche, et avec l'approbation explicite de nos supérieurs, nous avons décidé d'étendre nos investigations dans trois directions, toutes reliées à un contact que Mlle Ruskin a eu dans notre pays depuis son arrivée. Notre enquête a d'abord porté sur Mlle Ruskin elle-même : ouverture de comptes bancaires, testament, etc., qu'elle aurait pu effectuer pendant son séjour. Nous nous sommes, en deuxième lieu, intéressés à sa sœur, Mme Erica Rogers, puis, pour finir, au personnage avec lequel la victime a dîné juste avant son décès, le colonel Dennis Edwards. En ce qui concerne la possibilité que des étrangers soient impliqués dans cette affaire, nous sommes convenus, pour le moment, de nous en remettre à M. Mycroft Holmes.

— J'aimerais ajouter quelques mots quand vous aurez terminé, inspecteur, précisa Mycroft.

— Je serai le plus bref possible. Mlle Ruskin nous pose elle-même un problème. Elle est entrée en Grande-Bretagne vendredi, en provenance de France. Arrivée à Londres peu avant midi, elle s'est installée dans son hôtel à 14 h 10. Elle y est restée jusqu'au lendemain matin. Elle a ensuite rendu visite à sa mère et à sa sœur dans le Cambridgeshire. Elle y a séjourné jusqu'au lundi matin, puis a regagné son hôtel. Le mardi matin, elle est sortie et n'a plus été revue avant 22 heures. Jusqu'à présent, nous ignorons où elle est allée.

— Deux heures depuis la gare Victoria jusqu'à son hôtel, dites-vous ? murmura Holmes avec un bref sourire.

— Vous êtes-vous renseigné dans les musées en ce qui concerne la journée de mardi ?

— Un de mes hommes s'en occupe, mademoiselle Russell. Il a la liste des musées et des bibliothèques les plus en vue... Mlle Ruskin a-t-elle mentionné quoi que ce soit devant vous à ce sujet ? hasarda-t-il sans trop d'espoir.

— Non, désolée. Avez-vous essayé Oxford ? Elle a fait une vague allusion à ses études là-bas.

— Je n'ai pas encore pu y envoyer quelqu'un, mais j'ai chargé la police locale de commencer à enquêter. Jusqu'ici, rien.

— Au cas où cela vous serait utile, je pourrais vous donner les noms de quelques personnes susceptibles de savoir si on l'y a aperçue. Je connais un vieux monsieur à la bibliothèque Bodléienne... Il y est en fonction depuis une éternité. Il la connaît sûrement. Si vous parvenez à le joindre au téléphone, il vous évitera quelques heures de recherche. Mais le vieil ours a une sainte horreur de cette machine infernale.

— Qui ne risque rien n'a rien.

Lestrade se leva et se dirigea vers moi, tapotant une page blanche de son carnet. J'y inscrivis plusieurs noms et adresses. Il examina mes gribouillages avec satisfaction, puis regagna sa place.

— Mercredi, reprit-il, la victime est arrivée chez vous à midi, ce qui implique qu'elle a disposé de très peu de temps, le matin, pour rencontrer quiconque. Cependant, la direction de l'hôtel n'est pas certaine de l'heure de son départ. Mlle Ruskin est revenue à son hôtel mercredi soir. Elle y a passé très peu de temps, apparemment pour changer de sac, mais pas de vêtements. Elle s'est ensuite rendue à son rendez-vous avec le colonel Edwards et a dîné avec lui à 21 heures.

— Parlez-nous du colonel, suggéra Holmes, qui donnait l'illusion de somnoler dans les profondeurs de son fauteuil.

L'inspecteur tourna d'autres pages, laissa tomber de la cendre de cigare sur son pantalon et s'éclaircit une deuxième fois la gorge.

— Colonel Dennis Edwards, cinquante et un ans. A pris sa retraite après l'armistice. Veuf, un fils âgé de vingt et un ans. Spécialiste de l'Égypte, il est en poste au Caire en 1914. Rejoint Gallipoli en mars 1915. Y reste jusqu'à la fin de la campagne des Dardanelles, en janvier de l'année suivante. Bénéficie d'une permission de quinze jours en Angleterre avant d'être affecté sur le front français. Décoré en 1916 pour avoir, sous le feu, dégagé trois de ses hommes d'une tranchée submergée par l'ennemi. Blessé en mars 1917, passe six mois à l'hôpital avant de reprendre du service jusqu'à la fin de la guerre. Il semble y avoir eu, à cette époque, un épisode assez déplaisant concernant sa femme, bien que l'histoire exacte soit difficile à cerner. Elle est morte à York en juillet 1918 ; lui était en pleine bataille sur la Marne. Pourquoi York ? Personne n'en sait rien, dans la mesure où elle n'y avait aucune famille. Son fils ne lui a pas rendu visite pendant les vacances scolaires. On l'a expédié chez une tante, à Édimbourg.

— De quoi est-elle morte ? demandai-je.

Il ébouriffa ses cheveux d'un air absent, ajoutant à sa panoplie une autre caractéristique peu attirante qui augmenta ma sympathie pour lui.

— Curieusement, nous ne sommes pas parvenus à le découvrir. L'hôpital a déménagé ses bureaux il y a trois ans et certains dossiers ont disparu. On n'a pu nous fournir que le témoignage d'une des plus anciennes infirmières de l'établissement. Elle se souvient d'une femme de ce nom, décédée, dit-elle, d'une pneumonie ou des suites d'un accouchement, elle ne sait plus trop. Elle pense que cette patiente a été amenée par un beau jeune homme, mais elle ne pourrait le jurer. Même si elle en était capable, je ne sais pas si je ferais confiance à quelqu'un qui ne se rappelle même pas si une patiente était dans le service maternité ou dans celui des affections pulmonaires. Bref, il semble que cette Mme Edwards ait été conduite à l'hôpital par un homme, si l'on en croit la seule trace écrite de son admission. Cet individu s'est fait passer pour le colonel Edwards. Comme je l'ai dit, le véritable colonel se trouvait en France, où il se battait depuis plus de huit mois, et la signature sur le formulaire d'hospitalisation n'est pas la sienne.

— Il y a dans tout cela quelque chose d'assez nauséabond, murmura Mycroft, exprimant notre pensée à tous.

— Rien de définitif pour l'instant, mais j'aurais tendance à partager votre point de vue. Il semble que le colonel ait mal supporté les circonstances de la mort de sa femme, ajoutées à tout le reste. Il a été démobilisé en février 1919. Cinq mois plus tard, il a passé plusieurs semaines en clinique, pour des troubles provoqués par l'alcool. On l'a désintoxiqué et renvoyé chez lui. Ensuite, il s'est ressaisi. Il s'est lancé dans les activités de sa paroisse, ce qui lui a permis de rencontrer des vétérans du Moyen-Orient, dont l'association, les Amis de la Palestine, s'apprêtait précisément à financer la campagne de fouilles de Mlle Ruskin.

— Une question, inspecteur : comment le colonel a-t-il pu ignorer que l'auteur de ce projet était une femme? Holmes dit qu'il en a été surpris.

— C'est curieux, en effet. J'ai parlé à deux de ses amis du comité qui soutenaient le projet. Selon eux, Mlle Ruskin écrivait toujours sous le nom de D. E. Ruskin et ne s'est jamais souciée de lever cette ambiguïté.

Je ne pus m'empêcher de sourire.

— Elle signait ainsi ses articles. Après tout, elle était réaliste, et très désireuse de mener ses fouilles à bien. Je pense qu'au départ cette confusion à propos de son prénom n'avait rien d'intentionnel. Mais elle savait probablement à quel genre d'homme elle avait affaire et elle les a donc entretenus dans leur erreur jusqu'à ce qu'ils se soient trop engagés pour se dédire.

— Mettons cela sur le compte de son sens de l'humour, commenta Holmes.

— J'ai l'impression de l'entendre rire.

— Rien d'autre sur le colonel ? insista Mycroft.

— Nous enquêtons sur ses comptes en banque et sa famille. Son fils est toujours en Écosse. Il doit rentrer en fin de semaine.

— Et le chauffeur ?

— Lui et sa femme sont les deux seuls employés de maison permanents. Ils vivent sous le même toit que la famille depuis trente ans. Le père du chauffeur était déjà au service du père du colonel.

— Aucun changement dans leurs déclarations à propos de la nuit de mercredi ? s'enquit Holmes.

— Non. Nous avons de nouveau interrogé le colonel. Il a quitté le restaurant vers minuit, s'est fait reconduire chez lui et s'est couché.

— L'avez-vous questionné sur le coup de téléphone qu'il a passé du restaurant ?

— Deux fois plutôt qu'une. Il affirme avoir essayé, sans succès, de joindre l'ami qui avait organisé sa rencontre avec Mlle Ruskin. Nous avons parlé à l'homme en question, un certain Lawson. Il confirme qu'il n'était pas chez lui ce soir-là.

— Impossible, par conséquent, de savoir qui le colonel a appelé ?

— Exact. Tout ce que le central a pu nous dire, c'est qu'il ne s'agissait pas d'une communication interurbaine.

— Un numéro à Londres, donc.

— En toute logique. Si, toutefois, le colonel a réellement téléphoné. De toute façon, nous n'avons relevé aucune contradiction flagrante entre sa version et celle de ses deux employés, que j'interrogerai une nouvelle fois demain matin.

— Edwards sait-il que vous enquêtez sur un meurtre ?

— J'ai simplement évoqué un décès aux circonstances suspectes. Mais il n'est pas stupide. Il se doute qu'il ne s'agit pas d'une simple routine.

— On n'y peut rien. Et à propos de Mme Erica Rogers ?

— Je suis retourné là-bas ce matin, mais je n'ai pas obtenu grand-chose. Selon ses voisins, elle était chez elle mercredi et vendredi. Toutefois, Mlle Russell vous a dit que la maison est assez isolée : proche de la route, mais bordée par des bois d'un côté et, de l'autre, par une haie qui la sépare du voisin le plus proche ; donc difficile à observer. Les deux soirs, ses lumières se sont éteintes comme d'habitude vers 22 h 30. Personne n'a remarqué, ensuite, l'arrivée d'une voiture. Mme Rogers vit seule avec sa mère. Une infirmière de jour vient les lundis, mercredis et vendredis matin. Le médecin y passe également de façon régulière.

— De quoi souffre la vieille dame ?

— Des effets de l'âge, sans plus. D'une multitude de petites misères : arthrite, bronchites, le cœur... Rien d'assez sérieux pour l'envoyer *ad patres*. Increvable, si vous voulez mon avis. Mais inutile d'essayer de la questionner, elle est sourde comme un pot ; et gâteuse, par-dessus le marché.

— S'occuper d'une invalide doit coûter cher. D'où proviennent les ressources ?

— Essentiellement d'investissements réalisés par le père. Pas énormes, mais confortables. Il est mort il y a douze ans. Les deux tiers des revenus vont à Mme Rogers et à sa mère, l'autre tiers à la victime.

— Elle a rédigé un testament ?

— Oui, il y a dix ans. Mme Rogers nous a dirigés vers le notaire de famille, qui nous l'a montré. Mlle Ruskin laisse tout à sa mère et à sa sœur, hormis quelques objets qu'elle destine à des particuliers ou au British Museum. Un codicille vieux de cinq ans en ajoute d'autres à la liste, mais sans modifier le testament lui-même.

— D'autres parents ?

— C'est un point intéressant. Mme Rogers s'est montrée très coopérative quand nous avons essayé d'interroger sa mère et nous a donné sans réticence l'adresse de son notaire. Mais, dès que nous avons abordé le sujet du reste de la famille, elle a paru se désintéresser de la conversation. Elle nous a dit qu'elle avait deux fils, puis nous a fait comprendre qu'il était temps pour nous de partir. Elle devait donner son bain à « maman ».

— Une idée de la couleur des cheveux de ces fils ? murmura Holmes.

Surpris par la question, Lestrade secoua la tête. Un détail me revint alors en mémoire.

— Parmi les photographies qui ornent le salon de Mme Rogers, j'ai remarqué deux hommes. Impossible de déterminer leur taille, mais tous deux ont les cheveux noirs.

— Ah... Lestrade, quand vous les trouverez, essayez, sans vous faire remarquer, de récupérer deux échantillons de leur chevelure. Cela pourrait nous être utile. Y a-t-il autre chose ?

L'inspecteur dut admettre que, tant qu'il ne disposerait pas du résultat des recherches sur d'éventuels testaments et de possibles dépôts dans des coffres de banque, il n'avait pas d'autres informations. Mais avoir réuni autant de renseignements en si peu de temps me parut remarquable. Je le lui dis et il en rougit de plaisir.

— Je partage cet avis, ajouta Holmes, beau joueur. Excellent travail. Bien. Je vais maintenant vous faire part de ce que j'ai appris, bien que cela recoupe en partie ce que vous venez d'entendre.

Il joignit les doigts devant ses lèvres, ferma les yeux et détailla les résultats de ses études menées en laboratoire : la boue et les cheveux laissés par les intrus, l'examen du papyrus. J'allai chercher la boîte, la tendis à Mycroft, qui l'admira pendant que je lisais à haute voix la traduction de la lettre. Ensuite, je lui confiai le coffret et le manuscrit, pour qu'il les mette en lieu sûr. Il emporta le tout dans la pièce voisine, revint avec quatre verres et une bouteille de cognac.

— Il se fait tard et j'imagine que notre ami l'inspecteur principal n'a pas dû beaucoup dormir ces derniers jours, commença-t-il. J'essaierai donc d'être bref.

Mycroft fit tourner son verre dans ses mains massives, attirant l'attention sur lui. Il était aussi cabotin que son frère. Il darda un regard glacial sur Lestrade et déclara :

— Vous comprenez que certaines des révélations que je vais vous faire, inspecteur, n'ont jamais été rendues publiques et ne doivent en aucun cas figurer dans un rapport écrit.

— Préférez-vous que je m'en aille ? rétorqua le policier.

— Non, à moins que vous ne teniez à vous retrouver dans la situation inconfortable de vous voir refuser ces informations par les instances officielles. Votre parole me suffit.

— Je n'ai guère le choix, n'est-ce pas ?

— J'en ai bien peur.

— Très bien, j'accepte.

— Parfait. Mes renseignements concernent Mlle Ruskin elle-même. Comme la plupart des Britanniques fixés au Proche-Orient, elle fut, pendant la guerre, en rapport avec l'Intelligence Service. En 1916 et 1917, elle a travaillé quelques mois comme agent officieux, mais essentiel, du gouvernement de Sa Majesté. Il peut paraître surprenant que son chemin n'ait jamais croisé celui du colonel Edwards. Mais, à l'époque où il se trouvait en poste au Caire, elle n'était qu'un modeste rouage de la machine et opérait sur le terrain. Qu'ils ne se soient pas rencontrés n'est donc pas anormal et ne signifie rien. Mlle Ruskin a commencé par traduire certains documents, puis des entretiens et des interrogatoires. Elle a servi de guide lors d'opérations clandestines, et plusieurs fois de courrier. À la fin de l'année 1916, elle avait acquis, dans ses activités, une certaine indépendance et s'était liée avec d'importants dirigeants arabes. Fascinés par elle, comme l'étaient par Gertrude Bell leurs frères du futur royaume irakien, ils lui accordaient une liberté de mouvement et de parole que leur société réserve normalement aux hommes. Plus, bien évidemment, un accès au monde des femmes.

« En 1917, un incident mineur a tout changé. L'histoire est souvent faite de petites choses, ce qui explique l'utilité de maintenir en fonction une personne comme moi pour les répertorier... La voiture de Mlle Ruskin tomba en panne près d'une des nouvelles implantations sionistes. En attendant le retour de son chauffeur avec une pièce de rechange, elle mangea un œuf dur qui était resté trop longtemps au soleil. Elle fut très malade. Les sionistes la recueillirent, leur médecin la soigna et elle passa plusieurs jours de convalescence dans les jardins qu'ils avaient fait jaillir de cette contrée désolée. Elle admira le courage et l'obstination de ces pionniers, la joie que leur procuraient leur terre et leurs enfants. Bref, lorsqu'elle s'en alla, elle était devenue sioniste. Toujours chrétienne, plus peut-être qu'auparavant, mais sioniste.

« C'était, tous les témoignages le confirment, une femme très intelligente. J'aurais aimé la rencontrer. Il lui fallut peu de temps pour décider que le sionisme et l'indépendance arabe étaient foncièrement incompatibles. Nombre de gens ne partageaient pas son avis, mais Mlle Ruskin acquit la conviction que Juifs et Arabes cohabiteraient difficilement dans le même petit pays. Elle abandonna donc peu à peu son action clandestine et revint à l'archéologie. Son activité en faveur du mouvement sioniste se poursuivit, mais de façon discrète, afin, je pense, de ne pas s'opposer de front à ses amis arabes et de ne pas nuire au sionisme par un retournement de veste trop flagrant.

« Inévitablement, certains membres du parti arabe lui en voulurent de cette trahison. Une famille, en particulier, en conçut une grande amertume. Mlle Ruskin l'avait soutenue dans un conflit sur la possession d'une terre avant, dirons-nous, sa conversion. Ensuite, elle se rétracta. La famille perdit son procès et fut obligée de se réfugier en ville. L'année dernière, les sionistes ont installé une implantation sur cette terre.

— Et, toujours aussi inévitablement, cette famille compte deux jeunes gens qui ont reçu une instruction poussée, grommelai-je. Et ils se trouvaient en Grande-Bretagne mercredi dernier. Et, bien sûr, ils ont les cheveux noirs. Oh, pourquoi ce cas ne peut-il pas être une affaire ordinaire ?

— Ne vous plaignez pas, me dit Holmes. Pensez au chapitre passionnant que vous en tirerez dans vos mémoires.

Pour l'instant, nous avons beaucoup à faire. Lestrade, nous reverrons-nous demain soir pour mettre notre tactique au point ?

— Ici ?

— Mycroft ?

— Volontiers. Je ne peux pas vous promettre d'autres grouses rôties, mais ma gouvernante est toujours heureuse de combler mes invités.

— À 20 heures, donc, Lestrade.

On se souhaita bonne nuit après avoir débarrassé les verres. Mycroft s'excusa. Je montai dans la chambre qu'il nous avait réservée, pour rafraîchir mes yeux, fatigués à cette heure tardive. Lorsque je redescendis, je trouvai Holmes toujours lové dans son fauteuil, la pipe entre les dents, fixant le carreau vide de la cheminée. J'éteignis les lumières, mais il ne bougea pas. Les nuages de fumée qui entouraient sa tête évoquaient une machine tournant à plein régime. Je me dirigeai vers la porte, me retournai, le contemplai. Il ne parut pas sentir mes yeux posés sur lui.

D'ordinaire, quand Holmes était dans cet état, je m'éclipsais sur la pointe des pieds et le laissais à ses pensées. Cette fois, pourtant, une impulsion me poussa à revenir vers lui. Il tressaillit en sentant ma main sur son épaule. Aussitôt, ses traits s'éclairèrent d'un sourire. Il déroula ses jambes et je me coulai près de lui dans son fauteuil, qui, conçu pour Mycroft, était bien assez grand pour nous deux. Nous restâmes ainsi, silencieux, prêtant l'oreille à l'écho des sabots sur l'avenue, au grondement des moteurs, aux bruits furtifs de l'immeuble dont les occupants se couchaient. Les rideaux de dentelle remuaient doucement, soulevés par une brise qui annonçait enfin un changement de temps.

Délicatement, longuement, Holmes caressa mon poignet, le porta ensuite à ses lèvres. Je fermai les yeux, m'abandonnai à sa tendresse. Puis, intriguée par son silence, je chuchotai :

— Qu'est-ce qui vous préoccupe, mon cher époux ?

Sans répondre, il se pencha, tapota sa pipe contre le carreau de la cheminée.

— Les éléments, dit-il enfin. Je ne peux formuler aucune hypothèse à partir de données aussi minces.

— C'est vrai : nous avons besoin d'informations complémentaires. Ce que nous ont appris Mycroft et Lestrade n'ont rien changé à cela. Si j'ai bien suivi, ce soir, le cheminement de votre esprit, cela signifie qu'il vous faudra aller chez Mme Rogers pendant que je m'introduirai chez le colonel Edwards. Je vous le demande une nouvelle fois, qu'est-ce qui vous préoccupe ?

— Je... je ne sais pas pourquoi, et je me rends compte que c'est déraisonnable, mais l'idée de vous savoir dans sa maison me met mal à l'aise. J'ai l'impression de vous précipiter dans un piège.

— Holmes, balbutiai-je, interloquée, deviendriez-vous sentimental à mon endroit ?

— Vous avez raison, cela ne me ressemble pas. Simplement, j'essaie de vous dire, avec mes pauvres mots d'homme, que je n'arrive pas à comprendre mon inquiétude. Je ne discerne aucun piège, je n'ai détecté aucune menace dans le comportement du colonel lorsque je l'ai rencontré et je ne vois pas ce qui pourrait me pousser à me méfier de lui. Je reconnais que ma réaction est totalement irrationnelle. Pourtant, la pensée que vous allez le côtoyer me dérange au plus haut point.

Je restai muette. Au bout d'une minute, il poursuivit, la voix étouffée par mes cheveux :

— Chère, chère Russell... Il y a bien des années, alors que je n'étais encore qu'un jeune chien, je me suis juré de ne jamais me marier. J'étais convaincu que les émotions fortes affectaient la pensée rationnelle, comme du sable dans un mécanisme. Pour moi, le cœur ne pouvait qu'obscurcir l'esprit. Et, à présent... à présent, je me retrouve dans une situation impossible : mon esprit s'oppose au... au reste de mon être. Jadis, j'aurais suivi d'instinct ses injonctions. Mais maintenant...

La chaleur de son souffle dans son cou me fit frissonner.

— Je commence à soupçonner que... je vous le dis sans honte... que je me trompais. En certaines occasions, le cœur devine ce que l'esprit ne perçoit pas... Peut-être est-il plus lucide. Peut-être ai-je longtemps dédaigné le mien parce que je ne le connaissais pas. Et peut-être serait-il temps pour moi de prendre une retraite définitive. Ne vous inquiétez pas, ajouta-t-il en réponse à mon sursaut de protestation, je mènerai cette affaire à son terme avant d'apprendre le syriaque et l'araméen, et de passer mes journées à corriger vos manuscrits. Jusque-là, admettons que le détective vieillissant est encore en possession de ses moyens et que sa nervosité se justifie. Restez sur vos gardes dans cette maison, Russell. Pour l'amour du ciel, ne relâchez pas votre vigilance.

Lorsque j'avais rencontré Holmes, j'avais quinze ans. À présent, j'en avais trente-trois. Jamais, au cours de toutes ces années auprès de lui, je ne l'avais vu aussi ému. Son trouble m'alla droit au cœur. Par pudeur, je n'en laissai rien paraître. Je répliquai joyeusement, avec un petit rire :

— Vous avez réussi à me mettre les nerfs à vif, je vous l'assure. Au premier rictus suspect, je m'enfuirai à toutes jambes.

TROISIÈME PARTIE

Du mardi 28 août au samedi 1er septembre 1923

Dans les lettres d'un homme gît son âme nue.
SAMUEL JOHNSON

12

Mu

La journée de mardi fut consacrée aux préparatifs indispensables. Je passai le plus clair de la matinée dans les magasins, achetant plusieurs tenues susceptibles de convenir à une vendeuse et à la secrétaire d'un colonel. Je consacrai la majeure partie de l'après-midi à donner à mes acquisitions une usure de bon aloi en utilisant de l'eau trop chaude et des fers à repasser surchauffés, puis en remplaçant les boutons neufs par des boutons quelque peu dépareillés. J'avais choisi une paire de chaussures robustes, confortables, que je patinai avec du sable et du cirage d'une couleur un peu différente de l'original. Je tenais à ressembler à une personne qui, tout en possédant un certain goût, n'avait pas les moyens de s'offrir des articles de première qualité. Il me fallait également paraître séduisante, en toute innocence. Jeune, naïve, sans protection, déterminée mais un peu effrayée; telle était l'image que j'avais devant les yeux en essayant des chemisiers de linon blanc au col brodé et en testant divers effets de manche. J'avais même acheté six mouchoirs de dentelle ornés de l'initiale « M ».

Holmes rentra à 15 heures. Il était parti après le petit déjeuner, vêtu d'un banal costume marron, d'un chapeau gondolé par la pluie, d'une cravate chiffonnée et de gros souliers. Il arborait une moustache semblable à une souris morte et une barbe de deux jours. Bref, on aurait dit Lestrade.

Il réapparut rasé de près, les cheveux lisses, resplendissant dans un costume noir de financier de la City, coupé à la perfection, une chemise d'un blanc immaculé aux boutons de manchette de jais striés de nacre, avec une cravate aux motifs élégants, des souliers vernis, une canne d'ébène et d'argent, plus un chapeau merveilleusement ajusté, fait sur mesure. Il portait sous le bras un paquet volumineux, enveloppé dans du papier d'emballage, qui sentait le moisi et le produit nettoyant qu'on utilise dans les prisons ou les hôpitaux.

— Vous voilà bien chic, déclarai-je avec ironie en suspendant au montant de la porte un autre chemisier maltraité par le fer.

L'appartement de Mycroft dégageait des relents de buanderie mal tenue, de vapeur et de coton roussi, à quoi s'ajoutait la puanteur du paquet de Holmes. Posé sur une chaise, le colis s'ouvrit brusquement, déversant des oripeaux aussi peu ragoûtants que leur odeur.

— D'où vient cette cravate ? ajoutai-je.

— Ordre royal des Forgerons nigérians. Je suis habilité à la porter, pour services rendus.

Il examina d'un air incrédule la robe que je détériorais de façon systématique, puis se fraya un chemin au milieu de ma pile de vêtements, jusqu'à notre chambre. J'entendis coulisser un des panneaux de la penderie, des cintres s'entrechoquer. Je haussai la voix.

— Soyez sûr, Holmes, que si Lestrade apprend que vous vous êtes déguisé en détective, il aura une crise de nerfs.

— On ne peut se travestir en ce qu'on est soi-même, Russell, répliqua-t-il avec orgueil. Or qui est détective plus que moi ?

Il revint vêtu comme à l'ordinaire et conclut d'un ton sentencieux :

— La recherche de la justice est peut-être le privilège de quelques-uns, mais elle nous concerne tous.

— Gardez vos formules pour les gardiens de prison, répliquai-je en me penchant pour défaire la couture d'une manche. Avez-vous découvert de quoi nous loger?

— J'ai trouvé beaucoup de choses aujourd'hui et, effectivement, un logement. Deux chambres communicantes aux meubles sordides, à peine éclairées, avec un cabinet de toilette au fond du couloir et deux fenêtres donnant sur le toit d'une soupente. Pas de punaises. J'ai vérifié.

— Merci. Quoi d'autre?

— Une cuisine sinistre et des reprises aux rideaux.

Très bien. S'il cherchait à me mettre au supplice, libre à lui, je le laisserais ménager ses effets.

— Comment l'avez-vous dégoté? Le logement, je veux dire... Mycroft?

— Non. En fait, la maison appartient à un cousin de Billy.

— Billy! J'aurais dû y penser. Comment va-t-il?

Ancien gamin des rues, Billy avait, dès l'enfance, servi de coursier à Holmes et restait prêt à tout laisser tomber pour rendre service à son ancien maître. Une pensée me vint soudain à l'esprit. J'interrompis la description des projets commerciaux de Billy et des péripéties de sa vie de famille.

— L'avez-vous chargé de garder un œil sur moi?

— Cela vous contrarie?

Le succès de mes emplettes du matin et le bonheur de savoir que mon mari ne se morfondait plus me rendaient indulgente.

— Je refuse qu'il me suive comme mon ombre. Mais s'il tient à se tapir dans le vestibule des Edwards pour guetter les cris d'une femme agressée, il sera le bienvenu.

J'enfilai du fil dans une aiguille et commençai à repriser la couture que je venais de déchirer.

— Il ne vous suivra pas. Mais il se tiendra à votre disposition s'il vous faut des renforts ou un messager. Il est devenu très efficace.

Ravie de l'apprendre...

— Alors, c'est parfait. Et vous ? Si j'ai bien compris, vous ne rentrerez pas du Cambridgeshire tous les soirs ?

— J'en doute. Il serait très étrange qu'un membre de la cohorte des miséreux qui peuplent ce pays prenne tous les soirs le train de 17 h 19 pour Saint-Pancras. J'espère attendrir assez Mme Rogers pour qu'elle m'offre un abri dans sa remise à outils. Je serai de retour vendredi soir. Si vous avez besoin de me joindre plus tôt, adressez-vous à Billy ou demandez à Lestrade d'envoyer un agent local me coffrer pour vagabondage.

— Je suppose qu'il donnera son accord ?

— Oh, oui. Officieusement, bien sûr, mais grâce à Mycroft, cela ne posera aucun problème. Lestrade veillera à ce que tout enquêteur appelé là où nous opérerons ignore notre existence ou, s'il en est averti, n'en tienne aucun compte.

— Y a-t-il le téléphone dans la maison du cousin de Billy ?

— Vous parlez anglais comme une Française, Russell. Oui, il y a le téléphone dans le logis du cousin de mon ami. « Chez » serait plus approprié.

— Et le vagabond mal lavé téléphonera-t-il à sa femme, dans le logement ?

— Mais oui, régulièrement, le clochard appellera son épouse dans le garnis loué.

— *Merci, monsieur*, dis-je en français.

— *De rien, madame.*

Il marcha jusqu'à moi, prit ma main libre et, d'un geste cérémonieux, m'ôta mon alliance.

— *Mademoiselle...*

Il tapota la trace pâle laissée par l'anneau.

— Passez de la teinture là-dessus.

J'interrompis brutalement ma couture.

— Suffit, Holmes ! Qu'avez-vous appris, aujourd'hui ?

Toujours très gai, il se dirigea vers le manteau de la cheminée, où Mycroft cachait son tabac, et bourra sa pipe.

— Votre Mlle Ruskin est entrée au Royaume-Uni avec quelque chose de valeur ; ou, du moins, qui en avait beaucoup pour elle. Le trajet entre la gare Victoria et son hôtel lui a pris deux heures, alors que, même à pied et en tirant ses valises, quarante-cinq minutes lui auraient suffi. L'inspecteur Jack Rafferty, se présentant comme un subordonné de l'inspecteur principal Lestrade, a découvert que cette honorable demoiselle avait laissé ses bagages à la consigne de la gare, pour venir les reprendre près de deux heures plus tard. Poursuivant son enquête, le susdit Rafferty a appris que ladite demoiselle (j'espère, Russell, que ce style administratif ne vous rebute pas trop) avait ensuite rendu visite à trois banques, dans le voisinage immédiat. Elle cherchait un établissement qui l'autoriserait à accéder à son coffre en dehors des heures d'ouverture. Les gérants des deux premiers l'ont prise pour une excentrique, allez savoir pourquoi. Mais les propriétaires du troisième, des Américains indifférents aux lubies de leurs clients pourvu qu'ils payent rubis sur l'ongle, ont accepté avec empressement. Elle n'a loué un coffre que pour une semaine. Elle y a enfermé un petit paquet enveloppé dans un tissu à carreaux et une épaisse enveloppe de papier.

— Ils ont révélé tout cela à l'inspecteur Jack Rafferty, l'homme à la souris morte sur la lèvre ? J'aurais cru que mes compatriotes huppés respecteraient certains critères, sans parler de leurs employés.

— Ma chère enfant, pour qui me prenez-vous ? Dès que j'ai réalisé ce qui se passait, je me suis hâté de changer de personnalité.

J'en conclus qu'il s'était glissé dans un de ses refuges, qui lui servaient à la fois de retraite et de garde-robe. J'achevai ma couture, coupai le fil d'un coup de dent, admirai la boursouflure que je venais de créer et suspendis le chemisier.

— Holmes, je reconnais que ce superbe costume vous va à ravir, mais cela a-t-il suffi à endormir la méfiance d'un directeur de banque ?

— Pas tout à fait. Toutefois, il s'est avéré que ce directeur était un de mes lointains parents : un cousin au cinquième degré ou quelque chose d'approchant.

Je le fixai avec surprise.

— Dieu du ciel, j'oublie toujours que vous avez une famille ! Mycroft et vous donnez l'impression d'avoir surgi tout armés des brouillards de Londres.

— Je n'avais pas vu ce Yankee depuis vingt ans. Sans le nom gravé sur la plaque de son bureau, je ne l'aurais pas reconnu. Même chose pour lui. Pourtant, après quelques cocktails imbuvables, tels qu'on les prépare aujourd'hui, nous sommes devenus les meilleurs amis du monde. Je crains, pour justifier la tournure bizarre de mes questions, d'être obligé d'ouvrir un compte chez lui et d'exiger de pouvoir le consulter à des heures indues...

Je me demandai si le moindre lien de sang avait réellement existé entre les deux hommes avant ce matin-là, mais choisis de m'abstenir de tout commentaire.

— Je parie, dis-je, que ce paquet enveloppé dans du tissu était la boîte. Pas d'indications sur le contenu de l'enveloppe ?

— Non. Mais Mlle Ruskin est retournée deux fois à la banque : la première de bonne heure mardi, la seconde mercredi, juste avant l'ouverture. Ce jour-là, malheureusement, elle a fermé son compte et déclaré qu'elle n'avait plus besoin du coffre.

— Mon Dieu !

— Oui. J'espérais beaucoup de ce coffre. Il aurait pu contenir des documents, un trésor, un testament. Mais... rien.

— Elle s'en est donc simplement servie mardi pour prendre l'enveloppe, et mercredi pour récupérer la boîte, qu'elle nous a apportée dans le Sussex...

— Cela m'en a tout l'air.

— Mais où a-t-elle, mardi, déposé l'enveloppe ?

— Mystère. Dès lors, se présente un autre problème...

Je réfléchis un instant, tout en martyrisant une deuxième robe.

— Souhaitait-elle simplement, par pure précaution, placer l'enveloppe et la boîte en lieu sûr, ou les pensait-elle menacées pendant son séjour dans le Cambridgeshire ?

— Excellent.
— Élémentaire, répondis-je en arrachant un ultime bouton.

Lestrade téléphona à l'heure du thé. Il n'avait pas d'informations supplémentaires et partait en mission dans le Shropshire. Il proposa de nous envoyer un de ses collègues pour le remplacer. Holmes déclina son offre. Installé près du récepteur, sa tasse à la main, il lui apprit comment nous comptions recueillir des renseignements sur le colonel Edwards et Mme Rogers. Leur conversation s'éternisa, mais sa conclusion ne faisait aucun doute. Les objections de l'inspecteur ne résistèrent pas à la détermination et à l'autorité impérieuse, quoique non officielle, de son interlocuteur. Il capitula et accepta de nous revoir le vendredi.

Nous avions le champ libre. Notre chasse pouvait commencer.

En me voyant, le lendemain matin, pénétrer dans la salle à manger après une toilette interminable, Mycroft avala son café de travers. Quant à Holmes, son visage se figea.

— Je savais que j'aurais dû m'en aller avant vous, grommela-t-il. Dieu du ciel, Russell, cette mascarade est-elle vraiment nécessaire ?

— C'est vous qui m'avez décrit le colonel, Holmes. Ne vous en prenez qu'à vous.

Il se leva brusquement, ramassa le sac à dos graisseux avachi près de la porte. S'accordant à ses nippes, ses joues non rasées et ses yeux chassieux m'ôtèrent toute envie de l'étreindre pour un tendre au revoir. Il se retourna. Son expression était indéchiffrable, même pour moi.

— Je me sens comme le vieil Abraham, dit-il.

J'en fus tellement stupéfaite qu'il me fallut quelques secondes pour réagir. Puis j'éclatai de rire.

— Si j'étais Sarah, aucun pharaon ne me prendrait pour votre sœur. Holmes, vous m'étonnerez toujours. J'ignorais que vous connaissiez les Écritures.

— J'ai été un jour bloqué par la neige avec des missionnaires, à la frontière du Népal. J'avais le choix entre lire la Bible dans mon coin ou supporter leur conversation. Au revoir, Russell. Prenez soin de vous.

— À vendredi, Holmes.

J'attendis son départ pour me servir une tasse de café. Sentant sur moi le regard outré de Mycroft, je murmurai le plus naturellement du monde :

— Nous nous sommes fait nos adieux tôt ce matin.

Il rougit jusqu'aux oreilles et quitta la pièce, laissant livrée à elle-même une mince jeune femme dans une robe trop ajustée, et qui riait sous cape.

Après le petit déjeuner, je retournai dans ma chambre pour étudier l'image que me renvoyait le grand miroir et affiner mon personnage. Vêtements, cheveux et maquillage convenaient parfaitement à la personnalité de Mary Small, mais créeraient, si je n'abandonnais pas mon attitude et mes gestes habituels, une incongruité flagrante. Je portais une robe d'été légère et frivole de coton blanc piqué de fleurs bleues, agrémentée d'un col et de manches de dentelle, trop courte et trop collante, selon les derniers canons de la mode. Elle me faisait des bras minces et des jambes très longues. Mes talons hauts, auxquels je n'étais pas accoutumée, rendaient ma démarche hésitante. Quant à mes bas de soie, luxe extravagant pour Mary Small (j'en avais acheté plusieurs paires, que j'avais filées et reprisées), ils ne pourraient qu'attirer l'œil du colonel Edwards, tout comme mes chevilles et mes mollets. La réaction de Holmes venait de me le confirmer.

Mon chapeau cloche tombait sur mes sourcils et couvrait un pudique chignon, dont l'austérité s'adoucirait au cours de la journée. Je frisai quelques boucles sur mes joues, modifiai le maquillage qui éclaircissait mon teint mat, accentuai l'ombre sous mes pommettes pour avoir l'air légèrement sous-alimentée, ajoutai sous mes orbites une touche de violet. Rien de plus difficile à déguiser que le regard. Un éclair d'intelligence au mauvais moment pouvait tout compromettre. Mes grosses lunettes à monture d'écaille, aux verres teintés, m'aideraient à paraître plus éthérée que nature et donneraient l'impression, quand je les enlèverais, de me dénuder.

Mon menton était trop volontaire. Je m'entraînai à le baisser, ainsi que mes paupières et mes épaules, comme si le monde était trop lourd pour moi. Pour le dos et les hanches, mes souliers suffisaient. Je passai près d'une heure à évoluer devant la glace, améliorant la gaucherie de mon maintien, de mes mains sagement emprisonnées dans des gants blancs, de mon port de tête. Je m'assis dans différents fauteuils, croisant et décroisant les genoux jusqu'à ce que la séduction de mes jambes gainées de soie devienne instinctive. J'allumai une cigarette, toussai comme une poitrinaire avant de retrouver le vieux truc consistant à diluer la fumée avec de l'air. Mary serait une grande fumeuse, à la fois provocante et coupable. Elle se rongerait aussi les ongles ; enlevant mes gants, je les raccourcis aux ciseaux.

Pour le reste, Mary Small se révélerait petit à petit, au fil des heures. Elle se regarda une dernière fois dans le grand miroir. Cette jeune femme, tout en ayant mes traits, ne me ressemblait plus. Le portier ne me reconnut pas en m'ouvrant la porte de l'immeuble de Mycroft. Ma valise bon marché à la main, je me lançai sur les traces de ma proie.

Même si je savais où le trouver, j'attendis le soir pour faire irruption dans la vie du colonel. À 14 heures, après avoir déposé ma valise chez le cousin de Billy, je descendis de l'omnibus au bout de ce qui avait été jadis la grand-rue d'un village.

Ce quartier se prêtait à merveille à mes projets. Il avait conservé les structures sociales du bourg qu'il avait été dans un passé proche, avant que Londres, lors d'une de ses frénésies d'expansion, l'ait cerné sans pouvoir l'absorber, arrêtée dans son élan par le canal qui le protégeait et par le tracé capricieux de son artère principale. Comme une huître avec un gravillon, la ville avait gommé les aspérités de ce corps étranger, le coinçant entre deux rues reliées par un pont, passant ensuite son chemin et laissant le village, ses deux pubs, son bureau de poste, son église, ses boutiques et son salon de thé engloutis mais presque intacts.

Quelques heures plus tard, depuis ma table placée devant la fenêtre de ce même salon de thé, je vis le colonel Edwards pousser la porte du *Pig and Whistle*. Assise depuis une heure, j'avais passé mon temps à manger des sandwiches tout en bavardant avec la propriétaire, qui faisait également office de serveuse. Elle savait à présent que j'étais nouvelle dans les parages et que je cherchais du travail. Moi, je n'ignorais plus rien de ses cors aux pieds et de ses cinq enfants, dont l'un avait quelques ennuis avec la police pour avoir récemment chapardé sur un étalage un article qu'elle avait oublié de payer, de l'ivrognerie de son mari, des hémorroïdes de sa mère, de l'incontinence de son vieux fox-terrier qu'elle craignait de devoir faire piquer et de son rendez-vous, la semaine suivante, chez le dentiste, pour se faire arracher sa dernière dent.

J'avais eu droit, en sus, à la biographie de la moitié des habitants des environs, dont celle de l'occupant de « cette affreuse grande maison, derrière le mur, là-bas », le colonel Dennis Edwards. Ce gentleman, qui, à ses yeux, n'en était peut-être pas tout à fait un, fréquentait rarement l'estaminet de Rosie, où il se montrait un client plus que parcimonieux, avait du mal à garder ses femmes de ménage (« Non qu'il soit incorrect, on peut pas dire, mais il a son caractère, surtout quand il a picolé »), avait pour fils un « beau gosse » à la main baladeuse, qui buvait autant que lui mais avait le vin plutôt gai.

Une mine, cette Rosie. Elle me parla de l'épouse du colonel, morte d'une pneumonie pendant la guerre, de ses domestiques, de ses voitures, de ses chiens, de ses visiteurs, de ce qu'il mangeait et de tout l'alcool qu'il ingurgitait, du tailleur qui confectionnait ses costumes, de ses revenus. Je l'écoutai jusqu'à ce qu'elle commence à se répéter, l'orientai, pour faire diversion, sur le jeune couple tendrement enlacé sur le trottoir, ce qui me valut dix minutes de ragots supplémentaires. Je me levai enfin, estimant que la demi-heure que le colonel avait passée dans le pub le rendrait plus abordable. De toute façon, une minute de plus en compagnie de Rosie aurait eu raison de mes nerfs. Je lui laissai un pourboire consistant et traînai mes pieds endoloris vers le *Pig and Whistle*, en quête d'une boisson plus revigorante que son thé.

Je marchai lentement, observant les vitrines des magasins, jusqu'à la façade du pub, munie de fenêtres à petits carreaux. Deux jours plus tôt, l'atmosphère y aurait été étouffante et la plupart des clients seraient sortis déguster leur bière sur le trottoir. Mais la température, au cours des dernières vingt-quatre heures, avait baissé.

L'intérieur de l'établissement me parut accueillant et douillet, avec ses murs boisés, son bar poli et le tapis orange et marron qui couvrait le plancher. À droite, de joyeux drilles s'agglutinaient devant une table jonchée de verres et de bouteilles vides. Affalées sur la banquette, deux jeunes femmes s'esclaffaient devant les pitreries d'un des hommes, qui, avec une fureur exagérée, lançait des fléchettes sur une vieille cible aussi trouée que le mur. Un autre, adossé à la fenêtre, engoncé dans un costume noir très strict, regardait les joueurs. Deux dames aux cheveux gris sirotaient d'étranges mélanges d'un vert inquiétant. Les avais-je déjà vues chez la marchande de laine ? Non, c'était à la papeterie, où j'avais acheté un carnet de notes. Derrière le comptoir, tout en remplissant les chopes, le patron et sa femme conversaient comme un vieux ménage sans histoires. Et là, à mi-chemin entre le bar et moi, se trouvait l'objet de mon intérêt, robuste, moustachu, cajolant son verre de whisky et suivant lui aussi les exploits des lanceurs de fléchettes.

Je redressai les épaules, entrai et me dirigeai vers le comptoir. Aussitôt, le patron m'interpella.

— Je vous sers quelque chose, ma jolie ?

Un énorme éclat de rire, venu du groupe de joueurs, me fit tourner la tête. Mon regard, alors, croisa celui du colonel, qui, entendant la question du tenancier, avait levé les yeux. Je le gratifiai d'un sourire timide, puis répondis au patron :

— Oui, oui, s'il vous plaît. Pourrais-je avoir... voyons... un xérès peut-être.. Oui, un xérès. Mais doux. Ce sera parfait, merci.

J'extirpai des pièces de mon petit porte-monnaie, pris le verre, remerciai encore une fois le patron, souris à sa femme, parcourus la salle d'un air indécis, souris de nouveau brièvement à l'homme à moustache et, d'un pas hésitant, passai près de lui pour aller m'asseoir à une table proche de la fenêtre. Il me serait impossible, de là, de le voir sans déplacer ma chaise, mais il aurait tout le loisir d'admirer mon profil. Je m'installai ; puis, comme la chèvre tournant en bêlant autour de son poteau, j'entamai mon manège pour attirer le tigre.

Je me débarrassai d'abord de mes gants, évitant pour le moment d'en laisser tomber un, ruse qui me parut trop grossière. J'arrangeai ensuite mes cheveux, avant de porter mon verre à mes lèvres, réprimant un haut-le-cœur en goûtant la première gorgée de xérès trop sucré. Je sortis une revue de mon sac, la refermai au bout de deux minutes. J'enlevai mes chaussures sous la table, me penchai subrepticement pour me masser les pieds. Les joueurs de fléchettes se disputaient. Il fallut l'intervention de la patronne pour les calmer et transformer leur colère en bonne blague. Dix minutes plus tard, mon verre était quasiment vide, la fumée me piquait les yeux et je commençais à me demander comment me rapprocher du colonel tout en conservant ma dignité. J'ôtai mes grosses lunettes, les repliai avec soin sur la table, me redressai en me frottant l'arête du nez. À ce moment-là, je perçus un mouvement derrière moi, couvert par des voix d'hommes venant du bar. Je retins mon souffle. Si le colonel choisissait de s'en aller, je devrais recommencer ma mise en scène le lendemain. Horrible perspective.

Enfin, quelque chose frôla mon coude gauche. Je pivotai doucement. Le colonel était là, devant moi. Visage rougi par le grand air et le whisky, le nez large au-dessus d'une moustache impeccablement taillée, qui, d'un blond parsemé de gris, faisait ressortir une bouche aux lèvres pleines et un menton un peu affaissé. Son expression paternelle dissimulait mal un intérêt d'un tout autre ordre. « Ce serait idéal, pensai-je, s'il ne ressemblait pas autant à oncle John. » Il fallait que j'oublie tout de suite l'affection que je vouais au Dr John Watson, ancien partenaire et aujourd'hui biographe de Holmes. Car cet homme n'était pas oncle John.

Il me tendit un verre, rempli du même vin cuit que je venais d'ingurgiter. Ma confusion le fit sourire. Je remis mes lunettes.

— J'ai pensé que vous en apprécieriez un autre.

— C'est très gentil à vous. D'ordinaire, toutefois, je n'en bois jamais plus d'un.

— Mais on ne refuse pas une offre, n'est-ce pas ? D'autant que vous paraissez bien solitaire, et cela, nous ne pouvons l'accepter... Pas au *Pig and Whistle*.

— Oh, non, je ne suis pas toute seule. Je veux dire... je suis seule, mais non... Mon Dieu, je m'embrouille... Asseyez-vous.

J'enfilai de nouveau mes chaussures et redressai le dos.

Il posa son verre sur la table, s'assit en face de moi. C'était un homme imposant, pas grand mais aux épaules larges, avec un peu d'estomac, résultat de ses excès. Il se tenait très droit, en bon militaire.

— Colonel Dennis Edwards, pour vous servir, mademoiselle.

Il esquissa de la main un salut ironique, sourit d'une oreille à l'autre. Seigneur, me dis-je, quel charme...

— Mary Small, répondis-je en tendant la main.

Il la saisit délicatement, la porta à ses lèvres. Je rougis. Oui, vraiment, même si le xérès y était pour quelque chose. Cela l'amusa beaucoup.

— Mademoiselle Small... C'est bien mademoiselle, n'est-ce pas ?

J'inclinai la tête, passant sans trop de gêne le cap du premier mensonge.

— Mademoiselle Small, je ne crois pas vous avoir déjà vue par ici...

— Non. Je ne suis pas une habituée de ce quartier, colonel Edwards.

— C'est bien ce que je pensais. Jamais je ne serais passé sans la voir à côté d'une aussi jolie fleur.

Ne sachant que répondre à ce compliment, je décidai que Mary Small, elle aussi, se tairait. Avec un sourire gauche, je sirotai mon verre, pleine de reconnaissance envers les sandwiches que j'avais avalés pour dissiper les vapeurs de l'alcool. Le colonel alla chercher une autre tournée, qui me laissa brûlante mais n'eut sur lui aucun effet, sinon d'augmenter sa volubilité. Il évoqua le quartier comme s'il en était le seigneur, la voracité de la capitale qui l'étouffait, sa carrière dans l'armée. Il parlait, je l'écoutais. La gentille Mary Small paraissait dotée d'une grande capacité d'attention. Le colonel, comme Rosie, réagissait à sa timidité avec des mots, étalant devant elle sa propre vie. Vers 20 heures, deux des joueurs de fléchettes se joignirent à nous, suivis de la femme du patron et, par intermittence, du patron lui-même, tous désireux, semblait-il, de se confier à cette grande jeune fille discrète au teint pâle et aux lunettes teintées. Je ne tiens guère l'alcool. Et même si j'avais réussi à me débarrasser subrepticement de la moitié de ce qu'on m'avait servi, j'avais bu bien plus en deux heures qu'en une semaine en temps normal. J'avais les joues en feu, mon chignon se relâchait, les voix résonnaient dans ma tête ; une autre, insistante, me soufflait à l'oreille que je risquais fort, si je ne me ressaisissais pas, de commettre une grave erreur.

Je me levai, sous le regard flou des cinq personnes qui m'entouraient, demandai dignement à la patronne l'emplacement des toilettes. Je réapparus quelques minutes plus tard, rafraîchie, le chignon refait. Le groupe s'était dispersé. Le colonel, resté seul, se leva.

— Mademoiselle Small, nous n'avons dîné ni l'un ni l'autre. Permettez-moi de vous inviter. Il y a un charmant petit restaurant au bout de la rue.

« Tout se passe trop bien », pensai-je gaiement.

— Colonel, j'accepterais avec le plus grand plaisir, mais je dois me lever tôt demain matin. J'ai un entretien d'embauche à 8 h 30, à l'autre bout de Londres. Il est impératif que je m'y rende. Ma situation devient... urgente. Il faut que je trouve du travail avant la fin de la semaine. Sinon... Bref, je serais ravie de dîner en votre compagnie, mais...

— Mais, bien entendu, vous dînerez avec moi. Un repas sur le pouce, sans chichis, et je vous raccompagnerai tôt. Où habitez-vous ?

Je lui donnai l'adresse de la pension, en protestant faiblement. Bien sûr, il balaya mes objections et je le suivis jusqu'au restaurant. La cuisine était bonne et le vin, délicieux, me fit regretter d'avoir ingurgité au pub une telle quantité de mélasse alcoolisée. Le colonel but pour deux, ce qui le mit de belle humeur. J'en appris davantage sur son existence, son amour de la chasse, le livre qu'il écrivait, ses automobiles. Il ne se tut qu'au café. Fixant ma tasse, je sentis, pendant une longue minute, son regard sur moi.

— N'allez pas à cet entretien, déclara-t-il enfin.

Je me redressai, feignant la surprise.

— Oh, mais si, il le faut ! Je ne peux me permettre de laisser échapper cette occasion. Je dois absolument trouver du travail, je vous l'ai dit. Sinon, je serais obligée de retourner chez moi.

— Où est-ce ?

— Dans l'Oxfordshire. Près de Didcot.

Ce qui n'était pas loin de la vérité...

— Et que faites-vous dans la vie ?

Voilà. Le loup sortait du bois.

— Un peu tout. Sauf la cuisine, précisai-je en toute honnêteté. Je ne suis qu'une piètre cuisinière. Pour le reste, je suis polyvalente. L'entretien de demain porte sur un poste de secrétaire privée. Ce serait idéal. S'occuper du courrier, taper à la machine, faire un peu de documentation – elle est écrivain – conduire... Tout cela est dans mes cordes, et bien payé. Je ne peux négliger cette chance, répétai-je.

— Oh, si ! Venez travailler pour moi.

Le gros lot. « Quel beau jour ! » songeai-je en arborant une mine embarrassée et pleine de désarroi.

— Colonel, c'est impossible. Même si j'apprécie votre sollicitude, j'aurais honte de profiter de votre gentillesse.

— Il ne s'agit pas de gentillesse, mais d'une proposition. Ma secrétaire m'a quitté il y a quelques semaines...

En claquant la porte après avoir reçu le contenu d'un tiroir sur la tête, selon Rosie...

– Depuis, le travail s'accumule. Comme vous le savez, j'écris un livre. Or vous venez de me dire que vous avez des compétences de documentaliste. Je ne suis pas fanatique des bibliothèques. Par-dessus le marché, vous savez conduire. Pas moi. Et je suis fatigué de prendre des taxis quand mon chauffeur est en congé. Qu'en dites-vous ?

— Êtes-vous sérieux, colonel Edwards ?

— Tout à fait. Quel salaire vous offre-t-on pour l'autre place ?

J'inventai une estimation, qu'il augmenta de 10 %. Je protestai encore, il ne connaissait pas mes qualifications et je refusais la charité. Il ramena sa surenchère à 5 % ; l'autre moitié serait ajoutée après un mois d'essai. N'ayant aucune intention de rester aussi longtemps auprès de lui, j'acceptai avec toute la gratitude et la confusion possibles, ce qui l'enchanta. Après force cognac et autres confidences, il me raccompagna chez le cousin de Billy, toujours aussi droit, les mâchoires et les épaules triomphantes, tel un propriétaire comblé. En refermant la porte et tandis que le taxi s'éloignait, je ne pus m'empêcher de me demander s'il pensait m'avoir achetée ou conquise et si, plus tard, il ferait la différence entre les deux.

J'enlevai mes chaussures trop serrées, traversai sur la pointe des pieds la maison endormie où stagnait une odeur de curry, de sueur et de chou rassis, montai l'escalier au tapis usé et gagnai ma chambre. J'allumai l'éclairage au gaz, dans l'espoir un peu fou que Holmes, qui ne cessait de changer ses projets, surtout quand on ne s'y attendait pas, surgirait devant moi. Je ne vis qu'une feuille de papier glissée sous la porte, m'informant qu'un monsieur avait téléphoné deux fois et rappellerait le lendemain soir.

La récolte avait été bonne. « Trop, peut-être, pour un premier dîner », pensai-je en me déshabillant, un peu déroutée, après la tension de la journée, par le calme de la pension, puis en me brossant les cheveux devant le miroir lépreux.

Il me fallait admettre, à mon corps défendant, qu'une partie de moi appréciait le colonel. Mary Small avait passé une excellente soirée. Intelligent sans être vraiment brillant, Dennis Edwards savait détendre les gens, les rendre gais. Sans doute avait-il été un très bon meneur d'hommes. Il m'avait fait rire plusieurs fois en dépit de ma nervosité... et de l'anxiété de Mary Small.

Physiquement, il était tout le contraire de Holmes. À peine plus grand que moi, tout en muscles, il donnait une impression de puissance qui cadrait mal avec l'élégance de son costume. « Il doit paraître beaucoup plus naturel vêtu du strict minimum », me dis-je, chassant aussitôt cette image. Ses cheveux étaient encore fournis, avec de rares petites mèches blanches près des oreilles et des tempes. Il devait être velu, à en croire les poils qui couvraient ses larges mains et ses doigts épais. Curieux, pour un blond...

Oui, Mary Small avait été sensible à ses manières. Douce vierge en mal de protection, elle avait trouvé ses attentions et son autorité flatteuses. Quant à Russell, c'était une autre histoire. Alors que le reflet de Mary Small s'estompait peu à peu, son attendrissement s'effaça devant ma propre exaspération. Ce qui lui avait paru si délicieusement masculin me semblait, à moi, relever de la goujaterie. Depuis le premier verre de xérès, que je n'avais ni demandé ni désiré, jusqu'au menu commandé sans me consulter, toute la soirée avait été placée sous le signe d'une domination et d'une manipulation sans finesse. C'était, bien sûr, le rite habituel ; mais il ne me plaisait pas.

J'étudiai mon visage en m'interrogeant sur les raisons de mon malaise. Tout ne s'était-il pas déroulé selon mes prévisions ? Edwards n'avait-il pas réagi en tout point comme je l'avais souhaité ? Alors, pourquoi n'exultais-je pas ? Une partie du problème, je le savais, tenait au remords qu'on éprouve à tromper un innocent. Après tout, Edwards était peut-être étranger à la mort de Dorothy Ruskin. À cela s'ajoutait le fait que je l'aimais bien. Toutefois, il y avait autre chose.

Tout d'un coup, dans la quiétude troublée par un ronflement au-dessus de ma tête, je pris conscience de la nature de mon appréhension : la force d'Edwards me faisait peur. J'avais ri à ses plaisanteries, même à celles qui m'auraient paru, en temps normal, d'un goût douteux ; et j'avais acquiescé à toutes ses décisions, sans la moindre réticence. Bien sûr, il s'agissait d'un combat où chacun jouait son jeu, selon ses propres règles. Pourtant, je me sentis soudain peu sûre de moi, aussi inexpérimentée que Mary Small dans mes rapports avec les hommes. La nourriture, l'alcool et la fumée m'avaient rendue malade. Mais aussi les propos du colonel, cette avalanche de mots qui ne m'avait laissé aucun répit. Holmes, le calme de ses mains et de sa voix me manquaient. Où dormait-il, ce soir ?

Penser à lui me revigora. Je scrutai sans indulgence mon reflet sombre dans le miroir. « Allons, Mary Russell, ça suffit. Tu es là pour retrouver l'assassin d'une femme de qualité, d'une amie. Tu es l'ancienne apprentie et maintenant la partenaire de l'homme le mieux qualifié dans ce domaine. Tu as l'esprit vif, beaucoup plus agile que celui de Dennis Edwards. En plus, tu es la fille de Judith Klein, qui n'était certes pas une tête de linotte. Ton rôle nécessite de la prudence et une sûreté de jugement sans faille, mais il n'y a pas de quoi se laisser submerger par l'inquiétude. Cet homme d'âge mûr aux mains velues et aux appétits voraces ne t'intimidera pas. »

Je me couchai, prêtai l'oreille aux bruits nocturnes de la ville. Je réalisai avec surprise qu'une semaine et deux heures s'étaient déjà écoulées depuis la mort de Dorothy Ruskin, à quatre kilomètres de là. Je sombrai enfin dans le sommeil. Mais je dormis mal.

13

Nu

La pluie se mit à tomber au milieu de la nuit, discrètement, comme toujours à Londres. Le grondement lointain du tonnerre recouvrit petit à petit les derniers échos de la circulation, avant que le bruit des gouttes sur la pierre et l'ardoise n'enrobe doucement la ville. Rien de violent. La langueur humide de Londres, sans plus.

Le lendemain matin, blottie sous mon parapluie noir, je me mêlai à la file qui s'allongeait devant l'arrêt d'autobus, songeant que je ne pouvais même pas me tourner vers mes voisins pour leur dire : « Voilà une pluie bienfaisante, excellente pour les récoltes », ce qui m'aurait fait passer pour une folle.

Je descendis de l'omnibus chargé d'une senteur de laine mouillée avec vingt minutes d'avance. Pour commencer la journée, j'allai me sustenter chez Rosie. Elle était occupée. Elle s'empressa quand même de préparer mon thé et me demanda avec affection ce que je faisais là à une heure aussi matinale.

— J'ai trouvé une place ! Je commence à travailler chez le colonel Edwards aujourd'hui. Je l'ai rencontré au pub hier soir. Il a besoin d'une secrétaire et m'a engagée.

Rosie fronça les sourcils. Son expression passa de la surprise à la perplexité, puis à une neutralité polie.

— Bravo, mon chou. Donc on te verra souvent.

Dix minutes plus tard, je me dirigeai, en enjambant les flaques, vers la maison de mon nouvel employeur, furieuse contre moi-même. « Tu fais un brillant détective, ma pauvre Russell. Tu n'es même pas capable de jouer un rôle sans te soucier de ce qu'une parfaite inconnue pense de toi. » Je secouai mon parapluie, redressai mes humbles épaules et sonnai à la porte.

Le travail de détective est fait à 95 % de longues périodes d'attente. Les péripéties qui se succèdent à un rythme endiablé dans les romans policiers, ou même dans les rapports de police, ne sont que de la poudre aux yeux. Prenons, par exemple, les récits où le Dr Watson relate les cas élucidés par Holmes. Ils donnent le sentiment d'une activité frénétique, d'indices capitaux découverts en un clin d'œil. Mais ils négligent les heures interminables passées à grelotter sous une porte cochère, dans des bibliothèques ou des salles d'archives poussiéreuses, et dédaignent les pistes mirobolantes qui ne mènent nulle part, résumant tout ce temps perdu d'une phrase laconique : « Quelques semaines s'écoulèrent. » Il faut avouer que Watson ne se retrouvait, le plus souvent, mêlé aux affaires de Holmes que lorsqu'elles arrivaient à leur terme. Il échappait ainsi à leur aspect accablant. Pas moi.

Je ne raconterai donc pas en détail le travail que j'accomplis pour le colonel Edwards. Moi-même, j'en pleurerais d'ennui. Il me suffit de dire que je jouai à la perfection, au cours des jours suivants, mon rôle de secrétaire. Je rassemblai et classai des dossiers, tapai à la machine, écrivis sous sa dictée. En même temps, bien sûr, je laissai traîner partout mes yeux et mes oreilles. J'écoutai, chaque fois que je le pouvais, les conversations téléphoniques, supportant stoïquement l'évocation de massacres d'oiseaux et d'interminables commentaires sur diverses boissons alcoolisées. Je fouillai au fond des placards et des classeurs, jusqu'à en avoir des crampes dans le dos et les doigts, engageai la conversation avec les domestiques dès que je les croisais, ne recevant la plupart du temps, pour prix de ma peine, que de vagues grognements. Je recueillis un maximum d'informations sur le colonel et son entourage : ses goûts alimentaires, ses boissons préférées, ses lectures, la régularité de son sommeil, ce qu'il aimait, ce qu'il détestait, ses passions, ses haines ; bref, sur tous les désirs et les habitudes qui définissent un homme.

Mardi, le premier jour, je passai la matinée avec lui, dans son bureau du premier étage, à mettre sa correspondance en ordre. Nous déjeunâmes sur place. Presque timidement, il me montra les premières pages de son livre sur l'Égypte d'avant-guerre. Je lui promis d'emporter le manuscrit chez moi pour le lire à tête reposée, ce qui lui fit grand plaisir. Ensuite, il me dicta quelques lettres.

Les deux premières interrogeaient des chefs d'entreprise sur leur prochain bilan annuel. La troisième n'était qu'une missive envoyée à un ami, confirmant une hécatombe de canards prévue pour septembre.

— Vous chassez, mademoiselle Small ?

— Euh, non, colonel.

— Vous avez tort. C'est une manière vivifiante de passer ses vacances. Bien sûr, il faut être robuste pour tenir un fusil.

— Vraiment, colonel ? Cela paraît très tentant...

La quatrième enjoignait à un directeur de banque d'augmenter la pension versée chaque mois au fils Edwards, Gerald, dès son retour à Cambridge. Cambridge, grâce à Dieu, et non Oxford, où je n'étais pas tout à fait une inconnue... La cinquième, enfin, éveilla mon intérêt. Adressée à un familier, elle concernait un membre d'une organisation dont le nom tinta à mes oreilles. Elle disait :

Cher Brooks,

J'ai beaucoup réfléchi à la petite altercation de la semaine dernière. J'en suis arrivé à la conclusion qu'il ne me restait plus qu'à démissionner des « Amis ».

Lawson m'a vraiment joué un sale tour en gardant pour lui, jusqu'à la dernière minute, une information aussi importante. Après tout, j'étais le président de ce comité et il m'a fait passer pour un parfait couillon (mille excuses, mademoiselle Small, mettez « benêt »), *en me laissant ignorer que j'allais rencontrer une femme.*

Ses partisans semblent avoir fait bloc derrière lui et il y a peu de chances pour qu'il démissionne. S'il me présente des excuses, je reconsidérerai peut-être ma position. Autrement, non.

Mes hommages à ta moitié. J'espère vous voir tous les deux le 24.

Dennis Edwards

Suivirent deux autres lettres que je transcrivis machinalement, dans la mesure où leur contenu ne me concernait en rien.

— Ce sera tout pour aujourd'hui, mademoiselle Small. Souhaitez-vous me relire le courrier avant de le taper ?

— Si vous voulez, mais il me paraît parfaitement clair.

— Je ne suis pas allé trop vite pour vous ? Laissez-moi voir.

— Non, pas du tout. Oh, vous lisez la sténo ?

— Un peu. Mais là, je ne reconnais rien. Qu'est-ce que c'est ?

Il m'était difficile de lui révéler la vérité, à savoir qu'il s'agissait de mon propre système, un boustrophédon, écriture dont les signes se lisent alternativement de gauche à droite, puis de droite à gauche. Celui-là fonctionnait à partir de six langues, trois alphabets et des hiéroglyphes, plus des symboles chimiques et mathématiques. Il me permettait non seulement de suivre le débit du lecteur le plus rapide, mais encore de noter, en cours de transcription, mes propres observations. Totalement illisible pour qui que ce soit, sauf pour Holmes qui lui-même, s'y perdait parfois.

— C'est un système que j'ai appris à Oxford.

— Et vous écrivez de droite à gauche ?

— Une ligne sur deux. Ne pas avoir à revenir en début de page après chaque ligne facilite les choses.

— Eh bien, on apprend à tout âge.

Il me rendit mon carnet.

— Il est l'heure d'un petit remontant. Xérès, je crois, mademoiselle Small ?

— Colonel Edwards, je ne pense pas que...

— Allons, jeune fille...

La sévérité moqueuse de sa voix était censée m'amuser.

— Je ne bois jamais seul si je peux l'éviter. C'est mauvais pour la santé. Puisque vous allez passer du temps ici, il vous faudra apprendre à vous montrer sociable. Tenez...

Il me tendit un verre rempli à ras bord, que j'acceptai avec résignation. Au moins, le xérès était sec ; et très bon.

Une heure plus tard, Edwards se leva.

— Il faut que je m'en aille, même si je préfère mille fois réitérer le dîner d'hier. Rentrez chez vous et emportez mon manuscrit. Vous finirez le courrier demain. Et nous dînerons ensemble.

Certainement pas, puisque Holmes devait rentrer.

— Malheureusement, je ne crois pas que...

— Demain ou samedi. Je n'accepterai pas de refus.

— Eh bien... Nous en reparlerons demain, répondit faiblement Mary Small.

— Ou alors demain et samedi, si vous voulez. Voilà le manuscrit. N'aviez-vous pas un imperméable ? Il pleut des cordes. Alex va vous reconduire chez vous et reviendra me chercher. De toute façon, il me faudra un temps fou pour endosser ma chemise empesée.

Ignorant mes protestations, il sortit donner ses ordres à son chauffeur.

— Tout est arrangé. Je n'aime pas l'idée de vous savoir trempée. Voilà votre imperméable.

Il m'aida à le mettre ; ses mains frôlèrent mes épaules.

— M'autoriseriez-vous à vous appeler Mary ?

— Comme il vous plaira, colonel.

Je m'affairai sur mes boutons.

— Et vous, m'appelleriez-vous... ?

— Non, monsieur, répliquai-je fermement. Ce ne serait pas convenable. Vous êtes mon employeur.

— Vous avez peut-être raison. Mais nous irons dîner.

— Bonsoir, monsieur.

— Bonsoir, Mary.

Mon portrait du colonel Edwards se précisait. Il incluait à présent sa maison, ses finances, ses relations avec ses domestiques, permanents ou occasionnels, et sa fureur d'avoir été dupé par les membres de son association à propos du sexe de Dorothy Ruskin, pour des raisons que j'ignorais encore. Pour couronner le tout, j'avais entre les mains quatre-vingt-sept pages écrites de sa main, où sa pensée se déployait au grand jour. Or rien ne dévoile plus une personne qu'un texte rédigé de sa main. Je me hâtai d'avaler la collation préparée par la cousine de Billy, petite femme autoritaire qui répondait au nom improbable d'Isabella, puis m'enfermai avec le manuscrit.

J'en étais à la page sept lorsqu'on frappa à la porte.

— Mademoiselle... euh... Small ? C'est Billy. Il y a, euh... un monsieur pour vous au téléphone.

— Oh, merci, Billy. Vous avez l'air en pleine forme. Peut-être pourrons-nous bavarder un de ces jours, devant une pinte ? Où est le téléphone ? Ah, merci !

C'était Holmes. Ce fut bon d'entendre sa voix.

— Bonsoir, Mary, dit-il, me rappelant inutilement, lui qui n'utilisait jamais mon prénom, la nécessité de faire preuve de discrétion. Comment se passe votre nouveau travail ?

— Billy vous a donc tout raconté... C'est très intéressant. J'ai appris beaucoup de choses aujourd'hui. Même si on jase beaucoup sur son compte, le colonel est un homme charmant. Difficile à croire.

— Vraiment ?

— Vraiment. Et vous ? Comment vous débrouillez-vous ?

— Eh bien, ainsi que vous le savez, l'endroit n'est guère entretenu. Le labeur ne manque pas. J'ai consacré la matinée d'hier à désherber les massifs de rosiers et l'après-midi à bêcher le carré de pommes de terre.

— Mon pauvre, vous devez avoir le dos en compote. Ne tirez pas trop sur la corde.

Je ne plaisantais pas, l'exercice physique intensif n'étant pas son fort.

— Aujourd'hui, je n'ai pas quitté la maison. J'ai réparé, dans la cuisine, un joint qui fuyait et décollé du papier peint.

— Heureux homme.

— C'est justement la raison de mon appel. Je n'aurai pas terminé demain. Elle veut donc que je reste jusqu'à samedi.

J'étouffai une exclamation de frustration et répondis négligemment :

— C'est parfait. Décevant, mais je comprends.

— Je le savais. Voudriez-vous dire à vos amis que, par conséquent, nous ne les retrouverons que samedi soir ?

Lestrade et Mycroft...

— Pourquoi pas dimanche matin ? hasardai-je avec espoir.

— Samedi.

— Très bien. Samedi, donc. Dormez bien.

— J'en doute, Mary. Bonne nuit à vous.

Je parcourus le manuscrit, avant de prendre un bain bouillant où je m'attardai sans penser à rien. Ensuite, au cours de ma seconde lecture, je pris des notes en vue d'améliorer le texte, jouant, outre le rôle de secrétaire, celui d'éditrice. La troisième fois, je m'y pris plus lentement encore, revenant en arrière pour comparer certains passages que je lus à haute voix, me livrant à une analyse beaucoup plus poussée. Ce travail achevé, j'éteignis la lumière et restai dans le noir, avec le vague espoir de respirer un parfum de tabac ou d'entendre le son d'un violon. Enfin, je me couchai.

Je rêvai du Dr Ginzberg, la psychiatre allemande qui m'avait soignée après l'accident et la mort de mes parents, en partie par hypnose. Assise derrière moi, à la tête du divan de cuir où j'étais allongée, elle griffonnait des notes sur un rouleau de papyrus étalé sur ses genoux. Et elle riait, d'un rire caverneux et lugubre. Cette bonne Mme Ginzberg, d'ordinaire si posée, si convenable, avait de larges mains velues et portait de grosses lunettes noires qu'elle enlevait avec une lenteur sadique, riant toujours.

Je m'éveillai en sursaut avant qu'elle n'ait eu le temps de dévoiler ses yeux que, terrifiée, je ne voulais surtout pas voir. Mon cœur battait à se rompre, mes oreilles bourdonnaient. Une pâle lumière flottait dans la pièce aux meubles estompés par la nuit. Le réveil marquait 3 h 55. J'enfilai ma robe de chambre, allumai la lampe à gaz et me replongeai dans le manuscrit du colonel.

Je ne perdis pas mon temps. À l'aube, alors que le jour naissant diluait la lueur du réverbère, j'avais consolidé quelques hypothèses, soulevé diverses questions et trouvé de quoi occuper mon esprit pendant la journée.

14

Xi

La journée me fournit plusieurs sujets de réflexion, même en dehors du manuscrit. Le premier fut le personnage qui m'accueillit dans le bureau du colonel, une tasse de café à la main : le fils Edwards était rentré d'Écosse. Il me gratifia d'un sourire qu'il croyait irrésistible, ce qu'il aurait peut-être été s'il avait aussi éclairé son regard.

— Tiens donc, voilà la nouvelle secrétaire du paternel. Bien plus agréable que la précédente. Je constate qu'il ne vous a pas avertie du retour du fils prodigue. Gerald Edwards, pour vous servir.

J'avais devant moi la quintessence du gandin à la mode inscrit à Cambridge. Affalé avec une négligence étudiée dans le grand fauteuil de cuir marron, il arborait un ahurissant complet de soie sauvage jaune. Les cheveux sombres, gominés et coiffés en arrière, il affectait un cynisme dédaigneux qu'accentuait la vivacité perçante de ses yeux injectés de sang. Sans prendre la peine la peine de se lever, il jaugea ma silhouette tandis que je m'approchais du secrétaire et me penchais pour poser mon sac dans un tiroir. Je me redressai, me tournai vers lui et répliquai d'une voix égale :

— Je m'appelle Mary Small. Non, votre père ne m'a pas annoncé votre retour. Est-il là ?

— Il descendra dans une minute. Nous nous sommes

couchés tard. Le vieux *sarx*, à son âge, a du mal à récupérer.

Je me sentis aussitôt sur mes gardes. Cet emploi d'un mot grec devant une simple secrétaire aurait pu être anodin, mais je sentis, aux battements de mon cœur, que ce n'était pas le cas. Danger... Pour cacher mon trouble, je mimai la perplexité.

— Je vous demande pardon. Vous parliez de la Saxe ?

— *Sarx*, chère mademoiselle Small, *sarx*. *Corpus*, en latin. Vous savez : *Mens sana in corpore sano*, et tout le bazar. Mais vous lisez le grec, si ceci vous appartient...

Il me tendit mes notes, me scruta avec calme.

— Enfin, ce n'est pas vraiment du grec. Pour moi, c'est du charabia. Mais on y trouve quand même pas mal de thêta et d'alpha.

— Ah oui, *sarx*... Excusez-moi. En fait, je n'ai que de vagues notions de grec, et d'hébreu, l'autre langue employée dans ces notes. N'utilisez-vous pas ce système à Cambridge ? Votre père, me semble-t-il, m'a dit que vous y étiez étudiant.

— Ah, ah... le code secret d'Oxford, c'est ça ? Comment le connaissez-vous ?

— Euh... Un ami m'y a initiée l'été dernier.

— Il vous a enseigné le code d'Oxford sur la rivière, dans une barque ? Et qu'avez-vous appris d'autre près de la berge, amarrée sous les branches ?

Il eut un rire si graveleux que mes joues s'enflammèrent ; mais pas de confusion, ainsi qu'il le pensait.

— Oh, elle rougit ! Papa, regarde, ta secrétaire devient cramoisie. N'est-ce pas ravissant ?

— Bonjour, Mary. Je ne vous ai pas entendue rentrer. Mon fils vous taquine, à ce que je vois ?

— Bonjour, colonel. Non, mais il en est persuadé. Excusez-moi... Je voudrais taper ces lettres.

Je récupérai mon carnet de notes, réprimai, en passant devant le godelureau, une envie folle d'envoyer un coup de pied dans un de ses tibias. « Russell, songeai-je en glissant une feuille dans la machine, ce jeune homme va te poser de sérieux problèmes, même si tu exagères sa nature soupçonneuse. »

« Main baladeuse », avait dit Rosie.

Le reste de la journée me le confirma. Pendant que son père s'habillait, le jeune Edwards se percha sur le bureau où je tapais à la machine et ne cessa de me dévêtir du regard. Je l'ignorai et, grâce à un effort gigantesque, réussis à ne commettre aucune faute de frappe. Après le déjeuner, au cours duquel il but six verres de vin, il trouva toutes sortes de prétextes pour me frôler.

Entre deux tentatives pour l'éviter, je travaillai en compagnie de son père. Cet après-midi-là, je révisai le manuscrit avec lui, lui suggérai timidement d'étoffer un chapitre, d'intervertir l'ordre des deux suivants et l'aidai à développer son plan pour le reste du livre. Satisfait, il s'étira, sonna pour qu'on nous apporte du thé. J'acceptai une de ses cigarettes, atténuai entre mes doigts le tremblement de la main qui tenait le briquet en or.

— Mary, qu'en pensez-vous ?

— J'ai trouvé votre texte très instructif, colonel, bien que je ne sois pas très versée dans l'histoire politique de l'Égypte.

— Pourquoi le seriez-vous ? Mais je suis ravi qu'il vous ait intéressée. Que diriez-vous d'aller à Oxford en début de semaine pour faire quelques recherches ? Pensez-vous pouvoir mener à bien un travail de ce genre ?

— Oh, oui, j'ai déjà fréquenté la bibliothèque Bodléienne.

Je m'interrompis, hésitant à lui poser une des questions qui m'étaient venues à l'esprit pendant la nuit.

— Avez-vous autre chose en tête, Mary ?

— Eh bien, puisque vous m'interrogez... Vous parlez très peu, dans votre essai, de l'activité des femmes...

C'était un euphémisme : il ne faisait que deux fois référence au sexe féminin, avec une misogynie proche du mépris.

— Bien sûr ! déclara-t-il avec impatience. C'est un livre sur la politique, qui est un monde d'hommes. En Égypte, les femmes ont leur propre petit univers et ne se soucient pas du reste.

— À l'inverse de ce qui se passe ici, n'est-ce pas ?

Je m'étais exprimée d'un ton délibérément neutre. Pourtant, il s'emporta avec une violence inattendue et hors de proportion, comme si je m'étais moquée de lui.

— Nom de Dieu ! Effectivement, là-bas, cela ne se passe pas comme ici, où d'horribles laiderons défilent en beuglant des slogans imbéciles sur l'émancipation et les droits des femmes ! Des gosses de riches qui se prennent pour des cerveaux, voilà ce qu'elles sont ! Elles feraient mieux de s'occuper de leurs fourneaux !

Son visage était blême de colère. Ses yeux étroits me fixèrent d'un air soupçonneux.

— J'ose espérer que vous n'en êtes pas une, mademoiselle Small.

— Je vous demande pardon... Une quoi, colonel Edwards ?

— Une de ces insupportables suffragettes ! De vieilles biques frustrées, qui n'ont rien d'autre à faire que de contaminer les femmes honnêtes avec leurs idées pernicieuses, à les pousser à se plaindre de leur sort !

— Quel sort, colonel ? Vivre entre la vaisselle et les couches ?

Il ne me connaissait pas assez bien, mais Holmes aurait pu lui dire qu'il s'aventurait en terrain glissant. Lorsque je suis en colère, je me montre très polie et très calme.

— C'est une vocation sainte, mademoiselle Small. La maternité est une bénédiction.

— Comme de devenir secrétaire, colonel ?

Je n'avais pas pu m'en empêcher. J'étais aussi furieuse que lui ; mais alors qu'il semblait prêt à me sauter à la gorge, je restai pondérée et courtoise. Je me préparai à recevoir le contenu d'un tiroir sur la tête. Or, à ma grande surprise, ses traits se détendirent, retrouvèrent leurs couleurs. Il se renversa dans son fauteuil et se mit à rire.

— Ah, Mary, vous avez de la repartie ! J'aime les jeunes femmes au caractère bien trempé. Oui, vous êtes secrétaire pour le moment, mais pas pour toujours, ma chère, pas pour toujours.

Révulsée par sa condescendance, je compris tout à coup ce que devait ressentir un esclave souriant à son maître. En dépit de ma rage, je me forçai moi-même à sourire. Je saisis mon stylo d'une main tremblante et repris ma place devant ma machine à écrire. Balayant ma colère et une peur sourde que je ne m'expliquais pas, une certitude triomphante s'imposait à moi : je tenais enfin, comme si Edwards venait de me l'avouer, un mobile pour le meurtre de Dorothy Ruskin.

Je prétextai une migraine pour décliner son invitation à dîner. J'ajoutai, pour me dérober à celle du lendemain, que j'avais pris avec un cousin un engagement impossible à annuler. Oui, peut-être dimanche, nous en reparlerions. Non, qu'il ne s'inquiète pas, ma migraine aurait disparu et je serais heureuse de revenir le matin suivant. Non, surtout pas, la soirée était très agréable, la pluie avait cessé et l'air frais ferait me ferait du bien. Inutile qu'Alex me raccompagne... Je souhaitai le bonsoir au colonel et à son fils.

Je parcourus à pied, à travers des rues bondées, les trois kilomètres qui me séparaient de la pension. Lorsque j'arrivai devant la porte, mes orteils me faisaient mal, mais ma migraine, pas tout à fait diplomatique, s'était dissipée. Deux fois, au cours du trajet, j'avais cru deviner une présence dans mon dos. Mais jeter un coup d'œil dans les vitrines ne me servit à rien. : il y avait trop de monde dans les rues, et pas l'ombre d'un suiveur. La nervosité, sans doute, cette même nervosité qui m'avait fait réagir de façon exagérée au coup de sang du colonel.

Après un thé copieux qui, préparé de grand cœur par Isabella, aurait mieux convenu à un ouvrier rentrant du travail qu'au petit appétit d'une employée de bureau, Billy me proposa d'aller boire une bière au coin de la rue. Le pub, beaucoup plus populaire que le *Pig and Whistle*, appartenait à un cousin par alliance d'une de ses tantes maternelles et on y brassait la bière sur place. La première gorgée du liquide sombre et mousseux coulant dans ma gorge me fit oublier le goût écœurant du xérès doux, la maison Edwards, et Mary Small. Je reposai ma chope avec un soupir d'aise. Peut-être étais allée un peu loin avec le colonel. Mais, après tout, Mlle Small pouvait bien avoir ses excentricités.

— Alors, Billy, que faites-vous, en ce moment ?

Il me répondit sans élever la voix, ce qui, dans cet endroit bruyant, me força à tendre l'oreille :

— De l'art, mademoiselle. De la peinture.

— Vraiment ?

Je regardai ses mains blanches.

— Avec quel matériel ?

— Matériel ?

— Oui, avec quoi peignez-vous ?

— Des tubes de machin, de peinture à l'huile. Ça pue, c'est pas croyable.

— Sur quoi peignez-vous ?

— Des trucs, des cadres avec du tissu.

— Des toiles.

— C'est ça. En fait, pendant la journée, nous sommes voisins, mademoiselle.

— Ah bon ?

— Oui. J'ai un atelier au-dessus de la librairie, dans la rue où vous travaillez.

— Je vois.

— Oui. Donc, si vous avez besoin de quoi que ce soit pendant la journée, je regarde souvent par la fenêtre.

— Évidemment. Avez-vous un mécène ?

— Un quoi ?

— Quelqu'un qui soutient votre activité artistique.

— Oh, oui. Sûr. Une autre chope ?

— C'est pour moi. Au fait, Billy, est-ce que, par hasard, vous ne m'auriez pas suivie ce soir, en quittant votre atelier ?

— Pas exactement. Mais j'allais peut-être dans la même direction que vous.

Il eut l'air penaud.

— Je ne suis pas bien doué, c'est ça?

— Au contraire. Je ne vous ai même pas repéré. J'ai juste senti qu'on me surveillait. Je suis heureuse d'apprendre que c'était vous. Ceci étant, si cela ne vous ennuie pas, j'aimerais mieux que vous ne me pistiez pas. Cela me rend nerveuse.

— À votre guise.

— Merci. Une dernière chose, demain, enduisez un peu vos mains et vos vêtements de peinture. Pour la galerie...

Il contempla ses paumes, secoua la tête.

— Et moi qui pensais faire des progrès... Bon, je ne suis bon qu'a aller chercher de la bière...

— Et à suivre les gens. Pour ça, vous êtes un as.

Il sourit du compliment, puis joua des coudes jusqu'au comptoir, hélant joyeusement les clients qu'il croisait. Difficile d'imaginer un artiste aussi peu crédible... Cependant, avec une palette et une odeur de térébenthine autour de lui, il résisterait peut-être à un examen superficiel. Quant à ses œuvres éventuelles, après tout, n'importe quel barbouillage passait à l'époque pour de l'avant-garde. En tout cas, il semblait bien s'amuser.

Une demi-heure plus tard, je reposai mon verre vide.

— Il faut que j'y aille, Billy. J'attends un coup de fil.

— Je vous accompagne.

— Restez et buvez-en une autre. Il est encore tôt.

— Non. Je viens.

Il salua tout le monde et m'escorta jusqu'à la porte.

La conversation téléphonique de ce soir-là fut, elle aussi, entourée de précautions. La voix de Holmes me parvint d'un pub animé. Pourtant, même s'il n'élevait pas le ton, je suis certaine que, de l'étage d'au-dessus, occupé par Isabella, n'importe qui aurait pu nous entendre. Holmes me demanda comment s'était déroulée ma journée.

— Comme hier, à peu de choses près. Le fils est rentré.

Très pointu, ce jeune homme. Il finira par se couper. Il a surtout tenté de me parler de grec.

— Qu'est-ce qui lui a fait croire que vous connaissiez le grec ?

— Ce code que j'ai appris à Oxford.

— Intéressant.

— Oui... Le colonel s'est un peu emporté contre moi. Il ne semble pas apprécier les femmes à la langue bien pendue. En fait, il ne les aime pas du tout.

— Et vous lui avez fait croire que vous n'en étiez pas une ?

— J'ai essayé. Il m'a affirmé qu'il appréciait l'esprit chez les jeunes femmes. Cela ne l'empêche pas de me voir mariée et mère de famille.

J'entendis un gloussement.

— Vraiment ? Qu'avez-vous répondu ?

— Rien. Je suis retournée à ma machine à écrire.

— Réaction très digne.

— Que pouvais-je faire d'autre ? Et vous, êtes-vous venu à bout du papier peint ?

— J'ai commencé à le coller. Dans une pièce sombre, heureusement. La dame est une drôle de paroissienne. Quand elle commence à jacasser, on ne l'arrête plus.

— Parfait. On travaille plus vite en bavardant. Est-elle aimable ?

Ce qui signifiait : « Vous paraît-elle innocente ? »

— Au premier abord, oui. En ce qui concerne ses fils, je ne sais pas encore.

— Nous en parlerons demain soir, n'est-ce pas ?

— Je l'espère. Prenez garde, Mary. Méfiez-vous de toutes ces suffragettes.

— D'infâmes vieilles filles, nées avec une cuillère d'argent dans la bouche. On devrait les envoyer à l'usine.

La communication s'acheva sur un rire joyeux. Conversation utile, tout bien considéré. J'avais appris à Holmes que le colonel était violemment misogyne, que les femmes, selon lui, avaient été créées pour la cuisine, la nursery ou le lit. Quant à lui, il m'avait laissé entendre que Mme Rogers était sans doute hors de cause, même si la question de ses fils restait ouverte. En plus, je lui avais donné un motif d'hilarité, qui adoucirait peut-être le rude plancher de la remise où il passait ses nuits.

15

Omicron

Rien ne laissait prévoir, le samedi matin, que je disposerais avant la fin de la journée de trois nouveaux éléments essentiels à l'affaire, en moins d'une heure : une tentative de viol, une série de publications confidentielles et une contravention pour excès de vitesse.

La matinée fut ennuyeuse et interminable, consacrée tout entière à la mise à jour des dossiers financiers. Il me fallut également éviter de façon systématique les attentions du jeune Edwards. Suivit un déjeuner lourd et trop arrosé. Un petit vent froid m'empêcha d'aller prendre l'air dans le parc. Je regagnai le bureau après avoir supporté pendant une heure, en serrant les dents, le badinage des deux hommes. J'avais hâte que la journée s'achève, pour entendre enfin ce que Holmes avait découvert dans le Cambridgeshire.

Le vin semblait avoir un peu assoupi les mains baladeuses ; même s'il me suivit dans le bureau de son père et ne cessa d'observer mes moindres gestes, Gerald se tint tout d'abord tranquille. Les choses changèrent quand le colonel partit se reposer dans sa chambre. Le gandin me saoula alors avec un monologue ponctué de considérations sur le cricket et l'aviron. Penchée sur les dossiers, je hochais la tête de temps à autre.

Je dois reconnaître qu'il attaqua avec une vivacité surprenante. Je me levai pour récupérer des dossiers à l'autre bout de la table. Lorsque je me retournai, il était là, les bras autour de moi et sa bouche cherchant la mienne.

J'ignore pourquoi je réagis avec une telle violence. Je n'étais pas vraiment en danger : j'aurais pu le neutraliser en trois mouvements ou lui briser le cou avec autant de facilité, sans perdre mon sang-froid. Mais j'étais immergée dans le rôle de Mlle Small ; et, même en 1923, peu de femmes auraient subi un tel affront sans exploser. De plus, cet assaut fit éclater toute la rage et la frustration que je ruminais depuis trois jours. Un instant, l'envie d'étrangler mon agresseur me submergea. Je me repris aussitôt et, tout en esquivant ses baisers, envisageai ce qu'il fallait faire.

Ce qui était menacé, ce n'était ni moi ni mon honneur, mais mon rôle. Si je surpassais physiquement le fils du colonel, mon séjour dans la maison prendrait fin immédiatement. Mary Small se serait probablement contentée de crier, mais, hormis le fait qu'il m'était difficile de le faire avec la bouche de Gerald à deux centimètres de mes lèvres, cela aurait différé le problème au lieu de le résoudre. Et puis, il y avait ma fierté. Je mourais d'envie de corriger ce don Juan de pacotille. Toutefois, même un simple coup de genou n'aurait pas correspondu à mon personnage. Il fallait que ma réaction fasse assez mal au jeune Edwards pour lui ôter l'envie de recommencer, qu'elle semble assez maladroite pour que je ne sois pas démasquée, et paraisse totalement accidentelle. Toutes ces considérations me prirent environ trois secondes, que je passai à me débattre. Enfin, mon corps prit la direction des opérations.

Je reculai d'un bond, ce qui déséquilibra Gerald et le força à faire un pas en avant (jeune homme, ton haleine est abominable !). Ensuite, je me penchai sur le côté puis, écartant ma tête de la sienne, lui donnai un grand coup de talon sur le pied en le projetant contre le bureau. Son ventre frappa violemment le coin de la table. Il hurla et s'affaissa, verdâtre, le souffle coupé.

Je fis mine de lui porter secours. À ce moment-là, la porte s'ouvrit avec fracas. Le colonel entra, les cheveux en désordre, enfilant son imperméable à la hâte. Je me tournai vers lui.

— Oh, monsieur, je suis navrée... Je ne...

— Au nom de ciel, que se passe-t-il, ici ? Est-ce vous que j'ai entendu crier, ou... Gerry ? Que lui arrive-t-il ?

La respiration sifflante, son fils se recroquevillait sur le tapis.

Je bredouillai :

— Je l'ignore, colonel. Je... Il... Je suis tombée, voyez-vous. J'ai dû le bousculer et le blesser, à moins qu'il se soit cogné contre le bureau et... Nous devrions peut-être appeler un médecin. Il semble très mal en point. Oh, j'espère que...

Un gémissement nous apprit que Gerald avait retrouvé son souffle. Le colonel s'agenouilla près de lui, ne vit aucune trace de sang et se redressa en plissant les yeux. Il me jeta un regard acéré, remarqua le désordre de mes cheveux et de mon chemisier, dont un bouton avait sauté. Il eut un rictus à la fois mécontent et narquois.

— Je lui avais dit qu'il finirait un jour par avoir des ennuis s'il ne gardait pas les mains dans les poches. Je n'aurais jamais pensé que la leçon viendrait de vous. On ne peut pas tout prévoir...

— Leçon ? Mais, monsieur, je ne l'ai pas fait exprès. Je me suis simplement pris le pied dans le tapis et j'ai trébuché. Ne devrions-nous pas téléphoner à un médecin ?

— Inutile. Il se remettra très bien tout seul. Tout homme connaît ce genre de désagrément un jour ou l'autre. De la glace et du whisky, voilà ce qu'il lui faut.

— Mais de quoi...

Je m'interrompis. Le colonel n'attendait certes pas de moi une ignorance absolue de l'anatomie masculine.

— Vous voulez dire que... Oh, mon Dieu ! Le pauvre garçon !

Je m'agenouillai à mon tour. Gerald, qui reprenait peu à peu ses esprits, me gratifia d'un sourire douloureux.

— Je suis désolée. Je peux être tellement maladroite ! Et vous m'avez surprise...

— Ça, je n'en doute pas. Venez, Mary. Vous avez eu votre lot pour aujourd'hui. Que diriez-vous d'un verre de sherry avant d'aller finir votre travail chez vous ?

— Mais... Nous ne pouvons pas le laisser là !

— Je suis certain que c'est ce qu'il préférerait, n'est-ce pas, Gerry ?

D'un vague geste de la main, Gerald acquiesça.

— Je vais demander à Alex de t'apporter des glaçons et du whisky. Il s'occupera de toi.

Nous quittâmes la pièce. Le colonel se mit à glousser. Je le coupai net, respirai profondément.

— Colonel, verriez-vous un inconvénient à ce que j'utilise votre salle de bain ? Je me sens plutôt... Mais ensuite, je boirais bien un xérès...

— Certainement, ma chère. Je vous attends en bas.

Il me laissa devant une grande salle de bain de marbre reliant son bureau et sa chambre. Ses pas s'éloignèrent dans le couloir tandis qu'il appelait Alex. Dans le bureau, les plaintes s'étaient muées en une bordée de jurons. Je souris malicieusement, verrouillai la porte et fis couler l'eau du lavabo.

J'avais trois minutes, peut-être davantage. Je marchai rapidement vers la porte qui donnait sur la chambre du colonel, la poussai sans bruit.

Je ne savais pas ce que je cherchais, mais je n'allais pas laisser passer une telle occasion.

Avec ses boiseries sombres et ses petites fenêtres en saillie, la pièce, très grande, avait un caractère foncièrement masculin. Un épais tapis persan, aux couleurs criardes, s'étalait par terre. Deux tableaux ornaient les murs. Le premier, représentant un homme, aurait pu être un autoportrait peint par un élève peu doué de Rembrandt ; expression maussade, technique déficiente. Le cadre doré du second magnifiait la nudité d'une superbe naïade blonde, qui tremblait sans conviction devant un serpent luisant et lubrique. Ce n'était peut-être pas l'image que je ne faisais de notre mère Ève, mais la concupiscence du serpent, en dépit de son absence d'expression humaine, était remarquablement rendue.

Rien d'intéressant sur les étagères vitrées : des trophées, des coupes, des objets de famille, des statuettes de femmes plus ou moins dénudées. Une minute s'écoula. Le téléphone sonna, le colonel répondit. J'ouvris quelques portes de bois alignées le long des parois. Des vêtements. À première vue, pas de compartiments cachés. Mais de la poussière, ce qui prouvait que la femme de ménage négligeait certains recoins. Je contournai le lit jusqu'au vieux fauteuil installé près de la fenêtre. « Il est curieusement placé, pensai-je, comme si... » Ah ! Il était à portée de bras d'un placard fermé à clé. Je saisis une de mes épingles à cheveux, en tordis la pointe et me mis au travail. Déjà deux minutes... Des voix montaient du rez-de-chaussée, mais pas encore de l'escalier.

Au bout de trente secondes éprouvantes, la serrure céda. J'écartai les portes. Des livres illustrés. Pornographiques. La barbe ! Rien d'autre. Je refermai le placard. Au téléphone, le colonel disait au revoir à son interlocuteur. Alors que je m'apprêtais à m'enfuir, je sursautai. Là, me crevant les yeux, s'empilait toute une série de brochures bon marché, aux pages écornées. Un titre me fit bondir : *Émancipation et destruction de la famille*. Il y en avait une bonne centaine du même acabit, depuis *Couvrez-leur la tête*, de l'épaisseur d'un livre, jusqu'à *Suffragettes : la main du diable*, opuscule de quatre pages. Un autre pamphlet s'intitulait : *Droit de vote des femmes, une insulte au plan de Dieu*. Je notai le nom et l'adresse de l'éditeur, replaçai la brochure sur la pile. Des voix retentissaient dangereusement de l'autre côté de la chambre. Je regagnai la salle de bains, tirai la porte au moment même où l'on frappait à celle du couloir. Je fermai le robinet, remis de l'ordre dans mes cheveux et ma tenue.

— Tout va bien, Mary ?

— Oui, monsieur. Je suis à vous dans un instant.

— J'ai les dossiers sur lesquels vous travaillez. Inutile de retourner dans le bureau. Alex vous raccompagnera. Il pleut des hallebardes.

— Merci, monsieur, j'arrive tout de suite.

De nouveau présentable, je descendis au rez-de-chaussée, où m'attendait l'écœurant et inévitable xérès.

— Vous voilà, ma chère. Tenez, buvez ça. Mary, je suis vraiment désolé du malentendu qui s'est produit là-haut. Gerry est quelquefois un peu impulsif.

— Je vous en prie, colonel, ce n'est rien. Comment va-t-il ?

— On ne peut mieux. Il souffrira pendant un jour ou deux, mais vous avez peut-être réussi à lui enseigner les bonnes manières. Moi, j'ai échoué.

— Mais je n'avais pas l'intention de...

— Je sais bien que vous ne l'avez pas renversé exprès. Personne n'aurait pu faire cela de façon délibérée. Néanmoins... Un de mes amis vient de me téléphoner pour m'inviter à une causerie lundi après-midi. Voudriez-vous profiter de ce jour pour aller à Oxford ? Je sais que c'est un peu précipité. Je comprendrais très bien que vous choisissiez de travailler ici aux dossiers en cours.

Et rester seule avec Attila ? Non, merci.

— Lundi, ce sera parfait. Je prendrai un train à la première heure. J'ai hâte de me rendre là-bas.

— Vous m'en voyez très heureux.

En effet, il paraissait satisfait. Pourtant, il se comportait de façon bizarre. Je m'en rendis compte à de petits détails : sa façon de jouer avec son verre, de me regarder comme s'il me sondait. Était-ce de la suspicion ? Non. Mais, tout en restant poli, il se montrait moins empressé, presque lointain. L'arrivée d'Alex interrompit mes spéculations. Il m'apportait mon imperméable. Le colonel m'aida à l'enfiler, me remit le courrier et le manuscrit, me dit qu'il me reverrait le mardi matin. Aucune allusion à un dîner, ce soir-là ou dimanche. Intéressant, très intéressant. Quel imprévu avait modifié son attitude à mon égard, et pourquoi ?

Toujours aussi peu communicatif, Alex me conduisit au garage. Le coupé examiné par Holmes avait retrouvé sa place. C'était une Vauxhall de sport à la ligne très aérodynamique, légèrement cabossée sur les côtés. Je m'extasiai en l'apercevant.

— Oui, mademoiselle, elle appartient au jeune M. Edwards.

— Magnifique ! Elle doit bomber.

— M. Gerald pousse souvent des pointes à plus de cent à l'heure. Sur des routes appropriées, bien entendu.

Visiblement, les automobiles étaient le point faible d'Alex, et celle-là le rendait loquace.

— Sans blague ! Ça vous en bouche un coin, comme dirait ma grand-mère !

Ce langage si différent de celui de ses maîtres acheva de le dérider. Je fis le tour de la voiture, admirant la peinture luisante de la carrosserie, le cuir rouge des sièges. Et je songeai que moi aussi, peut-être, une fois cette affaire résolue... Tout d'un coup, une liasse de papiers débordant de la boîte à gants attira mon attention. Je caressai la carrosserie, sous le regard empli de fierté d'Alex, puis, avec un soupir d'adolescente subitement tombée amoureuse, montai à contrecœur dans la limousine devenue bien morne. Alors qu'Alex prenait place au volant, j'ouvris mon sac et poussai un cri de consternation.

— Que se passe-t-il, mademoiselle ?

— Je ne trouve plus mon stylo. J'ai dû le laisser dans le bureau. Auriez-vous l'amabilité de patienter un instant. Je vais... Oh, mais le colonel y sera et je risque de le déranger. Tant pis, je le récupérerai mardi.

— Souhaitez-vous que j'aille le chercher, mademoiselle ?

— Je ne voudrais surtout pas...

— Ce sera un plaisir. Dans le bureau, dites-vous ?

— Oui, quelque part sur la table. Il... il est en or, précisai-je d'une petite voix.

Il retrouva sa componction de majordome. Une discrète lueur d'amusement éclaira sa prunelle.

— J'en ai pour une minute, mademoiselle.

J'attendis que ses pas se fussent éloignés avant de pousser ma portière et de me pencher vers la Vauxhall. L'en-tête d'un des papiers m'était familière. Quelques mois plus tôt, me rendant à un rendez-vous urgent à Oxford, j'avais poussé ma bonne vieille Morris au bout de ses limites, ce qui m'avait valu une contravention pour excès de vitesse. La feuille qui dépassait de la poche ressemblait en tout point à celle que j'avais reçue. Je la retournai, regardai la date et réprimai une exclamation de triomphe. À moins d'avoir conduit à tombeau ouvert pendant douze heures, Gerald Andrew Edwards ne pouvait pas se trouver en Écosse la nuit où notre cottage avait été mis à sac. Le matin suivant, il s'était fait coincer pour excès de vitesse près de Tavstock, à des centaines de kilomètres du rallye auquel il était censé participer. Je sortis mon stylo en or de mon sac, relevai les détails du procès-verbal, puis me précipitai à la rencontre d'Alex, qui revenait bredouille.

Il ne dissimula pas son agacement d'avoir fouillé en vain le bureau de son patron à la recherche d'un stylo enfoui, bredouillai-je, entre les pages de mon carnet de notes, et me raccompagna sans un mot jusqu'à la pension d'Isabella.

Je grimpai les escaliers jusqu'à ma chambre si peu chaleureuse, me débarrassai de mon imperméable trempé que je mis à sécher sur une chaise. Je m'apprêtais à demander du charbon pour allumer un feu lorsqu'on frappa doucement à la porte. Billy entra et me tendit une liasse de ce qui ressemblait à du papier de boucherie usagé et plié plusieurs fois.

— Une lettre pour vous, de la part d'un monsieur.

— Une lettre ? Pas un télégramme ?

J'étais stupéfaite. J'avais, en tout, reçu cinq lettres de Holmes en huit ans. Il communiquait d'ordinaire par de brefs télégrammes, généralement codés ; l'un d'eux comportait, je m'en souviens, une faute d'orthographe délibérée qu'un télégraphiste consciencieux avait corrigée, rendant le message inintelligible.

— Il y en a deux, mais ils ne vous sont pas destinés. Je dois en faire parvenir un à l'inspecteur Lestrade, concernant un certain Jason Rogers, l'autre à M. Mycroft Holmes, à propos de l'expédition d'un costume marron à faire nettoyer.

Encore un code : « Tout est découvert. Je dois lever le camp. » Ou alors il s'agissait vraiment d'un complet à envoyer chez le teinturier. Je m'emparai avec appréhension de l'emballage graisseux.

— Je suis heureuse qu'il ait enfin refait surface, même brièvement. Vous l'avez donc vu ?

— Trois minutes, entre deux trains. Il m'a demandé de vous dire qu'il était navré de ne pas pouvoir venir aujourd'hui, mais qu'il vous verrait demain soir.

— J'y croirai quand il sera devant moi. Comment l'avez-vous trouvé ?

Billy hésita, cherchant ses mots. Originaire des bas-fonds de Londres, il était vif d'esprit, mais un peu balourd. Il répondit enfin :

— Pas dans son assiette, si vous voyez ce que je veux dire. Bien sûr, il portait de vieilles frusques et n'était pas rasé, mais il avait l'air crevé. Plein de courbatures. Et c'était pas de la comédie.

— Cela ne m'étonne pas. J'espère qu'il dormira ce soir dans un vrai lit. Merci pour la lettre.

— Il m'a dit que vous voudriez peut-être la transmettre plus tard à quelqu'un. Si c'est le cas, je serai chez moi.

Du pouce, il désigna la pièce d'en face, de l'autre côté du couloir. Je le remerciai encore. Je refermai la porte, rangeai mon chapeau et mes gants, ôtai mes chaussures, me servis un petit verre de cognac et m'installai, la lettre sur les genoux, dans le fauteuil proche de la fenêtre. Le premier paragraphe me fit froncer les sourcils.

Ma chère Russell,

Je vous écris cette lettre à la hâte, ainsi que vous l'aurez sans doute remarqué, dans un wagon dont les essieux ont connu des jours meilleurs. Les informations qu'elle contient vous seront peut-être utiles, et le fait de les coucher sur le papier m'aidera à y voir plus clair. Je me trouve dans la situation fâcheuse d'avoir pris connaissance d'une série de faits que, comme le savez, j'énumère d'ordinaire à voix haute, même si mon auditoire se montre aussi passif que l'était jadis ce bon Watson. Mais vous suivez votre propre piste, Watson se promène en Amérique et je n'ai pas le temps d'attendre de me retrouver face à Mycroft ou Lestrade. D'où ma lettre. Même si je préférerais de loin confronter mon récit à votre écoute et à vos commentaires, un bout de crayon et ce nauséabond papier de boucherie feront l'affaire. Si j'en crois leur expression hébétée, mes compagnons de compartiment n'ont encore jamais assisté à la naissance miraculeuse d'un texte écrit. Je tâcherai de ne pas me laisser distraire.

Information préliminaire : j'ai réussi à entrer dans les bonnes grâces de Mme Rogers, en me présentant, ainsi que nous en étions convenus, comme un marin au chômage ayant connu son défunt mari. Je me suis composé un personnage grossier, peu ragoûtant, agressif et susceptible, mais refusant de jouer des poings. Et ce rustre lui plaît.

J'étais juché sur une échelle, dans sa chambre d'amis, pestant contre l'indocilité du papier peint bon marché, lorsque j'entendis une voiture arriver. Quelques instants plus tard, sans que personne n'ait sonné à la porte, un pas lourd, au rez-de-chaussée, martela le sol de la cuisine. Suivit une conversation à voix basse. Impossible, dans ma position, d'en saisir un traître mot. Mais, au bout de quelques minutes, quelqu'un monta l'escalier et une tête aux épais cheveux noirs se profila dans l'encadrement de la porte, examinant avec curiosité ma personne et ce que je faisais.

Le propriétaire de cette tête, vous l'imaginez, suscita chez moi un grand intérêt. Je le saluai d'une façon abrupte, typique de mon personnage, rattrapant de justesse un pan de papier maculé de colle avant qu'il ne chute sur ses épaules. L'homme ironisa sur la qualité de mon travail. Je lui répliquai que la maîtresse de maison en avait pour son argent, après tout, elle n'avait pas engagé un poseur de papier peint professionnel.

— Alors, vous êtes quoi ?

— Capable de tout, maître de rien.

La concision de la formule le fit ricaner.

— À en juger par l'état de ces murs, la décoration n'est pas votre fort. Pour quoi êtes-vous doué ?

— Bateaux. Moteurs. Automobiles.

J'avais tout de suite remarqué les taches de graisse sous ses ongles, l'aspect de son pantalon et de ses chaussures.

— Tu parles ! Je suis sûr que vous savez même pas changer une roue.

— J'en ai changé quelques-unes, répondis-je négligemment, en laissant tomber une masse de colle sur le bout de ses souliers.

— Eh bien, vous allez pouvoir exercer vos talents. La voiture garée dehors a un pneu à plat et je suis pressé. Enlevez-le et vérifiez s'il n'a pas de trou.

Docilement, je lâchai brosse et couteau, pour aller extirper la clé en croix de la boîte à outils de la voiture. Le véhicule n'appartenait pas à l'homme aux cheveux noirs. Aucun doute là-dessus : trop élégante, trop onéreuse, trop bien entretenue. J'aurais donné cher pour surprendre ce qui se dit dans la maison au cours du quart d'heure qui suivit mais, à moins d'escalader le mur, en plein jour, sans lierre ni corde, et de coller mon oreille à une fenêtre, c'était impossible. Je trouvai la crevaison, la réparai. J'étais en train de serrer les boulons de la roue lorsque l'homme sortit de la maison.

— Eh, ne me dites pas que vous venez de commencer !

— Oh, non, vous pourrez repartir sous peu, monsieur, et si vous me passez cette pompe, j'aurai bientôt terminé.

Tandis que le pneu se gonflait, j'admirai « son » automobile.

— Elle est à vous ?

— Non, on me l'a prêtée.

— C'est bien ce que je pensais. Je vous imagine dans une voiture plus rutilante et plus rapide.

— Celle-là va assez vite.

— On dirait pas, commentai-je avec scepticisme.

Il entreprit alors de me préciser le peu de temps qu'il lui avait fallu pour venir de Bath, malgré les charrettes de foin. J'émis un sifflement de connaisseur.

— Vous avez dû foncer à toute blinde dans les lignes droites. Un bon ami, celui qui vous permet de traiter sa bagnole comme ça.

*— Bof, il n'en saura jamais rien. Les vieux (*censuré*) qui achètent ces grosses tires ne savent pas les conduire. Ces caisses-là, faut un peu les pousser au* (censuré).

— Il devrait vous payer pour ça, plaisantai-je.

Il mordit à l'hameçon et ricana :

— Ouais, je vais saler sa note.

Suivirent de grands rires et un échange d'opinions sur les pistons, les cardans, j'en passe. Je bénis le vieux Will de m'avoir initié aux mystères de la mécanique. L'homme grimpa dans le luxueux véhicule qui ne lui appartenait pas. Je passai ma tête par la portière.

— Bon retour, monsieur... ?

— Rogers, Jason Rogers.

— Levez quand même le pied du côté de Swindon. Paraît qu'y a des poulets dans le coin.

— Merci du renseignement. Donne-moi un coup de manivelle, mon pote.

Je m'exécutai. Il accéléra brutalement et dévala l'allée.

Vous aurez donc deviné, Russell, que je suis en route pour Bath, utilisant un moyen de transport beaucoup plus lent mais bien plus sûr, à la recherche d'un garage tenu par un certain Jason Rogers, petit-fils de Mme Erica Rogers : droitier, les cheveux noirs, mesurant environ un mètre quatre-vingts et pesant quatre-vingts kilos, portant des chaussures au bout rond et parfois un costume de tweed marron, avec, dans la poche, un couteau d'ouvrier pliant. J'espère avoir de plus amples renseignements à vous fournir demain soir.

Maintenant, le canevas où insérer cette information.

Comme je l'ai déjà mentionné, Mme Rogers est une personne bavarde, sautant facilement d'un sujet à l'autre, sauf lorsqu'il est temps pour elle de préparer du thé ou de s'occuper de sa vieille mère. D'une intelligence courte, elle est toutefois très rusée. Elle devient soupçonneuse dès qu'il s'agit d'argent et surtout d'héritage, de petits-fils, de l'éducation des femmes, d'enfants nés hors mariage ou de chiens. Sujets hautement révélateurs, même s'ils se rattachent à son histoire personnelle.

Des allusions, des gestes, des expressions ont attiré mon attention, noyés dans un flot de cancans, de souvenirs d'enfance et d'idées bien arrêtées sur la façon dont un travail doit être mené à bien. Je ne vous accablerai pas en vous racontant ces confidences par le menu, ce qui épuiserait ma provision de papier, la mine de mon crayon, et mon temps. On peut cependant retenir les points suivants.

En premier lieu, et c'est le plus important, Mme Rogers est littéralement possédée par une profonde méfiance à l'égard des relations qui règnent au sein des familles. Ses apartés sur l'ingratitude et le manque de cœur de leurs membres, frères et sœurs inclus, épargnent néanmoins les mères et les petits-enfants mâles. D'où mon départ précipité par le train.

Deuxièmement, vous avez noté qu'elle semblait apprécier énormément les sornettes que Watson livre en pâture à un public naïf. Pourtant, je n'ai découvert chez elle, pour toute littérature, qu'un vieil exemplaire des recettes de cuisine de Mme Beetons. Un entretien à bâtons rompus avec le marmot des voisins (ne sous-estimez jamais les dons d'observation d'un gamin intelligent, Russell !)

m'a appris qu'on avait déménagé divers objets quelques jours après mon arrivée, dont plusieurs cartons de livres. Ce qui expliquerait les étagères clairsemées du rez-de-chaussée, nettoyées avec soin. Futé, très futé...

Troisièmement, vous avez vu juste à propos du récent renvoi d'une femme de ménage. Il s'agissait d'une fade jeune fille de dix-sept ans, sommairement congédiée le jour où Mlle Ruskin a quitté le Cambridgeshire, et renvoyée sans explications dans ses foyers avec deux semaines de gages.

Pour paraphraser Blaise Pascal, je vous ai écrit cette longue lettre car je n'ai pas eu le temps de la faire courte. Ma provision de papier arrive à son terme et je m'apprête à traverser Londres pour attraper le train de Bath. Vous aurez peut-être à demander à Billy de transmettre cette missive à Mycroft et à Lestrade, s'il est disponible.

Prenez soin de vous, femme.

Holmes

Post-scriptum :

J'ai d'abord pensé conserver la lettre qui suit, mais ce n'est peut-être pas une bonne idée. Si les individus à qui je compte rendre visite la trouvaient sur moi, j'aurais du mal à m'expliquer. Inutile de vous demander de la mettre en sûreté. Je l'ai découverte dans un tiroir de la chambre de Mme Rogers, à l'intérieur d'une enveloppe lacérée et trouée à plusieurs reprises avec la plume d'un stylo, ce qui a laissé des traces sur la missive elle-même. Le tout se trouvait au sommet d'une pile de papiers rangés dans le tiroir. On avait replacé la lettre dans l'enveloppe avant les coups de plume et l'on ne l'en avait pas retirée depuis. J'ai remis l'enveloppe vide à sa place, pour que Mme Rogers ne s'aperçoive pas de la disparition de son contenu. J'ai bien conscience que cette façon de se procurer un indice n'est guère orthodoxe, mais je ne pouvais vraiment pas le laisser où il était. Si je ne suis pas rentré d'ici demain soir, portez-le à Mycroft et communiquez-le à Lestrade.

H.

Ce courrier, où je reconnus la ferme écriture de Dorothy Ruskin, disait ceci :

Jérusalem, le 22 novembre 1920

Chère Erica,

J'espère que cette lettre te retrouvera, toi et maman, en bonne santé et que ta bru se sera remise de sa chute. Mon voyage de retour s'est passé sans incident notable, ce qui, par les temps qui courent, est presque inespéré.

Erica, j'ai beaucoup réfléchi à ce que je vais te dire et je prie pour que tu le lises avec toute la charité que j'ai mise à te l'écrire. Je ne peux laisser en suspens le problème que nous avons abordé lors de la dernière semaine que j'ai passée auprès de toi. Je t'ai dit que je m'inquiétais de ta santé, mais je ne me suis peut-être pas exprimée assez clairement. Erica, personne n'a plus aucune raison de considérer que les troubles mentaux ne nécessitent pas de traitement médical, au même titre que n'importe quelle maladie. Peut-être même faut-il les soigner en priorité, puisqu'ils peuvent avoir une influence néfaste sur l'équilibre du corps. Je t'en prie, crois-moi quand je t'affirme que je te souhaite le meilleur avenir possible. Tu es ma sœur, ma seule famille. Or, pour te parler honnêtement, j'estime que tu n'es plus toi-même.

Je sais que tu te sens tout à fait normale, mais j'ai pu me rendre compte que tu ne l'étais pas. La maladie mentale est une bête qui erre au plus profond de ceux qu'elle dévore peu à peu. Et cette bête est en toi. Je t'en conjure, ma chère sœur, ne la laisse pas agir en toute liberté. J'ai l'intention, ce que je ferai de grand cœur, d'assumer les frais d'un traitement psychiatrique et si nécessaire, tant qu'il durera, le coût de l'entretien de maman.

Je vais demander à un ami de te mettre en contact avec de bons spécialistes. J'espère que tu te décideras à en consulter un, par affection pour moi, ne serait-ce que pour obtenir un bilan de santé complet et me prouver que je me trompe.

À propos de santé, nous affrontons ici le début d'une épidémie de dysenterie. Il semble que personne, en mon absence, ne se soit soucié d'enseigner aux populations locales des méthodes culinaires fondées sur une hygiène élémentaire. Je t'écris de Jérusalem, où je suis venue acheter tous les médicaments nécessaires.

Sache que cette lettre n'est motivée que par la tendresse que je te porte et que je reste ce que j'ai toujours été :

Ta sœur affectionnée,
Dorothy

16

Pi

Le soir, je ne descendis pas dîner. Je me contentai du fromage, de la part de tarte aux pommes et du café que m'apporta Billy. La pluie cessa brutalement juste avant la nuit. Debout devant la fenêtre, je pensai à Patrick, à la ferme, priant pour que surviennent quelques jours de soleil qui lui permettraient de terminer les moissons en retard.

Pendant quelques heures, cet après-midi-là, je m'étais montrée si sûre de moi... Puisque je tenais le mobile, m'étais-je dit, la preuve ne pouvait être loin. Et voilà que Holmes m'affirmait que la piste partait d'ailleurs. Tous ces efforts, depuis mardi, déployés en vain... « Grâce à Dieu, songeai-je, je n'aurai pas à retourner là-bas demain... J'ignore combien de temps je pourrai le supporter, sachant, en plus, qu'il y a de fortes chances pour que ce soit inutile. » Mais pourquoi la sœur et ses petits-fils ? On avait mûrement prémédité le meurtre. Rien à voir avec un simple accès de rage. L'argent, alors, ce mobile universel ?

Je restai là, devant la fenêtre, pensive, massant mon épaule là où la douleur se réveillait, l'esprit encombré d'un flot de paroles et d'images. Un souvenir émergea lentement, provoqué sans doute par l'évocation de l'escalade d'un mur dans la lettre que je venais de recevoir. Un souvenir d'air marin, d'un corps jeune, vigoureux, de l'émerveillement devant tout ce qu'offrait la vie. Le souvenir d'une adolescente assise au bord d'une falaise, jetant des cailloux vers la plage de galets, tout en bas... Le vent a dénoué ses nattes blondes, projette ses cheveux dans sa bouche et derrière ses lunettes aux montures d'acier. Près d'elle, l'homme aux cheveux gris, assis lui aussi, appuie son menton sur un genou, laissant négligemment son autre jambe ballotter dans le vide.

— Holmes ?

— Oui, Russell ?

— À votre avis, qu'est-ce qui pousse une personne à tuer ?

— Autodéfense.

— Non, je parle d'assassinat.

— Je sais. Ma réponse reste la même : autodéfense.

Le jeune visage contemple la brume qui flotte sur la Manche.

— Vous voulez dire que tous les meurtres sont commis parce que le meurtrier se sent menacé par quelqu'un d'autre ?

— Si l'on excepte les monstres qui tuent pour le plaisir ou par contrat, oui. L'interdiction de s'en prendre à la vie humaine est si profondément ancrée que les gens n'ont qu'un moyen de la transgresser : se convaincre que leur ennemi menace leurs biens, leur existence ou celle de leurs proches et qu'il faut, par conséquent, l'empêcher de nuire.

— Mais la vengeance ? Et l'argent ?

— Des subdivisions de l'autodéfense. La vengeance redonne à l'assassin l'estime de lui-même, la conscience de sa valeur et de sa puissance. La jalousie est cousine de la vengeance, parce qu'elle en anticipe le désir. Nous trouvons aussi, comme subdivisions de l'autodéfense, toutes les formes de pouvoir, l'argent étant le plus évident et le plus répandu.

Et, suggérait sa voix, le moins intéressant...

— Que faites-vous de la peur de se faire prendre ?

— Elle refrène l'urgence de l'autodéfense. La plupart des gens connaissent au moins une personne dont ils se débarrasseraient volontiers s'ils pouvaient le faire proprement. Seule les arrête la peur d'être démasqués, de se voir ôter par le système judiciaire leur liberté, leur honneur et peut-être même leur vie. Soyez honnête, Russell. Si vous aviez l'occasion d'éliminer quelqu'un en ayant la certitude de rester au-dessus de tout soupçon, ne seriez-vous pas tentée ?

— Oh, si ! m'écriai-je avec ardeur.

Il eut un petit rire.

— Je suis heureux que votre tante ne puisse voir votre expression en cet instant. Je vous promets de ne pas mentionner notre conversation devant la police locale si, un beau jour, on la découvre morte.

Holmes, qui n'avait jamais été officiellement présenté à ma tante, n'appréciait pas plus que moi ses manigances contre sa pupille orpheline.

— Je m'en souviendrai. Mais, Holmes, si tous les assassins, du moins la plupart d'entre eux, n'agissent que pour se protéger, pourquoi les condamne-t-on ? Tout animal n'a-t-il pas le droit de se défendre ?

Sa réplique claqua, aussi violente qu'inattendue. Mon ami, mon mentor, se tourna vers moi et me fixa avec une telle répugnance que je cessai de respirer. S'il ne m'avait subitement figée sur place, je me serais sans doute jetée du haut de la falaise pour échapper à ce regard horrible. Son ton méprisant fit voler en éclat mes fragiles certitudes d'adolescente.

— Pour l'amour du ciel, Russell, les humains ne sont pas des bêtes ! Depuis des milliers d'années, nous luttons pour nous libérer de notre animalité. Le vernis que nous avons réussi à acquérir ne demande qu'à se craqueler. Certains l'oublient. Mais pas vous, Russell, surtout pas vous ! Jamais !

Il se leva vivement et s'éloigna. Peu à peu, je retrouvai mon souffle. Je rentrai chez moi, tremblante, honteuse, furieuse, désespérée.

Cette nuit-là, après le dîner, pour fuir ma tante et réfléchir au calme, je montai tôt dans ma chambre. Petite, sans vue, elle donnait sur le côté nord et froid de la maison. Mais elle présentait un avantage inestimable : les pierres de la cheminée principale grimpaient le long du mur extérieur, juste sous ma fenêtre, ce qui me permettait, à l'aide d'une corde très fine et presque invisible, de m'échapper sans être vue. Même si je m'y risquais rarement, cette possibilité d'évasion faisait de cette pièce non plus une prison, mais un refuge. J'avais même installé un verrou sur la porte. Je le tirai, appuyai mon front contre le bois peint et frais, submergée par le désarroi. Holmes était mon seul ami, ma seule famille. Sa désapprobation m'anéantissait.

Un bruit, derrière moi, me fit sursauter. Je pivotai, le cœur battant. Holmes était là, dans mon fauteuil. Sa pipe éteinte entre les dents, il se pencha pour replacer un livre sur une étagère. Il ôta sa pipe de sa bouche, me sourit et murmura très doucement :

— Bonsoir, Russell. Si vous ne souhaitez pas recevoir de visiteurs indésirables, vous devriez remonter la corde après vos escapades.

Je retrouvai mon sens de la repartie.

— Pour des raisons mystérieuses, la plupart des gens utilisent la porte d'entrée.

— Quelle manie bizarre... Peut-être préférez-vous que je fasse de même ?

— Cela jetterait un froid. Pourquoi êtes-vous ici ? Si c'est parce que Mme Hudson vous a rendu son tablier jusqu'à ce que vous lui accordiez une augmentation, j'ai bien peur de n'avoir aucun rafraîchissement à vous offrir...

— Mme Hudson en grève ! Quelle perspective terrifiante ! Non, je n'ai nul besoin d'un rafraîchissement. Je suis venu me faire pardonner, Russell. Mes paroles, cet après-midi, ont été inutilement rudes. Je ne voudrais pas qu'elles vous perturbent.

— Inutile de vous excuser. J'ai parlé de façon stupide et je méritais votre réponse. Je suis soulagée de constater que vous n'êtes pas fâché contre moi.

— Ma chère enfant, vos propos n'avaient rien de stupide. La question de la responsabilité humaine fait partie de celles que tout adolescent doit se poser, à moins de grandir dans l'ignorance. Simplement, j'ai oublié que vous n'aviez que seize ans. Cela m'arrive souvent, vous savez. Votre question était pertinente, et je l'ai traitée comme une défaillance morale. Pardonnez-moi et, je vous en supplie, continuez à l'avenir de me poser toutes les questions que vous voudrez. J'essaierai de ne pas réagir comme un vieux lion rendu fou par une rage de dents. D'accord ?

Émue et soulagée, je souris et tendis les mains. Il se leva, les prit entre les siennes.

— D'accord, chuchotai-je.

— Je m'en vais, avant que Mme Hudson ne lance les chiens à ma recherche. Ce sera la troisième fois en une semaine que je l'aurai obligée à me servir un dîner froid. À demain, Russell.

Il se baissa, remonta la fenêtre en silence et se coula dans le noir.

— Holmes ! appelai-je.

Sa tête réapparut.

— Oui, Russell ?

— Ne revenez plus.

Puis, réalisant ce que cela pouvait signifier :

— Je veux dire, tant que ma tante habite ici, je ne peux... Je ne...

Je me tus, rouge de confusion.

Il me scruta un moment. Ensuite, un sourire si tendre illumina son visage que je serrai les mâchoires pour empêcher les larmes de me monter aux yeux.

— Je comprends, dit-il.

Et il disparut.

Mais je n'ai jamais oublié ses paroles sur la falaise.

Quel objet, possédé par Dorothy Ruskin, aurait pu transformer deux, peut-être trois êtres humains en tueurs ? Quel trésor, quel document ? Si je l'avais su, j'aurais identifié ses assassins. Et si je les avais identifiés, j'aurais découvert ce qui les motivait. Mais je ne savais rien.

J'allai donc me coucher.

QUATRIÈME PARTIE

Dimanche 2 septembre 1923

On ne trouve dans la nature ni art ni littérature ni société ; simplement, la crainte permanente et la menace de la mort violente.

THOMAS HOBBES

17

Rhô

Le dimanche matin, le son des cloches me réveilla. Une lumière éclatante filtrait entre les rideaux. Je paressai avec volupté pendant dix bonnes minutes, contemplant les grains de poussière qui flottaient dans le rayon de soleil et me demandant comment jouir au mieux d'un merveilleux dimanche de fin d'été à Londres. Si j'avais été à Oxford, j'aurais descendu la rivière en barque, avec une provision de sandwiches et de livres. Mais ici ? Pourquoi pas une grande marche le long de la Tamise ?

Un coup sec frappé à la porte, suivi de la voix non moins rêche d'Isabella, interrompit ma rêverie.

— Mademoiselle Small ? Un monsieur vous attend en bas.

— Un monsieur ? Mais...

Non, ce ne pouvait être Holmes. Alors, qui ? Lestrade ? Quelque chose était-il arrivé à... ? Mon Dieu !

— A-t-il donné son nom ?

— Un colonel machin, mademoiselle. Il est venu vous chercher pour vous emmener à l'église.

— À l'église !

Je n'en revenais pas.

— Oui, mademoiselle. Nous sommes dimanche et vous êtes nouvelle dans les environs. C'est ce qu'il a dit. Que dois-je lui répondre ?

— Dites-lui...

Seigneur, passer la matinée dans un bâtiment mal aéré à chanter à tue-tête des cantiques chrétiens était la dernière chose au monde que je souhaitais...

— Répondez-lui que je serai à lui dans dix minutes. Non, plutôt un quart d'heure...

Qu'on ne se méprenne pas. Je n'ai aucun préjugé contre le culte anglican. Je ne pratique guère la religion juive et il m'est souvent arrivé, à l'université, d'assister à des offices, uniquement pour la beauté de la liturgie et la splendeur de l'architecture. Cependant, je n'ignorais pas où et comment le colonel célébrait son Dieu. Dans son église à lui, les chants n'avaient rien de pieux. Mais un travail est un travail. Et si les choses tournaient mal, je pourrais toujours prétexter une migraine ou des vapeurs pour revenir ici.

Vêtue de ma robe de coton à fleurs, parée de mes gants blancs et de mon chapeau de paille, je descendis donc à la rencontre du colonel Edwards, qu'Isabella avait fait asseoir dans ce qu'elle appelait son parloir. Il se leva et m'accueillit en s'inclinant, avec un formalisme que je ne lui connaissais pas. Resplendissant dans ses élégants vêtements du dimanche, aussi affable qu'un vieil oncle, il n'avait plus grand-chose de commun avec l'homme dont la colère froide m'avait effrayée deux jours plus tôt.

— Il m'est venu à l'esprit ce matin, Mary, que je manquais à tous mes devoirs de voisin en vous laissant livrée à vous-même en ce dimanche. Si vous avez déjà vos propres projets, je serais très heureux de vous accompagner à votre propre église. Sinon...

Il laissa sa phrase en suspens. Quant à moi, je ne profitai pas de l'échappatoire qu'il m'offrait.

— Je serais ravie de me joindre à vous, colonel. Je n'ai aucun projet.

— Bien, très bien. Venez donc. Nous allons être en retard.

Ce qui suivit correspondit en tout point à ce que j'avais imaginé : un service anglican célébré dans une affreuse église victorienne, remplie de fidèles enthousiastes, habillés comme à l'opéra. Transpirant à grosses gouttes, l'officiant éructa un sermon interminable qui, s'appuyant sur des extraits approximatifs des Écritures, abordait des sujets aussi variés que le chômage, le droit de vote des femmes et les devoirs d'une puissance impériale. Je n'y prêtai qu'une oreille distraite. J'en profitai pour réviser, l'air pénétré, mes verbes irréguliers grecs, hébreux, latins, allemands, français et italiens. Je m'apprêtais à passer à l'espagnol lorsque le sermon s'acheva sur une conclusion tonitruante. La quête terminée, nous chantâmes d'autres cantiques martiaux avant de recevoir une bénédiction salvatrice.

Le supplice n'était pas terminé. Je dus honorer de ma présence la petite réception organisée par l'Union des mères, avaler des biscuits à la menthe et au citron accompagnés de thé ou de café insipides. Tout le monde connaissait le colonel. Chacun l'aborda et me jeta un regard en coin avant de m'être présenté. Je tremblais à l'idée de tomber sur une relation qui me reconnaîtrait et détruirait tout en une seconde. Ce cauchemar me fut épargné. Le cercle, si l'on peut employer ce mot, que Holmes et moi fréquentions avait sans doute peu de liens avec ces calotins.

Je ne sais si ce fut à cause du rire hystérique que je réprimais ou de l'envie de les tuer tous, mais je frissonnais de la tête aux pieds lorsque le colonel fit ses adieux aux derniers paroissiens groupés sur le perron. En tout cas, toujours aussi sûr de lui, il interpréta à sa manière mon expression évanescente et le tremblement de mes mains.

— Ma chère Mary, je m'en veux de vous avoir imposé ces bavardages. Vous devez mourir de faim. J'ai réservé une table chez Simpsons. Où est passé Alex ?

Simpsons ! Là où le moindre serveur me connaissait sous le nom de Mme Holmes ! Impossible.

— Colonel, je n'ai aucune envie d'aller au restaurant.

Ma réticence le sidéra.

— Alors, qu'aimeriez-vous faire ?

— Je crois qu'une longue promenade me conviendrait.

Désarçonné, il fronça les sourcils. Enfin, son visage s'éclaira.

— Ma chère petite, j'ai exactement ce qu'il vous faut ! Exactement ! Ah, voilà la voiture. Ce n'est pas loin d'ici. Alex, chez Westbury !

— À vos ordres, monsieur. Mais nous n'aurons peut-être pas assez d'essence pour le retour.

— Ils nous en fourniront là-bas.

— Colonel, insistai-je, je dois être rentrée à 18 heures. J'ai promis à un cousin de ma mère de dîner avec lui.

— À 18 heures, dites-vous ? C'est bien dommage. On sert chez Westbury un dîner succulent. Tant pis. Nous y prendrons le thé. Il est excellent. Installez-vous confortablement, Mary. Nous y serons d'ici trois quarts d'heure.

— Qu'est-ce que ce Westbury ? Ou qui est-ce ?

— Un de mes intimes. Il possède une superbe demeure entourée d'un parc magnifique. Il a d'innombrables amis, que sa femme et lui adorent recevoir. Hélas en ce moment, il est un peu gêné, à cause de ces maudites nouvelles lois fiscales. Aussi, au lieu de se contenter d'une petite réception de temps à autre, il en donne une chaque fin de semaine, du vendredi soir au lundi matin.

Il hocha la tête, admirant l'intelligence de cette solution. Quelque chose m'avait échappé.

— Je vous demande pardon, colonel, mais je ne vois pas en quoi cela réduit les dépenses.

— C'est très simple. Les domestiques présentent à chaque convive une note pour le service, que ce soit pour un simple après-midi ou pour le week-end, y compris la soirée dansante du dimanche.

— Je vois. Westbury est un hôtel.

— Oh, non ! s'écria le colonel, choqué. Tous les hôtes des Westbury sont des amis. Les domestiques s'occupent de l'aspect financier, ce qui est légitime, et très raisonnable, soit dit en passant : ils ont une superbe cuisine, un cuisinier fidèle à la famille depuis que Westbury lui a sauvé la vie dans les tranchées, plus 10 % des recettes, bien entendu.

Les maîtres de maison ne se soucient pas de ces contingences. Mais leurs amis tiennent à leur venir en aide. Et l'endroit est si agréable qu'il serait dommage de l'ouvrir à des Américains ou à des gens du commun qui chaparderaient l'argenterie et piétineraient les plates-bandes. Qu'en pensez-vous ?

Je me renversai contre la banquette de cuir et m'esclaffai bruyamment, ce que Mary Small n'aurait jamais fait. J'en pleurais. Impossible de m'arrêter. Le regard ahuri d'Alex dans le rétroviseur, les amis des Westbury, les impôts, la folie de tout cela accentua mon hilarité, y compris le gloussement poli du colonel. Je fus sur le point de lui avouer qui j'étais, de mettre un terme à cette farce. Un ultime réflexe m'en empêcha.

— Colonel, je... Ce que vous me décrivez me semble délicieux. Je regrette simplement de ne pas avoir emporté des chaussures confortables pour découvrir le parc dont vous parlez.

Il en oublia mon rire, se pencha vers mes chevilles. Son regard glissa de mes talons hauts jusqu'à mes bas de soie. Il s'éclaircit la gorge, se détourna.

— Mme Westbury réglera ce petit problème. Vous montez à cheval ?

— Évidemment. Mais dans cette tenue... ?

— Aucune importance. Westbury a tout prévu. Bien sûr, il n'a plus les mêmes chevaux qu'avant-guerre, mais les quelques canassons qu'il a réussi à conserver ne sont pas déshonorants. Pour la chasse au renard, toutefois, ce n'est pas la saison. Désolé...

Il gloussa comme s'il avait prévu ma réaction, puis changea de sujet. Étant fermière moi-même et ayant eu, depuis des années, de nombreux poulaillers dévastés, je n'ai rien contre l'élimination des renards. Mais je n'aime pas la glorification du massacre. Nous n'exécutons pas nos criminels en les faisant inutilement souffrir ou après les avoir torturés. Dès lors, je ne vois pas pourquoi je refuserais à un animal sauvage le droit à la dignité. Quand nous piégeons un renard, Patrick et moi, nous le tuons proprement, d'un coup de fusil. Nous ne le pourchassons pas, terrifié, jusqu'au fond de son terrier, pour ensuite lâcher les chiens qui le mettront en pièces. Mais je m'égare.

C'était en effet une maison magnifique. Alors que la voiture contournait la fontaine jusqu'au portique, j'eus tout le loisir de l'admirer, avec ses hectares de toiture, et de me dire que son entretien devait revenir horriblement cher. Nous fûmes accueillis en musique, par un majordome de grande classe.

— Bonjour, colonel Edwards, nous sommes ravis de vous revoir. Il est fâcheux que vous ne nous ayez pas prévenus de votre arrivée. Je vous aurais réservé un traitement de faveur, ajouta-t-il avec un soupçon de reproche.

— Ne regrettez rien, Southern. Il y a encore une heure, j'ignorais que j'allais venir. Nous ne restons pas dîner. Nous sommes là juste pour l'après-midi, si vous avez encore deux chevaux disponibles. Toutefois, je suis sûr que Mlle Small appréciera un petit en-cas après s'être changée. Votre femme peut-elle s'en charger ?

— Certainement, monsieur. Que mademoiselle me suive. Je la conduirai ensuite au buffet de la terrasse.

— Parfait. Laissez-vous guider par Southern, Mary. Sa précieuse épouse vous trouvera une tenue adéquate.

La veste était un peu trop grande, mais les jodhpurs étaient de la bonne longueur et les bottes m'allaient. Mme Southern m'assura que je n'avais nul besoin de m'habiller pour le buffet. Une fois sur la terrasse, je compris pourquoi. Les invités arboraient tous des vêtements plus fantaisistes les uns que les autres, sans le moindre souci des convenances. Depuis l'ombre du porche, j'observai cette cohue bigarrée d'une soixantaine de personnes. En nombre égal, hommes et femmes mangeaient, buvaient et devisaient le long des parterres de fleurs aux armes de la famille. En contrebas, sur une estrade de pierre, un quatuor à cordes jouait avec entrain.

Un verre à pied dans une main, un sandwich dans l'autre, le colonel s'était mêlé à un groupe de trois hommes.

J'esquissai un pas vers lui, puis me figeai. Horreur ! Ce que j'avais redouté toute la matinée – tomber nez à nez avec une relation assez proche pour me reconnaître en dépit de mon apparence – risquait de se produire. La sœur et la cousine d'une de mes camarades de chambre d'Oxford, avec qui j'avais passé un week-end assommant dans le Surrey, venaient de se mêler au groupe du colonel et y prenaient racine.

La musique se tut, ce qui rappela à l'assistance l'existence du quatuor. Tous les convives se tournèrent vers les interprètes et applaudirent poliment. La violoncelliste s'essuya le front d'un geste gracieux et alla saluer le colonel. « Mme Westbury », me dis-je en reculant à l'intérieur de la maison au moment où le colonel regardait vaguement vers la façade.

Impossible de me montrer maintenant. Il fallait que je trouve un endroit discret où me réfugier. Alors que je passais devant le salon, où j'avais déjà jeté un œil en traversant le vestibule jusqu'au portique, des notes de clavecin m'arrêtèrent. Reconnaissant la fin d'une sonate de Scarlatti, je passai la tête entre les battants de la porte.

Penché sur le double clavier d'un instrument dont les décorations rococo s'accordaient à merveille à son costume gris et au blond filasse de ses cheveux, un homme jeune s'agitait comme un organiste. Je me coulai sans bruit dans la pièce, me laissai glisser dans un fauteuil noueux, sans doute de la même époque que le clavecin. Le jeune homme pianotait de plus en plus vite. Il passa de Scarlatti à la *Marche militaire* de Schubert, martelée à la manière de Bach, avant de se lancer dans une improvisation échevelée où je finis par distinguer le thème de *Yes, We Have No Bananas*.

Je ne pus m'empêcher de rire. Après un dernier accord, l'artiste se retourna. La tension de ses épaules et de ses mâchoire se relâcha. Son visage dissymétrique aux yeux narquois se détendit. Il me fixa un instant puis s'écria :

— Mais c'est Mme Sherlock !

— Non, répliquai-je vivement. C'est mademoiselle Mary Small, que vous n'avez jamais vue.

Une lueur d'intérêt et d'amusement éclaira ses prunelles grises. Il prit cet air stupide qui lui allait si bien quand il faisait le pitre et rectifia :

— Mlle Small, bien sûr... Très heureux de faire votre connaissance. Je vous ai confondue avec une jolie fille que j'ai croisée il y a quelque temps dans une soirée. Tout bien réfléchi, vous ne lui ressemblez que de loin. Quelque chose dans les yeux, peut-être, ou la forme des lunettes ? Plus petite que vous, en tout cas. Mary Small, dites-vous ? Comment allez-vous, mademoiselle Small ?

Il me tendit la main. Je la serrai avec plaisir, riant encore.

— Et vous, Peter ? Vous semblez en pleine forme.

Il paraissait moins nerveux et moins maigre que lors de notre dernière rencontre, quelques mois plus tôt. La guerre l'avait marqué et il se remettait à peine de l'enfer des tranchées.

— Pas trop mal, dit-il. Puis-je faire quelque chose pour vous, mademoiselle Small ?

— Merci, Peter, mais... En fait, si. Vous pourriez me rendre un service.

— Avec joie ! Que ma dame ordonne. Que dois-je faire pour lui plaire ? Affronter un dragon, franchir un précipice ? Aller lui décrocher la lune, cueillir pour elle une cerise sans noyau ?

— Rien d'aussi simple, j'en ai peur. J'ai besoin qu'on éloigne deux jeunes péronnelles pour que je puisse me rendre au buffet, où elles risquent de me reconnaître pour ce que je ne suis pas et me héler par un nom que je préférerais ne pas entendre.

— Vous souhaitez que j'assassine deux femmes pour vous permettre de vous restaurer ? N'est-ce pas un peu exagéré, alors qu'il suffirait de demander à un domestique de vous apporter un plateau ? Ceci étant, que ne ferais-je pour l'égérie de Sherlock Holmes ?

— Non, épargnez-les, répondis-je sur le même ton sérieux. Contentez-vous de les éloigner pendant vingt minutes. Proposez-leur d'aller admirer les paons ou les gravures de chasse ; ou alors de venir vous écouter jouer un air horriblement discordant sur cet instrument.

— Je vous en prie, n'insultez pas ce malheureux clavecin. Il ne peut cacher son âge ; mais il mérite mieux que le XXᵉ siècle, dit-il en tapotant affectueusement la marqueterie du couvercle.

— Bercez-les avec du Bach ou du Satie. Peu m'importe, pourvu que j'aie le temps de manger quelque chose avant de disparaître dans le parc. Vêtues comme elles le sont, elles ne se risqueront pas au-delà des frondaisons.

— À vos ordres, belle dame. Pour vos doux yeux, j'affronterai donc les paons et l'eau sournoise des bassins. Qui sont ces deux ravissantes créatures prêtes à succomber à mon charme ? Et qui ne doit surtout pas entendre le nom de Holmes ?

Il me tint la porte et nous pénétrâmes dans le sombre vestibule.

— Les péronnelles sont bêtes, mais charmantes. Vous n'aurez pas de grands efforts de conversation à faire. Quant à l'homme à qui il ne faut surtout pas révéler ma véritable identité, il s'agit du colonel Dennis Edwards, qui, pour l'heure, emploie Mlle Small comme secrétaire.

— Edwards, dites-vous ? Vous fréquentez de curieux poissons, ma chère. Mon exploit, je vous avertis, méritera récompense. Qui sont mes victimes ? ajouta-t-il en regardant dehors.

Je les lui désignai et il soupira.

— Oui, je les connais. Vous êtes dure avec moi, Mary... Adieu, dame de mes pensées. Si je ne survis pas à cette épreuve, dites à ma mère que je l'aimais.

Il cala son monocle d'un geste martial, comme s'il rajustait son heaume, et se faufila dans la foule. Je l'observai avec amusement tandis qu'il saluait la maîtresse de maison, baisait les doigts de quelques douairières, serrait diverses mains, abordait le colonel avec une formule qui le fit s'esclaffer, saisissait trois coupes de champagne sur un plateau que portait un domestique et enfin, avec la dextérité d'un chien de berger, écartait ses deux victimes du groupe. Moins de cinq minutes après m'avoir quittée, il descendait les marches de la terrasse, une fille à chaque bras et une assiette entre les mains. *Rule Britannia...* Avec une aristocratie pareille, l'Angleterre n'était pas près de sombrer.

Je me servis un assortiment d'amuse-gueule, bus quelques coupes d'un excellent champagne et fis mine de m'intéresser aux bribes de conversation qui parvenaient jusqu'à moi, tout en surveillant anxieusement l'apparition éventuelle d'autres visages familiers. Le colonel semblait déconcerté par la désinvolture de mes manières. Après avoir déposé mon assiette vide sur un plateau roulant, je le gratifiai de mon plus beau sourire, m'approchai de lui et le pressai de m'emmener aux écuries.

Je parvins à éviter la selle d'amazone et la placide jument qu'il me proposait. J'optai pour un hongre élancé, à l'œil vif, et balayai les objections d'Edwards, qui le trouvait trop nerveux pour moi. La modeste secrétaire s'éloignait vite. Heureusement pour moi, le cheval était déjà sorti dans la matinée, ce qui lui ôta toute envie de ruer ou de chercher à me désarçonner en passant sous une branche basse, ce qui aurait mis Mary Small dans une situation embarrassante.

Il essaya quand même de prendre le dessus mais comprit vite qu'il valait mieux me traiter d'égal à égale, sans essayer de se pousser du col. Dès lors, nos rapports devinrent idylliques. Après lui avoir fait sauter une barrière, je pris le galop vers l'étang, tout au fond du parc. Je me retournai, lançai un sourire de pur plaisir au colonel, qui galopait sur mes talons. Il avait une bonne assiette. Sa tenue d'équitation le rendait plus sûr de lui, moins soucieux de son image. Retrouvant, dans l'effort physique, sa véritable nature, il gagnait en prestige ce qu'il perdait en arrogance. Je piquai des deux. Le colonel m'imita mais, galamment, me laissa gagner la course.

Nous mîmes pied à terre au bord de l'étang. J'ôtai mon chapeau, déboutonnai mes gants et plongeai un mouchoir dans l'eau plutôt boueuse pour me rafraîchir le visage. Après avoir étendu ma veste sur l'herbe, je m'y allongeai, jouissant du soleil, des chants d'oiseaux et des quelques hennissements des chevaux qui paissaient.

— Vous montez bien, Mary. Où avez-vous appris ?

— Je suis fermière... Enfin, j'ai grandi dans une ferme, dans l'Oxfordshire.

— Que produit votre famille ?

— Un peu de tout. Du foin, des légumes. Elle élève aussi des vaches, quelques chevaux.

— C'est de là que viennent les cals de vos mains ?

Je les levai contre le ciel et les étudiai.

— Ce ne sont pas des mains de citadine, n'est-ce pas ? Trop de vaches à traire.

Leur musculature était trop régulière pour des mains de vachère, mais le colonel, qui n'en avait sans doute jamais vu de près, ne fit pas la différence. Je les laissai retomber dans l'herbe et fermai les yeux. Chevilles croisées, mes lunettes repliées sur la poitrine, je me laissai envelopper par la chaleur du soleil. J'avais vaguement conscience d'offrir une image relativement choquante aux yeux d'un gentleman victorien. Mes jodhpurs moulaient mes longues jambes, mon chemisier soulignait ce qu'il dissimulait, mes cheveux relâchés suggéraient une langueur heureuse, sans honte. Cette pensée me fit sourire.

Pour la première fois depuis des jours, je pensai à Marie-Madeleine, à son étrange destin. Marie-Madeleine, lien essentiel entre le ministère de Jésus de Nazareth, charpentier, la crucifixion de Jésus, criminel politique, et la résurrection de Jésus, Fils de Dieu. Elle qui avait annoncé l'incroyable nouvelle à ses disciples et disparaissait totalement le dimanche de Pâques... Quelle ironie ! Cette femme, qualifiée par la suite de « courtisane », traditionnellement identifiée comme la « femme adultère » de l'Évangile de Jean, mais qui avait vu le tombeau vide du Maître, était le socle sur lequel reposaient deux mille ans de foi chrétienne. En cet instant, étendue au soleil, je sus au fond de mon cœur, en dépit de tous les arguments qu'on aurait pu m'opposer, qu'elle était vraiment l'auteur du papyrus. Je me sentis pleine d'admiration pour la tranquille force de caractère avec laquelle elle avait pris ses décisions au moment du déchaînement des armées romaines. Pour la première fois, je me demandai ce qu'il était advenu de sa petite-fille Rachel, s'il elle était arrivée saine et sauve à Magdala. J'imaginai la suite, le « désert de pierre » laissé par les soudards qui puaient l'ail et la sueur, senteurs différentes de celles que je respirais en ce moment, ce mélange de tabac et de discret parfum masculin qui me rappelait Holmes.

Ce n'était pas Holmes. Je sortis brutalement de ma torpeur, alertée par une sensation nouvelle. Des lèvres exploraient le tracé délicieusement sensible des veines de mon poignet. C'était stupéfiant, inattendu et éminemment érotique. Plus légère qu'une plume, la caresse de son souffle, de sa bouche et de sa moustache à l'intérieur de ma paume, autour de mon pouce puis, finalement, sur ma main tout entière avait quelque chose d'électrique. Il fallait régir, et vite.

Je pris une grande inspiration, le repoussai, bondis sur pied et courus jusqu'à mon cheval.

Je frottai ma paume et mon poignet contre le flanc rugueux de l'animal. Puis, serrant la sangle avec une violence inutile, je maudis ma stupidité, mon imprudence mon... oui, mon insouciance, et aussi ma réaction disproportionnée, la deuxième en quarante-huit heures face à un membre de la famille Edwards. Le colonel s'approcha de moi, me tendit mes lunettes, mes gants, mon chapeau, ma veste. Je me rhabillai et remontai à cheval sans un regard pour lui et sans prendre la main qui proposait son aide.

— Mary, je...

— Non, colonel. Non. Je suis désolée, assenai-je en retrouvant la voix de Mary Russell. Quoi que je puisse éprouver, c'est impossible. Je ne peux rien vous expliquer pour l'instant. Je suis navrée.

Pendant un instant, sentant encore des frissons sur mon poignet, je fus réellement désolée. Il s'en aperçut et esquissa un pauvre sourire.

— Je comprends, Mary. J'ai été stupide de croire que vous pourriez vous intéresser à un vieil homme comme moi. Je comprends. Vraiment.

Je ravalai avec amertume la protestation qui me montait aux lèvres. Notre conversation s'arrêta là.

À son tour, il se remit en selle. Et nous rebroussâmes chemin, dans un silence qui, étrangement, n'avait rien d'inamical. Quand nous eûmes rendu nos chevaux aux palefreniers, je m'excusai et regagnai la maison pour aller me changer. Je renvoyai vertement la femme de chambre, sortis mes vêtements de la penderie et m'habillai à la hâte. Je venais de terminer de replacer mes épingles à cheveux lorsqu'on frappa à la porte.

— Oui ?

— Saint Georges, pourfendeur de dragons, à votre service...

J'ouvris à mon sauveur.

— J'ai pensé que vous auriez peut-être une autre mission à me confier. Même si, à moins de les enlever toutes les deux en même temps, je ne vois pas comment je pourrais éloigner ces demoiselles du dîner.

— Ce sera inutile. Nous partons. Laissez-moi juste le temps de faire mes adieux aux Westbury.

— Leur proposer de savourer une dernière coupe de champagne sous la tonnelle, voilà tout ce que je peux faire.

— Ce sera parfait. Merci encore. Vous m'avez sauvé d'un imbroglio qui aurait pu me mettre en mauvaise posture.

— Au cas où vous ne vous en seriez pas encore aperçue, voler au secours des gentes dames constitue le seul but de ma classe. Quand elles n'auront plus besoin de nous, les hommes dans mon genre n'auront plus qu'à disparaître.

— Comme le roi Arthur, qui attend de revenir lorsque l'Angleterre l'en suppliera à genoux ?

— Quelle épouvantable perspective ! À mon tour de vous confier une mission : présentez pour moi mes respects affectueux à l'homme à la pipe.

— Je n'y manquerai pas. Venez passer un week-end chez nous une fois que tout sera terminé. Je vous raconterai l'affaire dans ses moindres détails. Vous aurez même l'occasion d'admirer un manuscrit ancien d'une valeur inestimable.

— Une édition originale ?

— On ne saurait mieux dire.

— Intéressant. Je vous ferai une offre. Bien. Vous rencontrer fut un délice, mais deux dragons m'attendent. Donnez-moi cinq minutes pour les emmener loin du vestibule et la voie sera libre.

— Merci, répétai-je.

Je l'embrassai sur la joue. Il rougit presque, cacha sa gêne en nettoyant son monocle avec son mouchoir de soie avant de le visser sur son oeil.

— Merci à vous. À bientôt.

Je me tournai vers le miroir. J'y vis, à ma grande surprise, le reflet de sa tête blonde, à l'expression soudain sérieuse, réapparaître dans l'encadrement de la porte.

— Un dernier mot, Mary. Vous savez sans doute déjà que votre colonel a une réputation sulfureuse, mais peut-être n'avez-vous pas encore rencontré son fils. Si cela vous arrive, restez sur vos gardes : son père, à côté de lui, n'est qu'un enfant de choeur.

— Les présentations ont déjà eu lieu.

— Vraiment ?

— Oui. Pendant un certain temps, il s'abstiendra de titiller les oies blanches.

— Ah ! L'éclat de votre œil me fait frémir. Que le ciel me protège des femmes émancipées, capables d'envoyer valser les hommes par-dessus leur épaule.

Il éclata de rire, puis descendit vers le vestibule en sifflant un air de Mozart.

18

Sigma

Je m'attendais à un retour vers Londres silencieux et chargé de rancœur. Il n'en fut rien. Le colonel se montra détendu et attentionné, comme si nous nous étions débarrassés d'un problème encombrant. Le ciel se couvrit aux abords de la capitale et il pleuvait lorsque Alex se gara devant la pension d'Isabella. Le colonel fit un geste pour ouvrir sa portière. Je l'arrêtai en posant ma main sur la sienne.

— Colonel, je voudrais vous remercier pour cette belle journée. Ce fut parfait. Tout.

Je le regardai un moment au fond des yeux ; puis je me penchai pour déposer un baiser filial sur sa joue. Il parut si touché que je n'ajoutai rien et sortis lorsque Alex ouvrit ma portière.

À ma grande fureur, Holmes n'était pas là. Je pris un bain, m'habillai, tournai en rond. Enfin, à 19 heures, je téléphonai à Mycroft.

— Bonsoir, Michael. J'appelle pour savoir si vous auriez, par hasard, des nouvelles d'un de mes amis.

— Non, aucune. Mais ne vous inquiétez pas. S'il ne s'est pas encore montré, il viendra sans doute directement chez moi. Ne laissez pas son absence perturber votre dîner.

— Vous avez raison. Je l'attends encore un peu. Ensuite, j'arrive.

Je tournai en rond dix minutes de plus, avant de me décider à descendre prendre un taxi. Postée sous le porche, je regardai avec consternation la pluie qui, à présent, tombait inlassablement, en me demandant combien de temps je devrais patienter avant de trouver un taxi libre en ce dimanche pluvieux.

J'eus de la chance. Un taxi luisant et noir apparut à l'autre bout de la rue. J'agitai le bras pour l'arrêter, me courbai sous mon parapluie et grimpai dans la voiture, dont la vitre de séparation était ouverte. Le chauffeur embraya brutalement et gronda :

— Bon sang, Russell, vous faisiez preuve de plus de bon sens à quinze ans ! Combien de fois vous ai-je dit... ? Pourquoi riez-vous, femme ?

Je riais sans retenue, submergée par la joie de me retrouver enfin en présence de cet homme vieillissant, irascible, hautain, impossible ; le seul être qui donnait un sens à ma vie.

— Oh, Holmes, dès que j'ai vu le taxi, j'ai su que c'était vous ! Si vous voulez un jour faire une entrée véritablement fracassante, au lieu d'utiliser des subterfuges imprévus auxquels tout le monde s'attend, montez simplement l'escalier là et quand vous serez attendu. Ne vous vexez pas. Je suis heureuse de constater que vous vous divertissez.

Je captai son regard dans le rétroviseur et observai le changement de ses traits tandis qu'il répondait, à contrecœur tout d'abord, à mon sourire.

— Maintenant, dites-moi ce que vous faites dans ce taxi. La dernière fois que j'ai eu de vos nouvelles, vous étiez en route pour Bath. Vous en avez donc fini avec Mme Rogers ?

Il leva la main gauche en silence. Je découvris, à la lueur des réverbères, les cicatrices de ses combats contre les roses et le dessèchement de sa peau provoqué par la colle mouillée.

— Je vois. Avez-vous fait toute la maison ?

— Deux pièces. J'ai promis à la bonne dame de revenir mardi matin.

— Est-ce une dame ?

Suivit une longue pause, due à un embouteillage devant un cinéma. Une fois la circulation redevenue fluide, Holmes murmura d'un air pensif :

— Je ne sais pas, Russell. Ce cas comporte de nombreuses bizarreries, dont Mme Rogers n'est pas la moindre.

Arrivé devant chez Mycroft, il gara la voiture, se retourna et me fixa.

— Personne sur nos talons ?

— Pas que je sache. Et j'ai surveillé nos arrières avec attention.

— Je m'en suis aperçu. Vous savez, Russell, c'est un vrai plaisir de pouvoir contempler à nouveau votre visage. Le plancher de Mme Rogers était dur et froid. Bon... Il faut que je prenne quelque chose à l'arrière.

Il s'agissait d'une caisse de bois, qui faisait un bruit de ferraille. Il ne me donna aucune information à ce sujet et je ne gâchai pas ma surprise en l'interrogeant. Le portier nous scruta avant de nous laisser entrer, et Lestrade nous ouvrit, un verre à la main.

Comme toujours chez Mycroft, le dîner fut succulent, égayé par une conversation brillante. Holmes, qui avait revêtu l'un des costumes qu'il gardait dans la chambre d'amis de son frère, nous parla avec animation d'un tatoueur manchot du West End, d'une femme du Yorkshire propriétaire d'un cheval qui comptait jusqu'à dix et des techniques propres à chaque famille de fabricants de tapis du Cachemire. Plus pince-sans-rire, Mycroft se lança dans une interminable histoire mettant en scène un personnage royal, une poule et une pelote de ficelle, absurde mais probablement vraie. Lestrade ne fut pas en reste. Il nous régala avec le récit de la dernière escapade de son neveu, qui avait mis son école en émoi et failli tuer son directeur, d'apoplexie.

— Pourtant, on donnerait à ce gamin le Bon Dieu sans confession, conclut-il au milieu des rires. Il fera un très bon enquêteur.

On passa ensuite au salon, pour le café et le cognac.

— Mary, s'enquit Mycroft, vous...

— Non, je ne vois aucun inconvénient à ce que vous fumiez.

— Merci. En fait, j'allais vous demander si vous préfériez autre chose que du cognac. Un verre de xérès, peut-être ?

— Pour l'amour du ciel, non !

Les trois hommes me dévisagèrent, intrigués par ma véhémence.

— Excusez-moi. Le xérès a joué dans ma vie un rôle excessif au cours des derniers jours. Je crois qu'il me faudra plusieurs semaines pour m'en remettre. Juste un café, merci.

— Je comprends, dit Mycroft. Je vais m'en occuper. Sherlock, tu pourrais peut-être ranimer le feu.

Lestrade le suivit, nous laissant, Holmes et moi, assis devant la cheminée. Holmes jeta du charbon sur les braises, puis se renversa dans son fauteuil. Il étira ses longues jambes l'une après l'autre, soupira.

— Vous allez bien ? demandai-je.

Il ouvrit un oeil, me regarda.

— Vous avez bu, ce soir, plus de vin que d'habitude. Et vous n'avez pas l'air dans votre assiette.

— Je me fais vieux, Russell. Il est loin, le temps où je pouvais arpenter la lande toute la journée et coucher à la belle étoile, avec une simple couverture et une pierre pour oreiller. Trois nuits à même le plancher et une autre sans dormir après trois jours de labeur harassant m'ont fait comprendre que ma folle jeunesse était derrière moi.

— Des résultats ont-ils récompensé vos efforts ?

— Je crois. Et il est bien agréable de s'étirer enfin dans un bon fauteuil, de retrouver sa taille réelle. Je pense que vous serez d'accord avec moi.

Mon mètre quatre-vingts intimidant nombre de gens, Mary Small s'était efforcée de paraître un peu plus petite. Moi aussi, depuis le mercredi, je souffrais du dos.

Le cognac et le café arrivèrent. Chacun parut éprouver de la difficulté à briser l'humeur joyeuse pour passer aux informations et aux analyses. Enfin, je reposai ma tasse d'un geste un peu plus énergique que nécessaire.

— Les dames d'abord. D'autant que je n'ai fait qu'écouter pendant le dîner. Parler la première m'aidera à mettre de l'ordre dans mon esprit avant qu'il ne s'embrouille. Bien. Mercredi, donc. Vous savez où habite le colonel. Connaissant Londres mieux que moi, vous n'ignorez pas que ce quartier est resté, comme beaucoup d'autres, un village dans la ville, avec sa grand-rue bordée de magasins et sa mentalité cancanière. Le colonel vit dans une grande maison entourée d'un parc, construite au début du siècle dernier, un peu à l'écart du centre. Même s'il est impopulaire chez certains boutiquiers amateurs de ragots, il fait figure de seigneur du village ; du moins est-ce ainsi qu'il se considère. Il fréquente le pub local, où il fraye avec les ouvriers et les commerçants. C'est là que je me suis arrangée pour le rencontrer. De manière fortuite, bien entendu, mais il s'est avéré que je possédais les compétences d'une secrétaire particulière, dont il avait justement besoin.

— Miser là-dessus n'était-il pas un peu hasardeux ? objecta Lestrade.

— Avec une vaste demeure tenue par deux employés permanents et considérant la difficulté qu'on éprouve, de nos jours, à trouver des domestiques, j'étais sûre qu'il aurait, de toute façon, besoin de quelqu'un. Et Mary Small est polyvalente. S'il avait recherché une aide-cuisinière ou quelqu'un pour frotter les parquets, j'aurais pris un accent des faubourgs et mis un peu de crasse sous mes ongles. J'aurais quand même été dans l'embarras s'il avait eu besoin d'un valet de chambre...

— Vous auriez trouvé une solution, de toute façon, coupa Holmes d'une voix enjouée.

Je poursuivis mon récit : le dîner, le travail, les manières du colonel, celles de son fils. Curieusement, je m'abstins de m'étendre sur l'attitude d'Edwards à mon endroit et ne fis qu'un compte-rendu succinct de l'agression de Gerald. Ma réplique à ses assiduités fit grimacer Lestrade et Mycroft. Holmes, lui, en rit de bon cœur. Il avait lu entre les lignes. Je lui promis, d'un simple coup d'oeil, de lui raconter tous les détails lorsque nous nous retrouverions seuls. Il comprit le message. Le contenu de la chambre du colonel suscita de multiples commentaires. Lorsque j'achevai mon récit par la contravention de Gerald, il était plus de 23 heures. Je résumai en quelques mots les événements de la journée, fis mine de ne pas remarquer l'étrange regard de Holmes et me tus. Quelques instants plus tard, Lestrade leva le nez de ses notes et rompit le silence.

— Vous estimez donc que le colonel pourrait être derrière tout cela ?

— Oui. J'avoue qu'il m'est plutôt sympathique, bien que je déteste certains aspects de sa personnalité, notamment son attitude vis-à-vis des femmes. Il a du charme, du charisme. Je le vois très bien commandant à des hommes qui feraient n'importe quoi pour lui. Autoritaire mais un peu empoté. Bien sûr, il pourrait s'agir d'une comédie. Après tout, c'est un soldat qui a, pendant la guerre, entraîné de façon efficace ses subordonnés à tuer. Oui, je l'imagine très bien en assassin de Dorothy Ruskin. Pas de n'importe quelle femme ; mais de celle-là en particulier et dans ces circonstances non moins particulières, oui.

« Je dois reconnaître d'entrée de jeu que je ne dispose d'aucune preuve tangible. Ses écrits sont clairs comme de l'eau de roche, mais ce qu'ils révèlent ne pèserait rien face à un jury. On y perçoit toutefois une brutalité non déguisée, une distinction méprisante entre “ eux ” et “ nous ”, un mépris affiché pour “ leurs ” droits et même “ leur ” qualité d'êtres humains. Surtout lorsque ces “ eux ” deviennent “ elles ”. Plusieurs points confirment cette impression. D'abord, poursuivis-je en comptant sur mes doigts, il y a son caractère. Une remarque anodine de ma part l'a mené au bord de la violence. Avec Mlle Ruskin, il s'est retrouvé – deuxième point – non seulement face à une femme qui incarnait tout ce qu'il hait, indépendance, intelligence, réussite, plus une langue bien pendue dont elle n'hésitait pas à se servir, mais, pis encore – troisième point –, devant la preuve qu'il avait été joué par un collègue qui l'avait mis dans la situation humiliante de ne plus pouvoir reculer, d'être dans l'impossibilité, en dépit de sa misogynie, de refuser le financement du projet. Je soupçonne, et lui aussi sans doute, son collègue et les autres membres de l'association d'avoir ri de sa déconfiture.

— J'aurais cru qu'un officier de carrière ferait preuve d'une plus grande maîtrise de soi, objecta Mycroft. S'il abhorre autant les femmes de ce genre, il doit avoir des envies de meurtre tous les matins.

— Il se serait sans doute contenté de quitter, furieux, le restaurant, puis d'envoyer sa démission à l'association, s'il n'y avait eu le quatrième point. Je pense que Mlle Ruskin lui a parlé du manuscrit. Je vous l'ai lu. C'est une bombe. Quel effet a-t-il eu sur lui ? Même si on ne prouve jamais son authenticité, ce document pourrait mettre le feu à la chrétienté. Marie-Madeleine, apôtre de Jésus-Christ ? Aux yeux de nombre de gens, la seule chose qui pourrait provoquer un scandale plus retentissant serait qu'on apprenne que saint Pierre (ou, pourquoi pas, Jésus lui-même) était une femme. Cela ne pouvait lui échapper. Dès lors, il est impossible que cette femme, qui venait de lui mettre un tel brûlot sous le nez, ne l'ait pas rendu fou.

« Je vois que vous voudriez intervenir sur le sujet, inspecteur. J'ai presque terminé. Cela peut-il attendre ? Merci... Enfin, il y a le fils. Une théorie psychologique répandue et, à mon sens, crédible affirme qu'un enfant reflète les attitudes inconscientes ou subconscientes de ses parents, que les sentiments réprimés d'un adulte s'expriment ouvertement chez sa progéniture. Pour employer des termes plus simples, disons que les enfants absorbent ce que leurs parents pensent réellement et non leur façon d'agir en surface. Holmes, je crois que vous avez utilisé une version de cette théorie il y a trente ans dans l'affaire

Ruscastle, n'est-ce pas ? De toute évidence, plus un enfant grandit, plus ce lien devient ténu ; et à vingt-cinq ans, Gerald Edwards peut difficilement être qualifié d'enfant. Pourtant, son comportement à l'égard de Mary Small, douce jeune fille s'il en est, est typique d'un prédateur. C'était du moins le cas jusqu'à hier après-midi. Plus révélatrice encore fut la réaction d'Edwards face au comportement de son fils : exaspérée mais légèrement amusée, empreinte d'une certaine fierté paternelle. En tout cas, il n'a pas pris cette affaire au sérieux et, s'il a cru bon de s'excuser, il l'a fait presque distraitement, comme si son chien avait aspergé l'arbre d'un voisin.

Je m'efforçai de masquer la gêne que provoquait en moi le souvenir de la conduite, non du fils, mais du père. Je me persuadai que ce n'était pas sa fureur en elle-même qui m'avait choquée, mais sa soudaineté. Je décidai donc de ne pas y faire allusion. Holmes aurait exigé sur-le-champ que je m'éloigne à jamais de la maison Edwards. Or, même si une part de moi-même pouvait apprécier ce geste, il fallait que je continue à me rendre là-bas jusqu'à la résolution de l'affaire.

L'agression de Gerald provoqua les exclamations outrées des trois hommes. Leurs protestations chevaleresques en étaient presque comiques. Je leur rappelai quand même qui j'étais.

— Souvenez-vous, inspecteur, que je me suis déjà sortie, à mains nues, de situations plus dangereuses.

Il fronça les sourcils, chercha dans ses souvenirs. Enfin, il émit un petit rire, à la fois désapprobateur et narquois.

— C'est vrai, j'avais oublié. Le type au couteau, il y a deux ans... Vous lui avez proprement cassé le bras.

— C'était le coude, et il se l'est brisé tout seul.

— Tout de même, cela aurait pu être dangereux. Que se serait-il passé si le jeune Edwards avait été capable de... ?

— Me battre sur mon propre terrain ? J'étais persuadée du contraire. On devine sans peine ce genre de chose à la démarche des gens, qui en dit long sur leurs aptitudes physiques.

« En tout cas, poursuivis-je, vous avez mon histoire. Le colonel Edwards avait un mobile pour tuer Dorothy Ruskin, l'organisation et l'expérience nécessaire pour saisir la bonne occasion et aller jusqu'au bout. Il disposait d'hommes de main : son chauffeur et son fils. Il se trouvait non loin du lieu de l'assassinat. Il ne possède pas d'alibi sérieux pour ce qui s'est produit après le meurtre, la fouille de la chambre d'hôtel de la victime ou les événements de la nuit d'après. Quant à son fils, il n'était pas en Écosse, mais dans le sud de l'Angleterre le matin suivant la mise à sac de notre maison. Autre élément troublant : la personne qui a fouillé dans nos papiers s'est intéressée en premier lieu aux documents écrits en alphabets étrangers ou comportant des symboles chimiques et mathématiques, qui ressemblent à s'y méprendre à un langage codé. Le grec a été négligé, mais les pages que les cambrioleurs ont emportées incluaient un commentaire du Talmud sur les femmes remontant au XVIIe siècle, un sermon du XVIe en écriture gothique, un traité de broderie sorti de la plume d'un moine irlandais, rédigé en latin mais tellement orné qu'il en devenait illisible, des hiéroglyphes égyptiens de la IIe dynastie, en fait une copie réalisée au milieu du siècle dernier, et cinq ou six pages d'un texte copte. Aucun de ces documents n'ayant la moindre valeur, nous pouvons écarter l'hypothèse d'un collectionneur de manuscrits rares. Je remarque simplement que Gerald Edwards connaît le grec et, à mon avis, le latin, mais pas l'hébreu, certainement pas le vieil-allemand et je doute qu'il ait jamais lu une ligne de copte.

— Vous ne tenez donc pas compte des indices qu'ils ont laissés derrière eux, Russell ?

— Holmes, il y a encore vingt ans, les cheveux que vous avez prélevés auraient eu une grande importance. Aujourd'hui, la connaissance des méthodes d'investigation est trop répandue pour que je me satisfasse d'un cas reposant uniquement sur cinq cheveux et un peu de boue. De nos jours, le moindre garçon boucher a entendu parler d'empreintes digitales, de traces de pneus et de tout ce dont vous avez été le pionnier. Nos cambrioleurs aussi, puisqu'ils n'ont pas une seule fois ôté leurs gants. Vous avez trop bien réussi, Holmes ; dès qu'une technique policière s'affine, les criminels et les auteurs de romans policiers s'en emparent. Ces cheveux ont très bien pu être placés à dessein pour que nous les trouvions.

— Ma chère Russell, ainsi que vous l'avez reconnu, je ne suis pas encore sénile. Il est évident que ces cheveux ont pu être mis là pour brouiller les pistes. C'est une hypothèse séduisante, plausible, même. Mais je n'y crois pas. Maintenant, si vous avez terminé, je crois que les yeux brillants de l'inspecteur Lestrade et sa position sur le bord de son fauteuil trahissent une envie brûlante d'entrer en piste. Qu'avez-vous pour nous, Lestrade ?

— Nous avons vécu une semaine intéressante, monsieur Holmes. En premier lieu, nous avons réussi à retrouver une infirmière qui travaillait dans l'hôpital où est morte Mme Edwards. Elle s'en souvenait très bien, car elle était diplômée depuis peu et il s'agissait de son premier décès. Mme Edwards a été admise pour un accouchement. L'enfant, une fille, a vécu moins d'une heure. La mère l'a suivie deux jours plus tard. Quant à l'homme qui l'avait accompagnée... c'était une femme. L'infirmière en a gardé une image précise parce qu'elle était vêtue et s'exprimait comme un homme. Elle paraissait très nerveuse, mais elle est restée pour assister Mme Edwards lors de sa délivrance. L'infirmière a eu le sentiment que cette inconnue était actrice, ou chanteuse, et qu'elle a été obligée de partir le lendemain parce que sa tournée se poursuivait. Elle a téléphoné plusieurs fois, s'est entretenue avec l'infirmière. Elle semblait satisfaite des progrès de son amie. Tout d'un coup, l'état de Mme Edwards s'est aggravé. Elle est morte en pleine nuit d'une fièvre puerpérale. L'infirmière n'était pas de service lorsque la femme a rappelé et elle n'en a plus jamais entendu parler.

— Le colonel Edwards était-il au courant de tout cela ? demandai-je.

— Nous nous sommes posé la même question. La réponse est oui. L'infirmière a rédigé un bref rapport pour le dossier, que le colonel a lu. Elle le lui a plus tard confirmé de vive voix, lorsqu'il lui a rendu visite au début de l'année 1919.

— Il savait donc que sa femme avait mis son enfant au monde alors qu'elle s'était enfuie quelque temps plus tôt avec une mystérieuse artiste. Et qu'on avait consigné les faits dans un dossier qui a, par la suite, opportunément disparu.

— Il y a plus. L'infirmière se souvient également très bien du bébé. Elle le tenait dans ses bras à l'instant de sa mort. À son avis, il n'avait pas plus de cinq mois de gestation, six au grand maximum.

— Et le colonel avait regagné le front en automne... murmurai-je.

— En novembre. Un peu plus de huit mois plus tôt.

— N'aurait-il pas bénéficié d'une permission dont la trace écrite se serait perdue ?

— Peu probable.

— Quelle sordide histoire ! On ne peut s'empêcher de se demander...

— Si c'est lui qui a conduit sa femme jusque-là ou si c'est elle qui l'a amené à devenir ce qu'il est aujourd'hui ? déclara Lestrade avec une perspicacité inattendue.

— À présent, je boirais bien un cognac, Mycroft. Je me sens frigorifiée.

Conséquence de la bouche du cheval tirant fortement sur les rênes et de la succession de longues et pénibles journées, la douleur de mon épaule se faisait lancinante. Je l'ignorai et me concentrai sur les propos de l'inspecteur.

— En second lieu, nous avons enquêté sur tous les spectacles itinérants à l'affiche à York ce mois-là, depuis les troupes de théâtre jusqu'aux danseuses de boîtes de nuit. Nous sommes tombés, tout en bas de l'échelle, sur une troupe entièrement féminine spécialisée dans des versions musicales grivoises de pièces d'Oscar Wilde et de

Shakespeare. Oui, cela peut paraître insensé. Les gens étaient à court de divertissement, à l'époque, mais tout de même... Quoi qu'il en soit, la vieille, euh, bique qui dirigeait la troupe, la « mère Timkins », ainsi qu'elle se désignait elle-même, vit toujours, par miracle, et tient, euh, une maison à Stepney.

— Une « maison », inspecteur ? De mauvaise réputation ?

— Euh, oui, mademoiselle. C'est le mot. Elle se souvient de Mme Edwards, mais sous une autre identité. L'épouse du colonel a passé cinq ou six mois dans la troupe. Elle l'a intégrée à Portsmouth, a eu des nausées pendant deux mois et venait juste de commencer à, euh, se produire quand elle est morte à York. La femme vêtue en homme qui l'a emmenée à l'hôpital était probablement Annie Graves. Nom de scène : Amanda Pillow. Elle et Mme Edwards étaient intimes.

— Amantes ? lançai-je brutalement.

Sa pudibonderie devenait exaspérante. Il s'empourpra, consulta fébrilement ses notes.

— Euh, la vieille Timkins pense que c'est possible, bien qu'il y ait eu quelques hommes dans le sillage de ces dames. De toute évidence, il y en a eu au moins un.

Il s'éclaircit la gorge et poursuivit :

— La, euh, chose intéressante est qu'elle a affirmé au colonel que les deux femmes étaient effectivement, comme vous dites, amantes, quand il est venu la voir en mars 1919. Un mois plus tard, il recevait son ordre de démobilisation.

— Quatre mois avant d'être soigné pour alcoolisme ? Qu'est devenue Annie Graves ?

— Elle a été tuée.

Nous levâmes tous les yeux.

— En juin de la même année. Elle est partie avec quelqu'un après une représentation. On l'a retrouvée le lendemain à 4 heures du matin sur une petite route de campagne, à quarante kilomètres de là. Morte depuis deux heures. Alors qu'elle marchait en titubant sur ses hauts talons, complètement ivre, une voiture l'avait percutée. Son corps était étendu dans l'herbe, sur le bas-côté, mais bien visible dès le lever du jour. On n'a jamais retrouvé la voiture. Ni la personne avec qui elle était partie.

Tout au long de mon exposé, Holmes m'avait écoutée poliment, ce qui signifiait, à ma grande irritation, qu'il saisissait à peu près un mot sur trois. Les dernières révélations de Lestrade eurent sur lui l'effet contraire : il parut abasourdi, comme s'il venait de découvrir sur un de ses instruments de laboratoire un défaut remettant en cause les résultats d'une expérience. Il ne fit aucun commentaire, écrasa presque son cigare, puis tenta de le rallumer.

— En outre, poursuivit l'inspecteur en jetant un coup d'œil sur ses notes, il pourrait y avoir une légère contradiction entre les déclarations du colonel à propos de l'heure de son retour chez lui et le moment exact. Je dis « pourrait », parce que le voisin qui a vu sa voiture revenir possède une pendule plus que douteuse, qui, ce soir-là, pouvait aussi bien avancer que retarder de dix minutes. Selon le colonel lui-même et le maître d'hôtel du restaurant, il a quitté l'établissement juste avant minuit, à trois ou quatre minutes près. À cette heure de la nuit, il faut dix-huit minutes en conduisant lentement et dix en allant vite pour aller chez lui. Le voisin estime qu'il était plus près de minuit et demi quand il est arrivé. Mais, je vous l'ai dit, ce témoignage n'est pas fiable.

— Pourquoi Mlle Ruskin est-elle repartie à pied? s'enquit Mycroft. Ce n'est pas le pire quartier de Londres, mais j'aurais pensé qu'un homme bien élevé aurait insisté pour la raccompagner ou au moins appeler un taxi.

— Si l'on en croit le portier du restaurant, ils ont eu, devant l'entrée, un léger accrochage à ce sujet, qui s'est terminé par le départ de la dame à pied.

— Pourriez-vous nous redonner la déposition du maître d'hôtel? demandai-je à Lestrade.

— J'allais le faire. Il semble avoir passé deux jours à réfléchir, car, lorsque je suis retourné mardi au restaurant, il avait beaucoup plus de choses à me dire. Vous vous souvenez qu'il m'avait raconté avoir assisté à une dispute entre le colonel et Mlle Ruskin. Eh bien, il m'est apparu que, pour un chef du personnel, il n'était guère au courant de ce qui se passait dans l'établissement. Lors de notre premier entretien, je lui ai laissé entendre que je me verrais peut-être obligé d'ordonner à l'agent local de patrouiller plus régulièrement dans le secteur et, de temps à autre, de passer la tête à l'intérieur.

— Coercition, Lestrade ? Ce n'est pas bien, gloussa Holmes, l'air indigné.

— Non. Simple encouragement, qui a d'ailleurs stimulé sa mémoire. Il m'a fourni un récit détaillé des trois heures que le colonel et Mlle Ruskin ont passées à table, avec quelques blancs quand lui, le maître d'hôtel, était ailleurs. Au cours de la première demi-heure, m'a-t-il dit, l'atmosphère était plutôt lourde : longs silences, consultation attentive des différents menus. Il a eu l'impression que le colonel s'était attendu à rencontrer un homme et qu'il était furieux d'avoir à traiter avec Mlle Ruskin. Elle, au contraire, semblait trouver cela très drôle. Les choses se sont tassées et ils ont passé les deux heures suivantes plongés dans la masse de papiers qu'elle avait apportée. Quand ils eurent terminé, vers minuit moins vingt, ils avaient tous deux consommé beaucoup de vin et le colonel avait bu, en plus, trois gins-tonic. Malheureusement, le maître d'hôtel a dû s'absenter juste à ce moment-là : des problèmes en cuisine. À son retour, dix minutes plus tard, les deux convives se regardaient en chiens de faïence, aussi furibonds l'un que l'autre. Le maître d'hôtel s'est inquiété pour le colonel, qui, avec son visage rouge sombre et ses yeux hors de la tête, lui rappelait un client tombé raide mort à cette même table quelques années plus tôt. Il montrait en gesticulant un document que tenait Mlle Ruskin. Toujours selon le maître d'hôtel, il avait l'air consterné. Son interlocutrice, quant à elle, paraissait très sûre d'elle, et il l'entendit plusieurs fois déclarer quelque chose comme : “ Si, c'est possible. ” Quelques instants plus tard, la chaise du colonel se renversa. Le maître d'hôtel leva les yeux et le vit, je cite, “ debout devant la vieille dame, prêt à lui arracher le document des mains ou à la frapper. Mais elle se contentait de le fixer sans ciller, en riant presque. Lui tremblait de tous ses membres, comme s'il allait exploser de rage ”.

« C'est à ce moment-là qu'il a demandé à utiliser le téléphone. Le maître d'hôtel lui a apporté un double cognac dans le bureau du directeur, où il s'est enfermé pendant dix bonnes minutes pour téléphoner. Il est revenu presque calmé, s'est assis et a eu avec mademoiselle Ruskin, pendant encore une vingtaine de minutes, une conversation tendue. Tout d'un coup, Mlle Ruskin a rangé ses papiers dans son porte-documents, s'est levée et est sortie. Il l'a rejointe sur le trottoir, lui a proposé de la reconduire à son hôtel, offre qu'elle a refusée. Elle est morte environ un quart d'heure plus tard.

— Ces mots qu'elle a prononcés : « Si, c'est possible », sont exactement ceux qu'elle a employés devant moi l'après-midi où j'ai mis en doute l'authenticité du manuscrit. Elle lui en a donc certainement montré une copie.

— Je suis d'accord avec vous, mademoiselle Russell, répondit Lestrade en réprimant un bâillement qui lui fit monter les larmes aux yeux. Excusez-moi. Il y a quinze jours que je n'ai pas eu une vraie nuit de sommeil.

— Les meurtres du Kent? murmura Mycroft avec sollicitude.

— Oui. Et hier, je suis descendu en Cornouailles, où un enfant a été assassiné. Sombre affaire. Nous avons quand même un témoin, ce qui pourrait nous aider. Quant aux vôtres, Mlle Chessman et M. O'Rourke, ils ne nous ont été d'aucune utilité. Lui avait tout le temps le dos tourné : il grimpait le long d'une gouttière pour aller cueillir une fleur dans un bac sur une fenêtre, afin de l'offrir à sa dulcinée, qui, elle, a des trous de mémoire, devient hystérique et fond en larmes dès qu'on l'interroge. Elle soutient qu'elle a vu le vieux mendiant assis et Mlle Ruskin remonter la rue mais, pour la suite, elle ne se souvient que de la peinture luisante et noire, et du sang. Aucun intérêt pour l'enquête...

« Maintenant, Mme Rogers... Vous comprendrez, je l'espère, que ce cas passe pour nous au second plan, bien après les deux femmes poignardées dans le Kent et la mort affreuse du petit garçon en Cornouailles, ce qui explique la lenteur avec laquelle les informations nous parviennent. Tout ce que j'ai à ajouter à propos de Mme Rogers est que ses deux fils ont les cheveux grisonnants, puisque vous nous avez demandé de le vérifier, monsieur Holmes. Le premier est marin, comme son père. Il n'est pas marié, du moins en Angleterre, et navigue depuis le mois de mars. L'autre a épousé une Italienne. Le couple a quatre fils et trois filles, âgés de quinze à trente-deux ans. Les deux plus jeunes, plus une de leurs filles, mère célibataire, et son enfant, vivent toujours sous leur toit, mais les autres sont dispersés de Lincoln à Bath. J'avais commencé à me renseigner sur eux avant de recevoir votre télégramme, précisa-t-il avec un léger ton de reproche auquel Holmes réagit par un aimable hochement de tête. Trois membres de la famille ont déjà eu affaire à la justice. Il y a quelques années, le fils marin a brisé une bouteille sur la tête de quelqu'un au cours d'une rixe. Il a écopé de quatre mois. Une des petites-filles, à présent âgée de trente ans, s'est fait coffrer pour vol à l'étalage il y a sept ans. Et un petit-fils, Jason, vingt-six ans, semble avoir eu de mauvaises fréquentations pendant sa jeunesse : cambriolage, recel. Mais jamais de violence. Soit il a décidé qu'il n'était pas doué pour ça, soit il s'est soudain amendé. En tout cas, depuis quatre ans, il se tient à carreau. Et avant que vous me posiez la question, monsieur Holmes, la plus grande partie de la tribu a les cheveux bruns...

« Enfin, la famille ibn Ahmadi et ses griefs contre Mlle Ruskin. Les premiers rapports...

Je l'interrompis.

— La famille quoi ?

— Ibn Ahmadi, répéta-t-il en faisant de son mieux pour prononcer le nom correctement. Mille excuses, j'oubliais à quel point la semaine a été chargée. Il s'agit de la famille mentionnée par M. Mycroft Holmes et qui a été spoliée d'une terre en Palestine.

– « Mad », suggérai-je, me rappelant cette onomatopée employée par Erica Rogers dans sa lettre à sa sœur : *« Des noms très longs et étrangers... L'un d'eux se terminait par quelque chose comme" mad "*.

D'abord décontenancé, Lestrade acquiesça.

— Oui, c'est ce qu'elle dit sans sa lettre. Pas moins de vingt-quatre membres du clan se trouvent actuellement en Grande-Bretagne ; tous de sexe masculin, sauf quatre, et tous, je suis prêt à le parier, ont des cheveux noirs. On enquête discrètement sur eux, mais j'ai bien peur que ce soit long et, à mesure que les jours passeront, peu fructueux.

— Je ne vois pas quel rapport il pourrait y avoir entre les Ahmadi et la mise à sac de notre cottage, grommela Holmes. Avec l'assassinat de Dorothy Ruskin, peut-être, mais avait-elle en sa possession quelque chose qu'ils convoitaient ? Mycroft ?

Curieusement, il ne paraissait pas concerné. Son frère se pencha en avant, ses yeux gris braqués sur le verre de cognac qu'il serrait dans son énorme main.

— J'ai bien peur d'avoir à placer une autre piste sur notre chemin en répondant par l'affirmative.

Holmes eut un geste d'agacement, accompagné d'un ricanement sarcastique. Mycroft ne le releva pas.

— Un de mes... collègues a réussi à identifier le chauffeur de taxi qui a chargé Mlle Ruskin devant son hôtel mardi matin.

— Pas facile, dans cette ville, remarquai-je.

Son gros visage prit une expression satisfaite, tel un chat gavé de lait chaud.

— J'ai été, effectivement, très satisfait de ce résultat. Fort heureusement, le chauffeur n'a pas emmené Mlle Ruskin jusqu'à une gare ou une station de métro, mais à une adresse bien précise : une maison. Ayant commencé à m'intéresser à cette affaire, je m'y suis rendu moi-même, pour découvrir que la famille qui y vivait n'avait jamais entendu parler de cette femme. Même chose pour les occupants des quatre maisons situées de chaque côté de la première. De plus en plus intrigué, j'ai remonté la rue. Je suis alors tombé sur une maison qui n'avait rien de familial : rideaux tirés, multiples traces de va-et-vient de piétons et de cyclistes, pas de poignée de porte à hauteur d'une main d'enfant, bref, toutes ces indications minuscules que vous repérez aussi bien que moi. Je connaissais cette adresse pour l'avoir lue dans un rapport qui avait atterri sur mon bureau quelques mois plus tôt. C'était celle d'une de ces organisations anodines qui ont trouvé refuge à Londres, inoffensives à première vue, mais susceptibles de poser des problèmes à long terme. Je sonnai à la porte et demandai à l'homme qui vint m'ouvrir si je pouvais parler à la personne qui, ce mardi-là, avait rencontré Mlle Dorothy Ruskin.

« Il se montra plus que réticent. Je dus, pour qu'il accepte de me faire entrer, user d'un ton menaçant. Après avoir hésité, il s'éclipsa et revint en compagnie d'un autre homme ; sans doute le responsable de cette maison, qui, vous l'avez deviné, abrite des bureaux de l'organisation sioniste de Weizmann. Je ne vous imposerai pas les détails de notre conversation, très intéressante au demeurant. Sachez simplement que nous nous sommes découverts un certain nombre d'amis communs. Aussi, lorsque j'abordai le délicat sujet de Mlle Ruskin, mon nouvel ami le rabbin admit volontiers qu'elle était en effet venue, avec une épaisse enveloppe contenant des lettres et des papiers en provenance de Palestine. Elle avait appris au rabbin, entre autres choses, que le cas de la famille ibn Ahmadi était loin d'être réglé. Elle prévoyait même une escalade des hostilités, aussi bien en Palestine qu'au-dehors. Elle craignait que ce litige ne serve de détonateur et tenait à mettre son ami en garde.

— Peu concluant, mais intéressant, marmonna Holmes, toujours grincheux. Combien de temps est-elle restée ?

— Environ deux heures et demie. Un de leurs hommes avait une course à faire dans le centre et ils ont partagé le même taxi jusqu'à Paddington, où il l'a déposée juste avant midi.

— Oxford ! m'écriai-je en entendant le nom de la gare. Je vous ai dit qu'elle était allée à Oxford. Avez-vous obtenu des résultats avec les noms que je vous ai donnés, inspecteur ?

— Pas le moindre. Le vieil homme de la bibliothèque était absent une partie de la journée et il ne l'a pas vue.

— Jedediah malade ? La bibliothèque n'y survivra pas. Il est là depuis le Déluge.

— Il enterrait sa mère. Elle avait cent deux ans.

— Vous me rassurez !

— Autre chose, Mycroft ? intervint Holmes, aussi poli qu'un pianiste virtuose assistant à un récital d'enfants.

— On m'a autorisé à examiner le contenu de l'enveloppe. Rien d'important : ni documents personnels, ni testament. C'est tout, Sherlock. À toi...

— Merci, dit Holmes.

La vivacité de sa voix me fit comprendre aussitôt que mes efforts de ces derniers jours avaient été vains. Holmes avait l'affaire en main. Mycroft, Lestrade et moi n'avions été que des comparses, égarés sur des pistes aussi inconsistantes les unes que les autres. Tout ce que nous avions fait s'écroulait comme une maison de bois dévorée par les flammes. Le regard dédaigneux de Holmes nous renvoyait à notre insignifiance. J'en conçus une amertume proche de la haine, une colère mâtinée de honte qui me submergea tout entière. Cela ne dura que quelques secondes. Je repris mes esprits et laissai ma vanité au vestiaire, espérant que les yeux de Holmes n'avaient rien remarqué.

— Bien. Lestrade, voudriez-vous tirer cette caisse jusqu'à moi ? Mettez-la ici. Merci.

Il se pencha, dénoua la ficelle sale, souleva le couvercle avec une solennité de prestidigitateur. La caisse contenait un fatras de bouts de métal chromé et de verre brisé, un morceau de garde-boue cabossé et les inévitables enveloppes d'indices. Mon cœur se souleva, puis se mit à battre la chamade. Je dus bouger ou faire du bruit, car Holmes me regarda.

— Oui, Russell, l'arme du crime. Ou plutôt des portions de cette arme... Nous savons que Mlle Ruskin a été percutée par une voiture qu'on n'a pas retrouvée abandonnée quelque part. Il ne s'agissait donc pas d'une automobile volée... Pourquoi avoir utilisé ce moyen, qui nécessite la participation d'au moins deux personnes et provoque sur le véhicule des dommages qui parlent d'eux-mêmes ? La personne qui a conçu ce plan devait donc avoir l'automobile sous la main et, surtout, le moyen de réparer les dégâts. Il me fallait par conséquent chercher un garage, avec le risque que les meurtriers aient déjà effacé toute trace de l'“ accident ”. Heureusement, ils se sont montrés trop sûrs d'eux. Jason Roberts s'est débarrassé des pièces compromettantes en les mêlant à un lot de débris vendu à un ferrailleur local, chez qui je les ai récupérés.

« Hélas, leur imprudence s'est arrêtée là. Ils avaient soigneusement lavé la voiture avant de la remettre en état. Nous ne trouvons ici que trois petits dépôts de ce qui pourrait être du sang séché, le plus visible étant là, sur le phare cassé. Les échantillons de peinture noire provenant du garde-boue se trouvent dans l'enveloppe. Il faudra les comparer, Lestrade, avec ce que pourrez trouver sur le bouton et les épingles à cheveux en votre possession. J'ai également découvert parmi les débris plusieurs cheveux et une minuscule parcelle de tissu qui ressemble fort à celui du manteau de Mlle Ruskin. Les empreintes digitales ne m'ont été d'aucune utilité. Toutes appartiennent aux mécaniciens du garage de Jason ; et, ainsi que vous l'avez noté, Lestrade, la plupart des petits-fils de Mme Rogers ont les cheveux noirs, y compris Jason et son frère cadet Todd, qui travaille parfois dans son atelier. J'ai prélevé des échantillons au dos du fauteuil de Jason Rogers, dans son bureau, bien que, vous le savez, on ne puisse rien espérer de plus qu'une similitude probable avec ceux du cottage. J'ai expérimenté différentes méthodes de comparaison des cheveux, mais je n'ai pas encore trouvé la plus fiable.

Quatre paires d'yeux plongèrent à l'intérieur de la caisse, comme s'il allait en jaillir la preuve définitive. Enfin, Lestrade ferma son carnet.

— Je vais confier ces pièces à notre laboratoire, monsieur Holmes. Avec tous mes remerciements. Je m'abstiendrai de vous demander comment vous les avez obtenues.

— Oh, de façon tout à fait légale, et des plus régulières, Lestrade, je vous assure. Hormis un lot de ferraille acquis par une entreprise récemment créée, la « Sigerson Limited ». Vous recevrez la facture dans la matinée. Vous serez peut-être moins heureux d'apprendre comment je me suis procuré une certaine lettre. Vous l'avez, Russell ?

Je l'avais gardée sur moi toute la journée, sous mon chemisier, avant de la glisser dans mon sac. Je la tendis à l'inspecteur, qui fronça les sourcils à la vue de ses trous et de ses taches d'encre. Après l'avoir lue, il siffla doucement et la passa à Mycroft.

— Il semble que le colonel Edwards soit de moins en moins impliqué... Qu'en dites-vous, monsieur Holmes ?

— Je partage votre avis, répondit Holmes d'une voix neutre, en évitant mon regard.

Je ressentis une nouvelle bouffée de colère, comme si on venait de déclasser à l'arrivée un pur-sang sur lequel j'aurais misé une fortune.

— J'ai l'impression qu'il en va de même pour les Arabes de Mycroft, lançai-je sans pouvoir dissimuler ma mauvaise humeur.

Holmes me jeta un coup d'œil amusé et se leva.

— Je crois que nous avons terminé. À quand la prochaine réunion ?

— Pas demain, répliquai-je. Je rentrerai tard. Mardi ?

Tout le monde approuva et nous nous dispersâmes.

Sur le chemin du retour, Holmes et moi n'échangeâmes que quelques mots. Il devait restituer le taxi à son propriétaire. La pluie devenant de plus en plus forte, il s'arrêta devant la pension pour me déposer.

— Vous ne serez pas trop long ? murmurai-je, la main sur la poignée de la portière, comme s'il s'apprêtait une nouvelle fois à disparaître plusieurs jours.

— Vingt minutes. S'il est là, je lui demanderai de me ramener.

Je hochai la tête, entrouvris la portière. Il arrêta mon geste.

— Vous savez, Russell, un des inconvénients du travail en équipe est qu'il ne faut pas tenir compte de la susceptibilité de son partenaire. *Russell proponit sed Holmes disposit.* Il n'est pas donné à tout le monde d'avoir le courage, après un échec, de repartir du bon pied comme si de rien n'était. C'est une force, Russell. Et cette force, vous l'avez. Vous êtes un bon partenaire : le meilleur que j'aie jamais eu.

De sa part, c'était un beau compliment. Il tourna vers moi son visage et me sourit. Rassérénée, je lui rendis son sourire avant de sortir sous les trombes.

CINQUIÈME PARTIE

Du lundi 3 septembre au mardi 5 septembre 1923

La plume du poète donne un nom à l'impalpable.

SHAKESPEARE

19

Tau

Je ne me lasserai jamais d'Oxford. Dès que je descends du train, je me sens happée par son architecture hors du temps et son atmosphère moyenâgeuse, si prenante que j'ai l'impression d'entendre, le long du canal nimbé de brume, le grincement des chars à boeufs d'autrefois. À Oxford, je suis chez moi, dans mon univers.

Cette fois, je m'y étais rendue pour trois raisons. Il ne me fallut que deux heures pour venir à bout de ma première tâche. Sans être spécialiste de l'histoire de l'Égypte moderne, je n'eus aucun mal, les méthodes de recherche étant les mêmes pour n'importe quel sujet, à rassembler la documentation que m'avait demandée le colonel Edwards. J'abandonnai ensuite l'Égypte pour me consacrer à mes propres projets, qui me passionnaient bien davantage.

Je passai d'abord à la bibliothèque Duke Humphrey, où je savais que je tomberais sur des visages connus. Je n'avais, pour tout matériel, que mon stylo, un carnet de notes et une page comportant une vingtaine de mots. J'aperçus, dans la grande salle de lecture, trois têtes familières : bon début. Je réunis mes deux camarades d'étude et m'approchai du troisième personnage, un professeur d'histoire religieuse. Je leur expliquai à tous la cause de ma présence.

— J'aurais besoin que vous m'aidiez à résoudre un petit problème. Voici un très vieux manuscrit qui pourrait, à mon avis, avoir été écrit par une femme. Un ami graphologue m'assure que si je parvenais à recueillir des échantillons d'écriture masculine et féminine en grec et en hébreu, cela l'aiderait, par comparaison, à déterminer avec certitude le sexe de l'auteur.

— Quelle bonne idée ! s'écria le professeur, les yeux brillants derrière ses grosses lunettes. L'autre jour, justement, j'étudiais à la Bodléienne une série de lettres, dont deux avaient une connotation typiquement féminine. Bien sûr, elles sont en latin, mais si vous arriviez à quelque chose avec votre méthode, je pourrais vous les montrer. Avez-vous une préférence pour une phrase ou des mots en particulier ? ajouta-t-il en tendant la main vers son stylo.

— Oui, voici la liste ; et servez-vous de mon stylo. J'aimerais que tous les échantillons soient de la même plume.

Il fronça les sourcils en parcourant la liste, mais la transcrivit d'une main sûre avant de me rendre le stylo et le carnet. Les deux autres firent de même. Je notai leur nom sur chaque page, les remerciai et les laissai à leurs livres.

Les réactions de tous ceux à qui je demandai le même service au cours de la journée témoignèrent de la même curiosité et de la même excitation intellectuelle, surtout pour les mots que j'avais choisis, qui incluaient, en grec, *Jérusalem, Temple, Rachel, folie, Romains* et, en hébreu, *jour, ténèbres, terre* et *désolation.* Tous se prêtèrent de bonne grâce à ce petit jeu, sauf un vieux professeur aux doigts déformés par l'arthrite, et tous me demandèrent de leur communiquer les résultats de mon expérience. En début d'après-midi, mon carnet était plein. En outre, quelques heures plus tard, je savais enfin comment Dorothy Ruskin avait employé la journée de mardi, dont, jusque-là, Holmes, Lestrade et moi ignorions tous. Dans la soirée, après avoir avalé une tourte à la viande et une chope de bière au *Eagle and Child*, je repris, ragaillardie et pleine de confiance en moi, le train pour Londres.

Il était presque 21 heures lorsque je dis : « Bonsoir, Billy » dans le couloir désert et entendis sa réponse à travers sa porte. La chambre attenante à la mienne était vide, ce qui ne me surprit qu'à moitié. Je pris un bain, vérifiai que j'avais une robe repassée pour le lendemain, puis m'installai à la petite table proche de la fenêtre, avec une lampe et le carnet. Peu après minuit, une clé tourna dans la serrure de la chambre voisine. Quelques instants plus tard, le visage louche de mon mari, affublé d'un œil aveugle, de dents noirâtres et de lèvres tombantes, me lorgna par l'entrebâillement de la porte.

— Bonsoir, Russell. On travaille toujours, à ce que je vois. Je suis à vous dans une minute.

Il disparut. Je fermai mon carnet, me levai et allai à la porte, où, les bras croisés, appuyée contre le chambranle, je le regardai se débarrasser de son déguisement. Il y avait dans son maintien et dans ses yeux, tandis qu'il fourrait ses oripeaux au fond de l'armoire, une légèreté que je ne lui avait pas connue depuis longtemps. Il semblait avoir rajeuni de vingt ans. Il revêtit une chemise immaculée et sa robe de chambre puis, devant le miroir, ôta ses faux sourcils et son maquillage. Enfin, il redevenait lui-même. Apercevant mon reflet dans la glace, il me sourit.

— Qu'est-ce qui vous amuse, chère épouse et collègue ?

— Vos métamorphoses me mettent toujours en joie. Qu'avez-vous fait, aujourd'hui ?

— J'ai lu la Bible.

— Vous ? Vous n'en possédez même pas un exemplaire.

— Maintenant, si. Grâce à votre ami le colonel. J'ai passé la soirée en compagnie de pauvres hères dans mon genre qui, après une étude rudimentaire des Écritures, reçoivent pour leur peine un repas chaud.

— La paroisse du colonel tient une soupe populaire ? Cela ne me surprend pas. Mais comment l'avez-vous retrouvé ? Vous l'avez suivi toute la journée ?

— J'ai commencé par la librairie-imprimerie d'où sortent les pamphlets sur les femmes que vous avez dénichés chez lui. Au fil de notre conversation, l'imprimeur m'a parlé d'une conférence sur les femmes dans l'Église, qui devait avoir lieu l'après-midi. J'y suis allé et je me suis retrouvé assis deux rangées derrière le colonel Edwards.

— Pas déguisé en miséreux, j'espère ?

— Rassurez-vous. J'étais un respectable gentleman à la barbe fine et bien taillée. Éminemment instructive, cette conférence. Vous l'auriez trouvée très stimulante.

— Je n'en doute pas. Donc vous l'avez suivi jusqu'à l'église, vous vous êtes changé pour revêtir l'apparence d'un pauvre borgne et vous vous êtes arrangé pour qu'il vous serve une soupe et fasse de son mieux pour sauver votre âme.

— En gros, oui. Ce fut une journée particulièrement amusante.

— Peut-être. Étiez-vous pour autant obligé d'ingurgiter du mauvais gin ? Votre haleine empeste.

— Mille excuses. Mais cela cadrait bien avec mon personnage et le roman que j'ai débité à Edwards... Et vous ? Comment s'est déroulée votre journée ?

— Le mieux du monde, du début à la fin. J'ai récolté soixante-sept échantillons d'écriture. J'ai également recueilli les renseignements que m'a demandés le colonel. Acheté deux livres, dont un épuisé depuis 1902. Eu une conversation agréable avec quelques amis devant une tourte et une bière, et rencontré un vieil original nommé Tolkien, chargé de cours de littérature anglaise à Leeds, passionné de poésie primitive anglo-saxonne et de légendes scandinaves. Et, ah, oui, j'ai découvert où se trouvait Mlle Ruskin le mardi après-midi...

Il se leva, alluma sa pipe.

— Bien joué, Russell. J'espérais que vous parviendriez à le savoir.

— Une fois que j'ai eu le nom de son collège, cela n'a pas été bien difficile. La doyenne était là. Je n'ai eu qu'à lui demander si elle pouvait m'indiquer certains de ses proches amis. « Quelle coïncidence ! m'a-t-elle dit. Je l'ai revue dans la rue il y a à peine quinze jours. Elle m'a à peine reconnue. Pauvre chérie, elle voit de plus en plus mal... » Non, elle ne savait rien. Je lui ai appris la nouvelle. Cela lui a fait de la peine. Elle m'a donné le nom de cinq de ses amies, dont trois dans les environs d'Oxford. J'ai eu de la chance. Deux avaient le téléphone. Elles n'avaient reçu aucune nouvelle d'elle depuis bien longtemps. Je me suis rendue en taxi à l'adresse de la troisième, où j'ai trouvé porte close. Mais sa voisine, qui devait m'espionner derrière ses rideaux de dentelle, est sortie et m'a appris que cette chère Mlle Lessingham avait été hospitalisée trois semaines plus tôt à la Radcliffe Infirmary, après une fracture du col du fémur. Là, on m'a dit qu'en effet « cette chère Dorothy » avait passé plusieurs heures au chevet de Mlle Constance Lessingham, son ancienne tutrice et son amie de toujours. En fait, elle y était restée tout l'après-midi. Elle lui avait fait la lecture et l'avait aidée à écrire plusieurs lettres avant de la quitter et d'attraper le train de 20 h 10 pour Paddington.

« Vous auriez dû la voir, Holmes, couchée dans son lit, avec son bonnet qui l'aurait fait ressembler, si elle avait été moins maigre, à la reine Victoria, supportant stoïquement les infirmières, les médecins, ses amis, les petits-enfants de ses anciens étudiants, et j'en passe. Presque centenaire, mais d'une lucidité admirable. Je lui ai parlé du manuscrit, qui l'a fascinée. Elle m'a obligée à le lui lire deux fois : dans sa version originale, puis dans sa traduction anglaise. Ensuite, elle s'est assoupie dix minutes. Quand elle s'est réveillée, je lui ai annoncé le décès de Dorothy et raconté les circonstances de sa mort. Tout d'abord, elle n'a rien dit. Elle a fixé les nuages, au-delà de la fenêtre. Deux larmes ont coulé le long de ses joues ravinées. Enfin, elle a murmuré : " Elle est le soixante et onzième de mes étudiants à me précéder. Chaque fois, je me dis que c'est injuste. Ils étaient mes enfants, vous savez. Et une mère ne devrait jamais survivre à ses petits. Enfin, c'est sans doute ma faute. Je mets trop de temps à mourir... "

« Elle est revenue au manuscrit. Je lui ai posé plusieurs questions, au cas où Dorothy lui aurait révélé quelque chose. Mais elles n'avaient fait que parler archéologie et évoquer de vieux amis. Dommage que cet après-midi ne nous ait rien appris de plus... Au moins, il comble un trou béant dans l'emploi du temps de Dorothy Ruskin. Je suppose que son départ et son retour à 22 heures à son hôtel correspondent ?

— J'en ai bien peur.

— Repartez-vous demain pour le Cambridgeshire ?

— Non. Mon travail là-bas est terminé.

Il ne s'agissait pas du papier peint.

— Bien.

— Allons nous coucher, maintenant. Vous m'avez manqué, Russell.

Enfin...

— Vous aussi, lui dis-je.

20

Upsilon

Au milieu de la nuit, Holmes se leva pour aller, me dit-il, réfléchir en fumant une dernière pipe. Le lendemain, à l'aube, lorsque j'ouvris un oeil, je le trouvai toujours lové dans son fauteuil, les yeux dans le vague. Seuls signes qu'il avait bougé pendant la nuit : la soucoupe du bras de son fauteuil regorgeait d'allumettes consumées et de culots de pipe, et il avait écarté le rideau pour ouvrir la fenêtre afin de nous éviter l'asphyxie. Le carnet où j'avais recueilli des échantillons d'écriture était posé sur la table, alors que je l'avais laissé dans un des tiroirs de la commode. Je pouvais presque distinguer la fine couche de fumée grise le long des murs. Je frissonnai en tirant la couverture sur ma tête en guise de protestation.

— Vous ressemblez à un vautour, Holmes !

Quatre heures de sommeil ne me suffisent pas. Je deviens irritable. La vue du carnet éveilla tout de même une faible activité dans mes neurones.

— Que pensez-vous de l'écriture ? bougonnai-je, les yeux toujours fermés.

— Votre papyrus est de la main d'une femme.

— Parfait. Réveillez-moi à 7 heures.

Il ne répondit pas. Pourtant, quelques minutes plus tard, un horrible individu aux mains glacées se glissa dans mon nid douillet, sentant encore le mauvais gin et le tabac.

— Ma chère, mon adorable épouse, murmura-t-il à mon oreille.

— Non!

— Russell, ma douce...

— Non!

— Femme de ma vie, je vais vous fournir une autre occasion de résoudre notre affaire.

— À cette heure?

— Cet après-midi.

Je repoussai les couvertures, le regardai.

— Comment?

— Vous allez voir Mlle Sarah Chessman.

— Le témoin? Mais on l'a déjà interrogée un nombre incalculable de fois. Elle ne se souvient de rien.

— Face à la police, cela n'a rien d'étonnant.

Sa voix devint d'une douceur inquiétante.

— Peut-être a-t-elle besoin d'être questionnée par une personne capable de libérer ses souvenirs enfouis.

Je compris tout de suite de quoi il voulait parler et un frisson me parcourut l'échine.

— Oh, non, Holmes, murmurai-je. Non, vraiment, je ne pourrai pas. Ne me demandez pas ça, je vous en prie.

— Je ne vous demande rien, Russell.

Sa voix était très calme, de plus en plus douce. Il savait très bien ce qu'il faisait.

— J'ai pensé que si cela pouvait l'aider à se remémorer ce qui s'est passé cette nuit-là, vous estimeriez que cela en vaudrait la peine. La décision vous appartient.

— Vous... vous êtes impossible! Bon sang, pourquoi ne le faites-vous pas vous-même? Vous n'avez fait que vous déguiser, tailler des rosiers et déambuler dans un atelier de réparation d'automobiles pendant que je vampais le colonel et esquivais les mains gluantes de son fils. Tout cela pour rien! Et voilà que vous me proposez de me plonger dans les cauchemars de quelqu'un d'autre. Oh, Seigneur!

Je me calai contre le sommet du lit, soupirai profondément.

— Désolée. Je suis désolée, Holmes. Vous avez raison. Vous avez toujours raison. Allez au diable !

Je me tournai vers lui, attentive à son souffle, aux battements de son cœur.

— C'est tout ce qu'il nous reste, n'est-ce pas ?

— Honnêtement, je n'en sais rien. J'aurais dû garder les indices que j'ai donnés à Lestrade et travailler sur eux moi-même. Je suis pétrifié à l'idée que les spécialistes de Scotland Yard pourraient faire de terribles faux pas. Les laboratoires de la police sont soit plus implacables que le jour du Jugement dernier, soit aussi anarchiques qu'une cage de papillons. On ne peut rien prévoir. Nous pouvons toujours attendre de voir ce qu'ils retireront de l'analyse de ces morceaux de métal chromé et de ces restes de peinture. Toutefois, les jurés, eux aussi, aiment les mobiles. Cette pensée me hante. Mais vous avez raison, Russell : nous n'avons aucune raison de nous précipiter chez Mlle Chessman. Pas la moindre. Et même si le laboratoire n'aboutit à rien de concluant, nous avons encore une possibilité. Nous pouvons renoncer. La victime est déjà morte, et je ne vois personne d'autre susceptible de se faire tuer si on ne confond pas l'assassin.

Je me redressai, plongeai mes yeux dans les siens.

— Je n'arrive pas à croire que vous envisagiez cela. Vous devez me trouver bien fragile pour y avoir pensé, ne fût-ce qu'une seconde. Bien sûr que nous continuons. Nous n'avons pas le choix. Le choix, nous l'avons fait il y a des semaines, lorsque nous avons invité Dorothy dans le Sussex. Cela ne veut pas dire que cela m'enchante.

— Non, bien sûr. Vous réfléchirez à cette visite à Mlle Chessman ?

— J'irai ce soir, quand elle rentrera de son travail.

Il ne dit plus rien et me réchauffa jusqu'à l'heure de mon départ. Pourquoi retourner chez le colonel Edwards ? Je n'en savais trop rien, dans la mesure où il était évident, à présent, que la piste était ailleurs. Mais j'avais promis de venir et il m'aurait été difficile de m'expliquer par téléphone. D'un autre côté, je ne voulais pas gaspiller le travail que j'avais accompli la veille à Oxford; et je me sentais un peu responsable du livre. Cela me permettrait aussi et surtout d'oublier l'oppression qui me nouait l'estomac. Je redoutais, en aidant Mlle Chessman à retrouver ses souvenirs de la mort de Dorothy Ruskin, de faire resurgir mon passé, ma propre douleur. Me dernière confrontation avec les deux Edwards aurait raison de mon chagrin.

Pendant toute la matinée, j'entretins le colonel de son livre. Lorsque Alex sonna la cloche du déjeuner, je lui en avais donné les grandes lignes, deux modèles de chapitres et le nom d'un éditeur que m'avait recommandé un ami de mon collège.

Pendant le repas, j'annonçai au colonel qu'on venait de me rappeler chez moi et que je devrais avoir quitté Londres à la fin de la semaine, ce qui, vraiment, me navrait. Grâce au ciel, Gerald ne traînait pas dans les parages.

— Mary, écoutez, si c'est parce que...

— Non, colonel, cela n'a rien à voir avec ce que vous avez fait. Ni avec l'attitude de votre fils. Travailler ici m'a beaucoup plu et j'espérais que nous obtiendrions de bons résultats. En fait, je crois que nous aurions pu devenir amis.

Je réalisai, à ma grande surprise, que je ne mentais pas.

— Je n'avais pas prévu que mes engagements antérieurs réapparaîtraient aussi vite. J'en suis désolée.

— Ne vous excusez pas, Mary. Vous êtes néanmoins une personne très mystérieuse. J'aurais souhaité vous connaître davantage. Croyez-vous que ce soit possible ?

— Colonel, je doute que vous aimiez ce que vous apprendrez. Mais, oui, je reviendrai peut-être, mystérieusement, si vous le désirez. Maintenant, je voudrais vous parler de ce cinquième chapitre. Je pense que vous devriez consacrer quelques pages à la structure familiale et à l'influence subtile des femmes dans la société égyptienne...

21

Phi

À 17 h 20, mon salaire de la semaine dans mon sac, je me postai devant l'immeuble où vivait Mlle Chessman. Dix minutes plus tard, une femme correspondant à sa description descendit d'un omnibus bondé et remonta la rue dans ma direction. Petite, les cheveux lustrés et coiffés à la garçonne, elle portait des vêtements taillés sur mesure pour une personne un peu plus enveloppée qu'elle ne l'était à présent. Sa démarche trahissait une détermination qui me poussa à m'interroger sur le temps qu'il me faudrait pour venir à bout de ses réticences. Je remarquai, tandis qu'elle approchait, la pâleur de sa peau et ce regard fixe, hanté, que j'avais souvent, autrefois, capté dans mon miroir. Elle sortit sa clé, passa devant moi pour ouvrir la porte. Je lui tendis alors une carte à l'allure officielle, que Lestrade avait préparée pour moi.

— Mademoiselle Chessman ? demandai-je.

Elle sursauta, comme si je lui avais crié dans l'oreille, fixa la carte avec un véritable dégoût.

— Oh, nom de nom, encore !

Elle enfonça la clé dans la serrure, poussa la porte et pénétra dans l'immeuble.

— Mademoiselle Chessman ! criai-je derrière elle.

— Entrez, pour l'amour du ciel ! Finissons-en rapidement. Mais ce sera la dernière fois, vous entendez ? La dernière !

Je la suivis dans son minuscule appartement. La pièce principale était d'une propreté impeccable. Elle se dirigea vers la penderie, lissa son imperméable avant de le pendre et de poser son chapeau sur une étagère. Chacun de ses gestes était pesé, méticuleux. Quant à son logis, on sentait qu'elle n'y laissait pas entrer n'importe qui. Cette jeune femme était très différente de la tête de linotte larmoyante que je m'étais attendue à rencontrer. Ma tâche risquait d'être beaucoup plus difficile que prévu.

Elle avait quand même du mal à dissimuler sa nervosité. Elle alla vers un placard et se servit un grand verre de gin, sans rien me proposer. Elle but une grande gorgée, gagna la table placée près d'une des deux fenêtres, prit une cigarette dans une boîte laquée, l'introduisit de façon théâtrale dans un fume-cigarette et l'alluma. Elle tira une bouffée, avala une autre lampée d'alcool, reposa son verre, regarda les voitures qui passaient et resta ainsi, la cigarette au bec et les mains dans les poches, essayant de reprendre le contrôle d'elle-même. Finalement, elle écrasa sa cigarette dans un cendrier immaculé, revint vers le placard à bouteilles et s'adressa à moi par-dessus son épaule.

— J'ai déjà raconté à vos collègues tout ce dont je me souvenais. Trois soirs la semaine dernière, et une autre fois pendant le week-end, à des policiers chaque fois différents. À leur façon de poser des questions, on aurait cru que c'était moi la coupable.

— Je n'appartiens pas à la police, répondis-je doucement.

Elle se retourna, me jaugea de la tête aux pieds.

— On m'a donné cette carte pour que vous sachiez que je suis venue ici avec leur accord.

— Alors qui êtes-vous ? Une journaliste ?

— Non.

Cette perspective me fit sourire.

— Qui, alors ?

— Une amie.

— Pas une amie à moi. Oh, une amie de cette femme ?

Je crus un instant qu'elle allait m'enjoindre de partir. Mais elle leva la main d'un geste fataliste, qui la fit paraître plus petite encore.

— Très bien. Asseyez-vous. Puis-je vous offrir quelque chose ?

— Un petit verre de gin serait parfait.

Je n'avais aucune intention de le boire, mais cela briserait peut-être la glace. Elle alla remplir son verre, m'apporta le mien et s'assit en face de moi. Je la remerciai.

— Vraiment, dit-elle, un peu radoucie, je ne peux pas vous aider. J'ai déjà dit tout ce que je savais. Vous perdez votre temps.

— Elle était mon amie, répliquai-je. Vous êtes la dernière personne, en dehors de ses assassins, à l'avoir vue vivante. Ne voudriez-vous pas essayer encore ? Je sais que ce doit être très pénible pour vous, et je comprendrais que vous n'y parveniez pas.

Son visage s'apaisa. J'entrevis un instant celui qu'elle offrait à ses proches dès que ses défenses tombaient. Elle devait avoir peu d'amis, songeai-je, mais quand elle accordait sa confiance, c'était pour la vie.

— Savez-vous que vous êtes la première personne à me dire ça ? Les autres se sont comportés comme si j'avais aussi peu de sentiments qu'un phonographe.

— Oui, je sais. J'aurais détesté être policier, devoir m'endurcir pour ne pas me faire dévorer par tout cela. Je suis désolée qu'ils aient été horribles avec vous.

— Oh, ce n'était pas le plus grave. Le pire, c'était leur façon d'exiger le moindre détail, l'endroit où je me tenais, où était assis le mendiant, est-ce que le crissement de pneus avait retenti avant ou pendant sa chute, alors que, pendant tout ce temps, je ne pensais qu'au bruit de...

Elle se leva, alla chercher une autre cigarette. Sa voix se durcit.

— C'est stupide, vraiment, mais je ne cesse de penser à la mort de mon chien, écrasé par une carriole quand j'avais neuf ans. Essayez de faire comprendre ça à un inspecteur de Scotland Yard.

Elle rit. Je sus alors qu'elle ne m'aiderait pas, en tout cas pas comme je le souhaitais, si je ne réussissais pas à briser sa carapace. Il me faudrait déployer de gros efforts pour obtenir sa coopération et rien ne me prouvait que les résultats en vaudraient la peine. J'observai ses cheveux lisses, ses vêtements bien coupés. Je me sentis trop grande, mal habillée, mais je sus que je n'avais pas le choix. Je poussai un long soupir.

— Puis-je vous dire quelque chose ?

Elle me dévisagea, puis revint s'asseoir, l'air méfiant. Je lui racontai alors l'histoire que je n'avais jusque-là confiée qu'à deux personnes. L'histoire banale, terrible, d'une automobile dont le conducteur perdait le contrôle et qui heurtait de plein fouet un autre véhicule au sommet d'une falaise donnant sur l'océan Pacifique, et de ce qui était arrivé à l'unique survivante, responsable de l'accident : moi.

Lui raconter cette catastrophe, avec toute la culpabilité que trahissaient mes traits et ma voix, voilà qui était cruel de ma part : je me servais de ma propre douleur pour acheter sa confiance. Quand j'eus terminé, je l'avais gagnée à ma cause, et la tension de son visage n'était que le reflet de la mienne.

— Pourquoi me dites-vous tout ça ? murmura-t-elle. Qu'attendez-vous de moi ?

Je lui répliquai de façon indirecte mais honnête :

— Il faut que vous gardiez à l'esprit que je n'avais que quatorze ans. Pendant plusieurs semaines, je suis passée de moments d'hébétude absolue à des bouffées d'autodestruction. Et d'amnésie. Je ne gardais aucun souvenir de l'accident, du moins lorsque j'étais consciente, jusqu'à ce qu'une psychiatre compétente et d'une sensibilité exceptionnelle me prenne en charge. Oui, vous commencez à deviner où je veux en venir. Avec son aide, j'ai appris à accepter ma douleur, à la regarder en face. Les cauchemars ont repris par la suite, mais, à ce moment-là, je ne bénéficiais plus de son soutien depuis plus de deux mois...

— En faites-vous encore ?

Il y avait, dans sa question, autre chose que de la simple curiosité.

— Non, je ne rêve plus de l'accident.

— Comment vous en êtes-vous débarrassée ?

— Le temps. Et j'en ai parlé à quelqu'un qui se sentait concerné. Cela prend beaucoup de temps...

— De raconter ?

— De réussir à le faire.

J'attendis qu'elle allume une autre cigarette. Une raie parfaite, au milieu de son crâne, séparait ses cheveux.

— Cette psychiatre, comment est-elle parvenue à réveiller vos souvenirs ?

— Par différents moyens, dont certains seraient inadaptés ici. Attendez-vous votre fiancé ce soir ?

Ma question la déconcerta, mais elle répondit franchement :

— Oui. Il sera là à 18 h 30.

Il était 18 h 05.

— En sa présence, avec votre permission et la sienne, j'aimerais envisager une petite expérience. Avez-vous déjà été hypnotisée ?

La méfiance de son regard s'accentua.

— Hypnotisée ? Avec un pendule ou une montre à gousset ? « Vous allez vous endormir » et tout ça ? J'ai assisté à une soirée où un homme le faisait. Il poussait les gens à traverser la fontaine, mais il faut dire que tout le monde était pompette.

— Je vous parle de quelque chose de différent. C'est pourquoi j'aimerais que votre ami soit là avant que nous prenions la moindre décision. Je n'ai pas l'intention de vous hypnotiser, encore moins de vous faire sauter dans une fontaine ou aboyer comme un chien. Ce que je voudrais faire, avec votre entière coopération, serait de vous aider à vous hypnotiser vous-même, afin que vous extirpiez les petits détails que vous avez oubliés à propos de cette nuit-là. Parfois, l'esprit se comporte comme des menottes. Plus on tire dessus, plus elles résistent. Le harcèlement de la police n'a fait que dresser un mur autour de votre conscience. Le but de l'hypnose consiste à vous permettre de vous détendre et de percer des trous dans ce mur.

Cette explication ne valait rien, mais sa simplicité pouvait la rassurer.

— C'est vous qui accomplirez le travail, pas moi. Mais je préférerais que M. O'Rourke soit présent, pour que vous vous sentiez en sécurité.

— Vous ne m'obligerez pas à faire ce que je refuse ?

Elle détestait autant que moi l'idée de perdre le contrôle d'elle-même.

— Même si je le voulais, je crois que je n'y arriverais pas, mentis-je.

Je revins ensuite à la vérité.

— Vous serez consciente et maîtresse de vous tout le temps. Vous vous arrêterez quand vous le souhaiterez. M. O'Rourke pourra s'en assurer.

— Combien de temps cela durera-t-il ?

— Entre une et deux heures. Si vous acceptez de tenter l'expérience ce soir, dis-je, passant en douceur du conditionnel au futur. Vous devriez d'abord manger quelque chose, puis aller au petit coin.

Ces détails triviaux parurent la mettre un peu plus en confiance.

— Tommy... M. O'Rourke vient avec des sandwiches. Nous devions faire un pique-nique.

— Je peux revenir demain...

— Non, ça ira. En fait, vous avez réussi à m'intéresser.

Tommy O'Rourke arriva en avance avec des sandwiches et de la citronnade. Il parut contrarié en me voyant. Mais l'appréhension de sa fiancée s'était muée en enthousiasme et elle lui expliqua tout entre deux bouchées. Je déclinai sa proposition de partager leur pique-nique, bus un peu du café qu'elle avait préparé, puis entrepris de détailler le processus, pour qu'ils sachent l'un et l'autre à quoi s'attendre. Ensuite, Mlle Chessman s'excusa un moment et quitta la pièce.

— Quel est votre sentiment à propos de cette expérience, monsieur O'Rourke ? m'enquis-je.

— Je ne sais pas. Ce peut être une bonne idée. Cet accident l'a bouleversée et je crois que... eh bien, si elle peut avoir l'impression d'être utile, au lieu de se reprocher de ne pas avoir pu secourir la victime, elle se sentirait... je ne sais pas. Elle dort très mal...

Il s'exprimait de façon incohérente, mais semblait très soucieux.

— Vous avez conscience qu'elle pourrait, jusqu'à un certain point, revivre l'accident ? Qu'elle pourrait en ressentir de nouveau toute l'horreur, mais que je l'aiderai à le supporter et que vous ne devrez pas intervenir ? Une interruption pourrait avoir de graves conséquences.

— Je comprends. Dois-je rester assis dans un coin ?

— Des bruits et des mouvements légers ne la dérangeront pas. Mais, s'il vous plaît, ne vous adressez pas directement à elle, à moins qu'elle ne vous le demande... Bon. Vous êtes prête, mademoiselle Chessman ? Installez-vous confortablement. Allongez-vous si vous voulez ou asseyez-vous dans un fauteuil qui soutiendra bien votre tête. Oui, c'est parfait. Un oreiller, peut-être ? Bien. Souhaitez-vous enlever vos chaussures ? Non ? À votre aise.

Ma voix devenait douce, apaisante, rythmée.

— Ainsi que je l'ai précisé, mademoiselle Chessman, le but de cette expérience est de mettre une certaine distance entre le monde qui vous entoure et votre univers intérieur. Nous procéderons par paliers, dix en tout, que nous compterons à rebours. Chacun d'eux vous entraînera un peu plus loin à l'intérieur de vous-même. Ensuite, pour le retour, nous inverserons le processus. À dix, vous êtes alerte, détendue, vous avez les yeux ouverts, vous parlez normalement. Un peu plus tard, approximativement entre six et trois, ou deux, vous éprouverez peut-être des difficultés à vous exprimer. Dans ce cas, si je vous pose une question, j'aimerais que vous bougiez ce doigt-là, à peine, pour répondre oui, dis-je en touchant son index droit, et celui-là, ajoutai-je en touchant son index gauche, pour répondre non. Faites-le maintenant, je vous prie, pour oui. Très bien. Maintenant, non. Parfait. Pour l'instant, nous sommes au stade dix, vos dix doigts sont détendus et chauds. Vous pouvez garder les yeux ouverts si vous le souhaitez, ou les fermer à n'importe quel moment. Cela importe peu, bien que certains préfèrent se concentrer sur un objet en particulier pendant qu'ils descendent les dix marches. Les bruits de la pièce ou les petites réactions de votre corps ne vous distrairont pas. Immergez-vous simplement un peu plus dans l'étape suivante. À présent, nous sommes donc à dix. J'aimerais que vous sentiez chacun de vos doigts, l'un après l'autre, à mesure que je les compterai, en commençant par un.

Je touchai à une cadence lente la dernière phalange de chacun de ses doigts, en les comptant l'un après l'autre, mais je brisai le rythme après neuf. Quelques secondes après le dernier doigt, celui-ci remua à peine et je souris intérieurement. Cette jeune ne marcherait pas seulement à travers une fontaine. Elle commencerait par se déshabiller si je le lui demandais. Les gens intelligents et dotés de bonnes défenses sont souvent les plus faciles à manipuler. Il me faudrait agir avec prudence avant de lui faire quitter son état de transe.

— À présent, vous êtes totalement détendue. Vous êtes consciente de ce que vous faites. Quand nous aurons terminé, vous serez capable d'agir entièrement par vous-même. C'est une chose très utile à savoir, surtout quand on va chez le dentiste. On m'a une fois soigné neuf dents. Descendre d'abord les marches m'a permis de me libérer de mon appréhension. J'ai été capable de répondre aux questions du dentiste et ensuite, je n'ai pas ressenti la douleur, car mon corps l'avait déjà reconnue. Vous voyez à quel point c'est facile. Vous êtes déjà au stade neuf. Vous avez fait un petit pas. Très simple, n'est-ce pas ? Détendez-vous encore. Vos mains vous semblent un peu plus lourdes, lourdes et chaudes, même le bout de vos doigts. Votre visage commence lui aussi à se détendre, surtout vos yeux et votre bouche, comme après une journée d'activités physiques, quand vous vous asseyez dans un fauteuil confortable en ressentant une fatigue intense, mais agréable, à 20 heures, devant un bon feu et une boisson chaude, après huit heures de plein air...

Je la guidai en rythme vers le bas, sans détourner mes yeux de ses traits, sans jamais mentionner la nuit où nous voulions arriver, accentuant toujours sa confiance et son bien-être. Vingt minutes plus tard, nous avions franchi les stades des bâillements et des soubresauts. Nous étions à quatre. Ses yeux s'étaient fermés avec des clignements de paupières. Tommy O'Rourke n'avait pas bougé.

— Quatre : un bon nombre, équilibré. Quatre membres, quatre coins dans un square. Un chien a quatre pattes, et j'aimerais que vous fassiez quelque chose dans une minute, avec votre main droite, tandis que nous descendrons jusqu'à trois. Plus que trois marches, maintenant : les trois points d'un triangle.

Je lui parlai du trois un moment. Puis, quand elle fut bien installée, je déclarai :

— J'aimerais que votre pouce droit forme un cercle avec votre majeur droit, mais ce n'est pas vous qui le ferez. Vous voulez laisser vos deux doigts le faire eux-mêmes, laisser leurs deux extrémités se rejoindre, car c'est pour eux la chose la plus naturelle. Vous sentez à quel point ils désirent se toucher, n'est-ce pas, si vous les y autorisez. Pensez simplement à ce que vous ressentirez lorsqu'ils s'uniront.

Je parlais très lentement, à présent, augmentant les silences entre les phrases. J'étais moi-même à moitié en transe et, tout en parlant, j'entendais une autre voix à mon oreille, qui chuchotait les mots que je m'apprêtais à prononcer, une voix de femme au léger accent allemand, qui parlait à une adolescente traumatisée et dont les problèmes étaient autrement plus sérieux que ceux de Sarah Chessman. Cette voix intérieure se tut. Je cessai de parler pendant une minute et observai les débuts du contrôle involontaire de sa main, brusque tout d'abord, tandis que son inconscient animait les muscles de son pouce et de son majeur, et les faisait se rejoindre, puis les amenait lentement, inexorablement, à se toucher, à peine, créant pourtant un lien plus solide que le fer et impossible à rompre. O'Rourke contemplait ces mouvements irréels. Je sentis ensuite ses yeux sur moi, mais je ne lui prêtai aucune attention et il se renversa dans son fauteuil.

— Maintenant, il existe un cercle, un seul. Vous le sentez, profond, paisible Vous pouvez regarder à l'intérieur de ce cercle, car vous êtes, vous aussi, à l'intérieur de lui ; et il est en vous, ce cercle unique. Vous êtes sur la dernière marche, aussi loin que nous pouvions descendre, et vous êtes libre de parler et de penser comme le voulez. Vous vous sentez en sécurité et sûre de vous. Personne, ici, ne peut vous atteindre. Personne ne peut vous demander de faire ce que vous ne voulez pas. C'est votre palier, Sarah, il est à vous seule. Maintenant que vous l'avez trouvé, vous pourrez y revenir quand vous le souhaiterez. Explorons-le. À présent, vous êtes en mesure de me raconter votre dîner d'il y a quinze jours. Rappelez-vous ; c'était un mardi soir. Ce fut un dîner agréable, n'est-ce pas, et si vous acceptez de m'en parler, je serais heureuse de vous entendre à ce sujet.

Sa bouche fit, deux ou trois fois, un mouvement de mastication, comme si elle goûtait les mots. Ensuite, elle parla, d'une voix basse et neutre, lente tout d'abord, mais très claire.

— Mardi soir, nous sommes allés dîner chez Matty. Je portais ma robe bleue. Nous avons pris un taxi, car ce n'est pas très loin et il pleuvait.

Elle continua sur ce ton monocorde, jusqu'à ce que lui fasse quitter le mardi soir pour le mercredi matin, puis l'après-midi.

— Maintenant, nous sommes mercredi soir. Vous êtes rentrée de votre travail et Tommy passe vous prendre à... à quelle heure a-t-il dit qu'il viendrait ?

— À 19 h 30. Nous allons dans un restaurant chic, pour fêter notre première rencontre, il y a tout juste six mois. Un pudding flambe à la table voisine. Je demande la même chose et Tommy commande du champagne.

Je la laissai poursuivre quelques instants avant de donner un léger coup de rêne à son récit.

— À présent, il est plus tard. Vous avez quitté le restaurant, ravie de ce bon repas et heureuse de vous trouver en compagnie de Tommy. Où allez-vous ?

Ma voix était toujours aussi légère, aussi calme. O'Rourke, au fond de la pièce, devenait tendu. Elle, non. Plongée dans l'état d'hypnose, elle n'anticipait plus rien.

— Nous marchons jusqu'au pub où nous nous sommes rencontrés en février dernier. Nous tombons sur des amis qui se sont mariés en juin. Nous allons chez eux. Nous rions, nous buvons. Sally a acheté de nouveaux disques américains. Nous dansons. Ensuite, les voisins tapent sur le plancher et nous sommes obligés de partir.

— Vous continuez à marcher en fredonnant la musique, n'est-ce pas ? Vous esquissez des pas de danse, vous aimez Tommy et le contact de votre bras sur le sien. Vous vous embrassez, car il n'y a personne dans les rues. Puis, à la lueur d'un réverbère, Tommy aperçoit un pot de fleurs rouges sur une fenêtre...

— Il grimpe le long de la gouttière pour m'en cueillir une et je dis : « Oh, Tommy, ne fais pas ça, imbécile ! Arrête ! Il y a une femme qui arrive et elle... »

La suite surgit aussi vite que cette nuit-là. Sarah se raidit, ouvrit grands la bouche et les yeux. Je me penchai vers elle et murmurai à son oreille :

— Tommy ne voit rien, mais vous, Sarah, vous voyez tout. Vos yeux se souviennent... Exactement comme si vous étiez au cinéma, n'est-ce pas ? La scène se déroule sur l'écran, mais au ralenti, pas plus réelle qu'un film : une voiture jaillissant de l'obscurité, heurtant la vieille dame et la renversant. Ensuite, elle poursuit sa course jusqu'au coin de la rue. Alors, cet affreux mendiant se lève, s'avance et fait quelque chose. Il se penche et il fait quelque chose avec ses mains. Que fait-il, Sarah ?

— Il, il... se redresse. Il n'est pas vieux. Pourquoi ai-je cru qu'il était vieux ? Il se redresse comme un jeune homme, se dirige vers la boîte aux lettres et il a... il tient quelque chose à la main : une paire de ciseaux. Il se penche de nouveau et... il roule du fil en boule, puis ramasse le porte-documents qui gît sur la chaussée, et il tourne le dos à... à ce... Elle n'est pas morte ! Elle remue... Tommy, elle a bougé et l'homme est parti ! Il se retourne, nous aperçoit et se met à courir. La voiture l'attend, une portière arrière ouverte. Un homme assis à l'avant se penche pour la maintenir. Un homme petit, portant... Je ne vois pas l'autre, mais il s'engouffre dans la voiture, sur la banquette arrière. La voiture démarre alors qu'il a encore une jambe dehors. Enfin, la portière claque et l'auto disparaît. Nous nous précipitons vers la femme. Mais elle est morte, à présent. Oh, mon Dieu, quelle horreur, elle est morte, oh, mon Dieu !

— Sarah, l'interrompis-je, la voiture... Regardez-la tourner au coin de la rue. Quels sont les numéros de sa plaque d'immatriculation ?

— C'est curieux... Il n'y a aucun numéro à l'arrière.

— Très bien, Sarah. Revenez au mendiant. Il se redresse et fait un pas vers la boîte aux lettres. Il porte une casquette de laine. La rue est sombre, mais le réverbère l'éclaire de biais. Vous apercevez sa lumière sur son nez ? Ce nez, vous le voyez distinctement. Et aussi son menton contre le col de son pardessus... Et lorsqu'il tourne la tête, la lumière tombe sur ses joues et ses yeux. Vous n'oublierez jamais la forme de ses yeux, même si vous ne les voyez pas en entier. Ils sont dans l'ombre, mais son visage, vous le voyez, Sarah, et vous ne l'oublierez jamais non plus. Vous vous en souviendrez même quand vous aurez remonté les marches, n'est-ce pas, Sarah, parce que vous êtes une jeune femme intelligente, que Tommy est là pour vous soutenir, que la victime était une femme de cœur qui n'aurait jamais dû mourir, et parce que vous voulez vous souvenir de tout. Même si ça fait mal, comme un film triste, vous vous en souviendrez.

Ses yeux exprimèrent une légère surprise tandis qu'elle considérait la pièce, presque soulagée, sans peur et surtout sans horreur. Je repris :

— Maintenant, vous l'avez, cette image du mendiant qui se redresse et des autres dans la voiture. Vous la tenez. Et vous pouvez la ramener avec vous en remontant les marches. On y va ? Une marche. Concentrez-vous sur la deuxième. C'est aussi facile que de respirer... facile d'emmener cette section du cercle avec vous jusqu'à la deuxième marche, puis la troisième... et la quatrième. Vous avez l'impression de vous réveiller, bien que vous n'ayez pas dormi. Vous êtes à mi-chemin, maintenant, sur la cinquième marche.

Elle prit une profonde inspiration sur la sixième, s'étira à la huitième. Ses yeux rencontrèrent Tommy et, à la dixième, elle sourit. Je me renversai dans mon fauteuil, épuisée, et fermai les yeux. Trempé de sueur, mon chemisier collait à mon dos. Mes épaules et mon cou me brûlaient.

Mlle Chessman, au contraire, paraissait aller bien mieux que trois heures plus tôt. Elle avait les yeux limpides, et semblait reposée. Cette fois, ce fut à moi qu'elle sourit.

— Est-ce encore clair dans votre esprit, Sarah ?

Son sourire s'estompa, mais elle répondit fermement :

— Tout à fait. Il est curieux que je n'aie pu me rappeler tout ça avant.

— C'était le choc. J'aimerais téléphoner à un ami de Scotland Yard. Il recueillera votre histoire, sans donner l'impression d'écouter un phonographe. Il apportera aussi des photographies, pour savoir si elles correspondent à votre description du mendiant. Cela vous convient ? Je sais qu'il terminera tard, mais il vaut mieux le faire pendant que votre mémoire est encore fraîche. Il s'arrangera avec vos employeurs pour que n'alliez pas trop tôt à votre travail.

— Ça m'est égal. Je suis heureuse d'avoir pu faire quelque chose pour cette femme. Enfin... Je sais qu'il est trop tard, mais...

— Entendu. Y a-t-il un téléphone ?

— À droite dans le vestibule.

Je m'appuyai contre le mur en attendant qu'on me passe le numéro de Mycroft. Holmes répondit à la première sonnerie. Je tentai de masquer l'épuisement de ma voix.

— Comment va mon mari ? Voudriez-vous appeler Lestrade et lui demander d'apporter ses photos ? Je l'attendrai, puis je rentrerai chez Mycroft en taxi quand on n'aura plus besoin de moi.

— Vous l'avez ?

— Oui, comme vous dites, je l'ai.

— Est-ce que cela a été dur ?

— À mon humble avis, on ne paye pas assez les psychiatres. Je serai là dès que possible.

Holmes arriva avant Lestrade. Nous prîmes rapidement congé. À peine rentrée, je m'effondrai sur le lit de la chambre d'amis de Mycroft. Je n'avais même pas eu la force d'attendre de voir sur quel portrait, parmi ceux que lui montrerait l'inspecteur, Sarah Chessman allait pointer le doigt.

22

Khi

En dépit des rideaux, il y avait de la lumière dans la chambre quand un bruit me réveilla. La tête dans l'oreiller, je grommelai :

— Cette odeur de café, au lieu de celle du thé habituel, ne me dit rien qui vaille. Cela signifie-t-il qu'on requiert ma présence de toute urgence, l'esprit alerte ?

Je pris la tasse que me tendait Holmes.

— Vous avez deviné juste. Lestrade nous envoie une voiture. Il a procédé à deux arrestations.

— Les petits-fils de Mme Rogers ?

— Un des petits-fils, et un de ses amis. Un ami connu pour porter sur lui un long couteau et pour avoir des goûts vestimentaires extravagants, ayant eu par le passé affaire à la justice pour des motifs aussi variés que recel de biens volés, complicité d'attaque à main armée et agression, à l'aide dudit couteau, sur une dame qui, heureusement, n'a été que blessée.

— Et Erica Rogers ?

— On l'a fait venir du Cambridgeshire pour l'interroger. Il a fallu du temps pour trouver une garde-malade de remplacement qui prendrait soin de sa mère.

— Mais quelle heure est-il ?

— Il est 10 h 55.

J'avais donc dormi douze heures...

— Mon Dieu ! Le colonel va croire que je l'ai laissé tomber. Je lui ai promis que je resterais jusqu'à vendredi.

— J'ai pris la liberté de lui téléphoner à 8 heures, pour lui annoncer que vous ne viendriez pas travailler aujourd'hui. Il vous excuse volontiers.

— Tant mieux. J'ai encore des explications à lui fournir. Mais pourquoi le café ?

— Mme Erica Rogers demande à vous voir.

— Mme Rogers ? Pourquoi ?

— Elle a dit à Lestrade qu'elle ne ferait aucune déclaration hors de votre présence. La mienne, qu'on ne réclame pas, sera néanmoins tolérée.

Je secouai la tête, cherchant à comprendre.

— Elle sait donc qui vous êtes ? Que son jardinier et le héros du *Problème du pont de Thor* ne forment qu'une seule et même personne ?

— Apparemment, oui, mais j'aurais juré qu'elle l'ignorait pendant mon séjour chez elle.

— Et pourquoi moi ?

— Elle ne l'a pas précisé à Lestrade. Elle a juste exigé que vous soyez là.

— Quelle requête extraordinaire ! Et Lestrade ne s'y est pas opposé ?

— Non, dans la mesure où il tient à sa déposition. Cette vieille dame est une vraie tête de mule.

— C'est ce que j'ai cru remarquer. Tenez, prenez ma tasse. Il faut que je me plonge dans la baignoire avant de l'affronter.

Le bureau de Lestrade était une pièce assez exiguë. Les sept personnes assises les unes contre les autres en cette chaude matinée la rendaient plus étouffante encore. D'autant que toutes n'avaient pas pris de bain et que les petites fenêtres laissaient chichement entrer l'air du dehors.

En observant l'assistance, je constatai que deux des participants affichaient un calme olympien : Holmes, bien sûr, et Mme Rogers, qui nous jeta un regard à dénuder un chêne avant de se tourner vers Lestrade. Son avocat avait le visage rouge et les mains moites ; son cœur ne devait pas être en excellent état. Lestrade s'efforçait de rester impassible, mais les mouvements furtifs de ses yeux et la nervosité avec laquelle il triturait ses papiers prouvaient qu'il redoutait l'entretien à venir. Le jeune policier en uniforme placé à côté de lui tenait son carnet de notes et serrait son crayon comme s'il s'agissait de deux armes nouvelles pour lui : récemment diplômé en sténographie, conclus-je en sortant discrètement mon bloc de mon sac, levant un sourcil à l'intention de l'inspecteur. Il me répondit par un hochement de tête, à moitié rassuré.

Holmes et moi nous installâmes sur les deux derniers sièges libres, près d'une auxiliaire de la police qui, raide comme un passe-lacet, regardait partout dans la pièce, sauf en direction de Mme Rogers. Une fois que nous fûmes assis, Lestrade commença.

— Madame Rogers, je vous ai demandé de venir ici aujourd'hui pour recueillir votre déposition concernant votre emploi du temps du mercredi 22 août, la nuit où votre sœur, Dorothy Ruskin, a été tuée par une automobile, et celle du 24, où la maison appartenant à M. Holmes et à son épouse a été forcée avant qu'on y dérobe divers objets.

— Inspecteur Lestrade...

La voix du gros avocat nous informa qu'il était très occupé et que cet interrogatoire, à ses yeux sans objet, le contrariait au plus haut point.

— Dois-je comprendre que vous accusez ma cliente de vol et d'assassinat ?

— Nous enquêtons sur un meurtre présumé et un cambriolage, monsieur Coogan, et nous avons de bonnes raisons de penser que votre cliente pourrait nous aider dans nos investigations.

Lestrade avait choisi ses mots avec soin, mais il aurait fait un piètre joueur de poker. Tout le monde, dans la pièce, savait quel pauvre jeu il avait en main. Quant à Erica Rogers, elle demeurait impénétrable.

— Inspecteur, ma cliente ne voit aucune objection à collaborer à une enquête, à condition de ne pas en être l'objet. Autant que je puisse en juger, vous disposez de peu d'éléments pouvant la relier à la mort de Mlle Ruskin, hormis son lien de parenté. N'ai-je pas raison ?

— Pas tout à fait.

— Alors, quelles preuves avez-vous, inspecteur ? Ma cliente, me semble-t-il, est en droit de le savoir.

— Je vais vous le dire, Timothy. Ils n'ont rien. Rien du tout !

Mme Rogers s'était exprimée avec autant de dureté et de mépris que le lui permettaient ses vieilles cordes vocales. Le jeune agent pâlit et lâcha son stylo, tandis que ma main griffonnait de façon automatique.

— Ils ont une caisse de pièces accidentées provenant de l'avant d'une automobile et qu'on a confiées, pour les faire réparer, à l'atelier de mon petit-fils Jason. Ils ont aussi le pseudo-témoignage d'une femme qui était ivre au moment de l'accident mais qui, ayant miraculeusement retrouvé la mémoire après avoir été hypnotisée, a décrit un homme correspondant au signalement de Jason. Ce n'est rien, inspecteur principal. Je le répète : je n'avais aucune raison de tuer ma sœur. Bien sûr, je considérais ses fouilles archéologiques en Terre sainte comme une lubie inutile, mais je vous imagine mal présentant cette opinion devant un juge et des jurés comme le mobile d'un meurtre. Quant à vous deux...

Elle se tourna vers Holmes et moi, nous fusilla du regard.

— J'ai souhaité votre présence ici pour que vous constatiez le résultat de vos manigances : néant. Vous, ma jeune dame, bien que je doute fort que le terme de « dame » puisse s'appliquer à vous, vous venez fourrer votre nez chez moi, dans mon salon, en feignant la sollicitude. Vous devriez être chez vous, en train de frotter vos parquets ou de faire quelque chose d'utile... Et en ce qui vous concerne, monsieur Basil, ou monsieur Sherlock Holmes, ou qui que vous soyez, j'espère que vous êtes fier de vous. Vous vous êtes introduit chez moi, vous avez partagé ma nourriture, dormi dans ma cabane à outils, accepté mon argent, puis exploité ma générosité pour m'espionner. Imaginez-vous ce que j'ai ressenti lorsque M. Coogan, ici présent, m'a montré une photographie de M. Sherlock Holmes sur laquelle j'ai reconnu le vieux M. Basil, qui avait travaillé dans mon carré de pommes de terre et à l'intérieur de ma maison ? Je me suis sentie souillée. Oui, souillée ! On devrait vous coffrer pour ça !

— Je vous demande pardon, madame, rétorqua Holmes avec un dédain appuyé, mais de quoi, à votre avis, pourrais-je être inculpé ? Usurpation d'identité ? Déguisement illicite ? Cela ne tient pas. Escroquerie ? En quoi vous ai-je escroquée ? Vous m'avez engagé pour un travail. Ce travail, je l'ai fait pour, dirai-je, un salaire bien moindre que celui que j'alloue à mes propres employés, et dans des conditions bien moins avantageuses. Non, madame, je n'ai enfreint aucune loi. Si vous aviez consulté votre conseiller juridique aux honoraires exorbitants avant de me menacer, il vous l'aurait dit. Maintenant, madame, conclut-il d'une voix glaciale, je suggère que vous cessiez de faire perdre leur temps à ces serviteurs de la loi et que vous poursuiviez votre déposition.

Les yeux de Mme Rogers se rétrécirent tandis qu'elle réalisait qui elle avait hébergé en la personne de ce vieux Basil mal rasé. Elle jeta un coup d'œil à Lestrade et à Coogan, puis fixa ses mains, privées de leurs éternelles aiguilles à tricoter.

— Je n'ai rien à dire, bougonna-t-elle d'un air renfrogné.

— J'ai bien peur de devoir insister, madame Rogers, répliqua Lestrade.

— Alors, qu'ils sortent ! s'écria-t-elle en levant la tête vers nous.

— Madame Rogers, vous avez exigé pour qu'ils soient là, protesta Lestrade.

— Peut-être, mais maintenant, je veux qu'ils s'en aillent.

Lestrade nous lança un regard désespéré. Je fermai mon bloc et me levai.

— Ne vous formalisez pas, inspecteur. Vous ne pouvez être tenu pour responsable des caprices des autres. Ou de leur manque de manières, ajoutai-je d'une voix mielleuse. Madame Rogers, monsieur Coogan, bonne journée. Je serai au rez-de-chaussée. Je vais emprunter une machine à écrire.

Alors que nous marchions vers la porte, Mme Rogers décocha sa dernière flèche à Holmes.

— En plus, vous avez massacré mon papier peint !

Il ne me fallut que quelques minutes pour taper mes notes, et à peine plus de temps à Lestrade pour achever de recueillir la déposition de Mme Rogers. En revenant dans son bureau, nous le trouvâmes affalé devant sa table, qu'il scrutait d'un air morose. Il se redressa, regarda brièvement Holmes, puis entreprit, avec une attention exagérée, d'allumer une cigarette.

— Comment pouvait-elle connaître nos preuves ? Ou, plutôt, notre manque de preuves ? murmura-t-il enfin.

— L'avez-vous laissée seule avec ce jeune agent qui prenait des notes ? s'enquit Holmes.

— Il était assis à côté d'elle pendant le trajet depuis le Cambridgeshire, mais... Seigneur, il lui a dit ? Mais comment a-t-il pu être aussi bête ?

— Avec Mme Rogers, je n'aurais pas été étonné que vous le lui disiez vous-même, si elle s'en était prise à vous. C'est une femme très rusée. Ne soyez pas trop dur avec lui.

— Je vais le renvoyer dans la rue. Il n'y coupera pas.

Il brandissait sa rancœur comme un bouclier. Je l'interrompis avec impatience.

— Et les deux autres hommes ? Holmes m'a appris que vous les aviez arrêtés. Qu'ont-ils déclaré ?

— En fait, euh, nous avons décidé de ne pas les incarcérer tout de suite. Je pensais que nous le ferions, mais nous les avons relâchés, du moins à titre provisoire. Leur trop grande confiance les poussera peut-être à la faute. Il n'y avait rien, dans leurs déclarations, rien du tout. Ils étaient tous deux occupés, cette nuit-là, à réviser le moteur de deux voitures. Ce n'est pas un alibi, je vous l'accorde, mais ils n'ont pas voulu en démordre. Ils se sont fermés comme des huîtres après avoir débité leur histoire et n'ont rien ajouté.

— Cela ne ressemble pas au Rogers que j'ai rencontré, commenta Holmes.

— C'est l'œuvre de la grand-mère, j'en mettrais ma main au feu. C'est une vieille sorcière. Elle a dû le menacer pour qu'il la boucle. Elle avait raison à propos de notre absence de mobile. C'est elle qui a dû décider d'avancer cet argument : Coogan n'a pas plus de cervelle qu'un animal de basse-cour. Sans mobile et sans indices plus concluants que des boutons, quelques cheveux, des pièces automobiles parsemées de minuscules traces de sang séché, et le fait qu'elle s'est débarrassée d'une pleine étagère de romans policiers, nous serions fous de l'inculper. Le seul indice un peu sérieux, c'est la boue sur votre échelle, qui correspond à la gadoue découverte à l'extérieur de sa serre; mais même Coogan n'aurait aucun mal à faire rire le jury avec ça. Pour l'heure, le colonel de Mlle Russell ou les Arabes de Mycroft sont des suspects plus crédibles. Je ne vais arrêter personne pour l'instant. Toutefois, je ne lâcherai pas ces deux types d'une semelle. Ils pourraient essayer de vendre ce qu'ils vous ont volé. Si mamie les surveille, ils ne le feront pas, mais on peut toujours l'espérer. Nous finirons par les avoir, monsieur Holmes. Nous savons qu'ils ont fait le coup et nous les aurons. Mais pas tout de suite. Voilà.

Il étudia ses paumes, comme un élève séchant devant un examinateur, puis haussa les épaules, à la fois accablé et honteux.

— Sans mobile, impossible de boucler qui que ce soit. On nous prendrait pour des imbéciles. En ce qui concerne l'héritage, nous avons tout passé au peigne fin. Sans succès. Pas d'assurance, pas de grosses dépenses entraînant un besoin de liquidités immédiat. Dorothy Ruskin aurait très bien pu mourir il y a vingt ans. Cela n'aurait fait aucune différence. Les effets qu'elles a laissés en Palestine arriveront dans le courant de la semaine prochaine. Nous allons les examiner de près. Nous découvririons peut-être un testament ou des diamants.

Il eut un rire sans joie. Holmes se leva, lui tapota l'épaule avec une bonhomie inhabituelle.

— Nous comprenons, Lestrade. Ne vous tourmentez pas. Vous finirez par les coincer. La patience est une vertu indispensable. Tenez-nous informés, voulez-vous ?

Nous allâmes chercher nos affaires chez Mycroft et rentrâmes piteusement chez nous.

SIXIÈME PARTIE

Du mercredi 5 septembre au samedi 8 septembre 1923

La lettre tue, mais l'Esprit donne la vie.
SECONDE ÉPÎTRE DE PAUL AUX CORINTHIENS 3, 6

23

Psi

Ce furent deux tristes détectives qui prirent le train pour Eastbourne. Je me sentais consternée, épuisée. Quant à Holmes, il ne laissait rien transparaître. Mais je perçus chez lui une colère froide, une rage qu'il avait du mal à maîtriser. Russell, me dis-je, ce n'est pas la fin du monde, ni la conclusion de cette affaire : une pause, tout au plus, une halte dans la chasse. Lestrade fera sûrement...

Je ne m'aperçus pas que j'avais parlé à haute voix jusqu'à ce que Holmes me fixe avec froideur.

— Oui, Russell ? Lestrade fera sûrement quoi ? Ah oui, il continuera à chercher, mais il sera également accaparé par d'autres affaires. Le temps s'écoulera, et s'il découvre enfin la preuve irréfutable qu'il désire tant, ce ne sera qu'un pur hasard.

— Mon Dieu, Holmes, ce n'est qu'une vieille grand-mère, pas un Napoléon du crime !

J'aurais dû savoir que ce commentaire le mettrait en colère.

— Cette petite bourgeoise a damé le pion à Lestrade. Pourtant, c'est vrai, elle n'a rien d'un Napoléon. Napoléon a mis le feu à l'Europe. À elle, il a suffi d'une brève campagne pour atteindre son but. À présent, elle est intouchable. La police ne la confondra jamais. Je n'aurais pas dû vous écouter, Mycroft et vous. Si nous avions laissé

Scotland Yard en dehors de tout cela, j'aurais pu, moi, la piéger par surprise. À présent, cela va prendre des semaines, voire des mois d'un travail pénible, fastidieux. Je vais vous le dire honnêtement, Russell : je me sens trop vieux, trop fatigué pour me lancer dans une telle entreprise.

Cet aveu désolé balaya la rancœur que j'aurais pu avoir contre lui. Il sortit de sa poche un paquet fripé de Gold Flakes, en alluma une. Je le regardai inhaler nerveusement la fumée.

— Depuis combien de temps vous êtes-vous remis à la cigarette ? lui demandai-je doucement.

— Depuis que j'ai posé pour la première fois les yeux sur Erica Rogers. Elle n'est pas la seule à avoir des pressentiments.

Je pris une profonde inspiration.

— Holmes, nous l'aurons. Donnez-moi une semaine pour régler mes affaires à Oxford. Ensuite, nous les traquerons. Ou alors nous irons à Paris, ou bien en Palestine, si vous pensez pouvoir trouver quelque chose là-bas.

Il arracha sa cigarette de ses lèvres, la jeta par terre, l'écrasa d'un coup de talon et sortit son paquet.

— Non, Russell, je ferai cela moi-même. Je ne tiens pas à ce que vous sacrifiiez votre nouveau-né à la cause.

Furieuse et vexée, je me levai, quittai le compartiment et m'accoudai à la fenêtre du couloir, contemplant les nuages et la bruine qui tombait sur la mer.

Ce n'était certes pas le premier échec de Holmes, mais il enrageait d'avoir été vaincu par une femme ordinaire, son imbécile de petit-fils et un escroc à la petite semaine. Lui aussi avait été touché par Dorothy Ruskin et il était dur de penser que nous l'avions laissée tomber. Les exigences des morts nous interpellent bien plus que celles des vivants, car ils ne peuvent entendre nos justifications, et nous ne pouvons solliciter leur pardon.

Je savais aussi que ce qui navrait Holmes, c'était l'idée de m'avoir déçue. Il connaissait l'affection et le respect que j'éprouvais pour Dorothy, et le fait que toute son intelligence n'avait servi à rien le consternait. Je n'avais rien à lui reprocher, et j'avais essayé de le sous-entendre. En vain.

Cependant, de retour dans le compartiment, il me fallut bien admettre qu'il avait raison, une fois de plus. Si je devais abandonner ma carrière universitaire, même provisoirement, pour soulager ma culpabilité et préserver sa fierté, cela pourrait avoir des conséquences néfastes sur l'étrange association que constituait notre mariage. D'autre part, si je mettais de côté mes livres, en toute liberté... ce serait une tout autre histoire.

J'avais déjà passé le tiers de mon existence auprès de Holmes. Je m'étais depuis longtemps habituée à l'extraordinaire rapidité de son esprit mais, même après deux ans de mariage, l'acuité infaillible de sa perception affective me surprenait encore. Holmes le froid, le raisonneur, Holmes la parfaite machine intellectuelle était, en réalité, aussi passionné qu'un fanatique religieux. Jamais il n'avait accepté qu'on prenne une bonne décision pour une mauvaise raison, surtout moi. Il exigeait une concordance absolue entre la pensée et l'action.

« Maudit soit-il », grommelai-je intérieurement. Pourquoi ne se laissait-il pas manipuler par des mots tendres, comme n'importe quel mari ?

Le train entra en gare. Je descendis, aidai Holmes à porter les bagages. Nous récupérâmes la voiture. Je conduisis jusqu'au cottage et chacun retourna à ses tâches habituelles, après avoir à peine échangé un mot, non par colère, mais parce que nous n'avions rien à dire.

Il sortit en fin d'après-midi. Une heure plus tard, j'enfilai mes chaussures de marche et partis à sa rencontre.

Je le trouvai sur la falaise qui dominait l'océan, une jambe dans le vide, comme toujours. Le vent m'apportait le parfum de son tabac. Nous restâmes assis en silence, puis nous regagnâmes la maison.

Ce soir-là, il toucha à peine à son dîner, but quatre verres de vin et ignora la pile de journaux posée sur la table du vestibule. Plus tard, il s'installa devant le feu et mordilla une pipe vide. Il avait vieilli depuis ce délicieux après-midi d'août, il y avait si longtemps, au cours duquel il avait bu du thé et du vin blanc, et marché sur les Downs en compagnie d'une femme qui n'avait plus que quelques heures à vivre.

— Avons-nous négligé quelque chose ?

J'avais parlé sans m'en rendre compte. Il resta muet un long moment. Puis il soupira, tapota ses dents avec l'embout de sa pipe.

— C'est possible. Je ne sais pas encore. Je commence à douter de mon propre jugement. Ne rien négliger faisait jadis partie de mon métier. Mais il est difficile de savoir ce qu'on a négligé avant de buter dessus.

Comme sur un fil tendu au coin d'une rue, songeai-je. Je chassai cette pensée en me remémorant des moments heureux.

— Elle m'a dit qu'elle ne se souvenait pas d'avoir passé un après-midi aussi agréable. Nous lui aurons au moins donné ça.

Je fermai les yeux et laissai le cognac détendre mes épaules.

— Je me demande si elle savait ce qui allait arriver. Elle ne paraissait pas inquiète, mais elle a évoqué plusieurs fois le passé, ce qui ne lui ressemblait pas. Elle m'a raconté qu'elle venait ici enfant. Elle vous aimait aussi beaucoup. Vous l'impressionniez. Elle éprouvait du respect pour vous. Vous l'intriguiez. Que m'a-t-elle dit, déjà ? « Un des trois seuls hommes sensibles que j'aie jamais rencontrés ». Oui, je crois que c'était ça. Elle vous mettait sur le même pied qu'un vigneron français et un cheikh polygame.

Je souris à ce souvenir. Une autre scène me revint en mémoire.

— Je n'oublierai jamais notre rendez-vous dans les environs de Jéricho, cette petite femme anglaise aux cheveux blancs nous jaugeant depuis le fond de la tranchée, comme si nous étions venus voler ses tessons de poterie. Et sa maison, cet ahurissant mélange de pierre, de brique cuite et de bidons d'essence aplatis, dont l'intérieur rappelait à la fois une tente de Bédouin et un cottage anglais, encombré d'un amas d'objets attendant d'être classés et dessinés, le service à thé en argent et le chauffe-eau à pétrole, les étagères de fortune croulant sous les livres et les bibelots. Elle avait des pièces ravissantes, n'est-ce pas ? Comme ce casse-tête chinois en ivoire.

Je sirotai mon cognac, tellement plongée dans ces lumineuses semaines en Palestine que je sentais presque l'odeur poussiéreuse des nuits de Jéricho.

— Vous vous souvenez de cette boule ? Étrange, n'est-ce pas, qu'elle ait possédé un jeu chinois. Un si bel objet, avec cette perle enfouie en son centre... Elle m'en a parlé pendant notre trajet jusqu'à la gare. Vous aviez fait une très forte impression sur elle, avec vos mains qui, explorant le casse-tête, semblaient animées d'une volonté propre tandis que vous racontiez une histoire sur le Tibet. Je me demande ce qu'il est devenu. Il avait l'air si incongru sur ces planches vides, comme la théière sur son brûleur à alcool, qui versait du Earl Grey à travers une passoire d'argent, dans des bols d'argile...

Je m'interrompis. Quelque chose dans la pièce avait changé. Je me redressai en sursautant, m'attendant presque à voir une silhouette se profiler dans l'encadrement de la porte. Mais il n'y avait personne. J'essuyai avec mon mouchoir le cognac que j'avais renversé sur ma main et mon pantalon, puis m'appuyai contre le dossier de mon fauteuil pour terminer ce qui restait dans mon verre. Je me tournai ensuite vers mon compagnon, m'apprêtant à faire une remarque banale sur l'état de mes nerfs. Mais les mots s'étranglèrent dans ma gorge. Le regard de Holmes me pétrifia. Mon cœur bondit dans ma poitrine. Holmes n'avait pas bougé. En fait, il s'était figé dans son fauteuil, comme s'il ne devait plus jamais bouger. Mais ses yeux brillaient, intenses et bien vivants.

— Que venez-vous de dire, Russell ? murmura-t-il d'un ton calme.

— Je parlais de l'incongruité, dans le décor, de ce casse-tête chinois et du service à thé...

— Avant cela.

— Je répétais ce qu'elle m'avait dit sur vos mains, qui agissaient comme un prolongement de votre esprit quand...

Je me tus. L'esquisse d'un sourire éclaira les yeux gris posés sur moi. Je poursuivis lentement :

— Quand vous avez ouvert la boule.

— Oui.

— Seigneur, comment ai-je pu être aussi obtuse ?

— Voudriez-vous allez chercher la boîte, Russell ?

Je grimpai les escaliers quatre à quatre, jusqu'à l'amas de sacs que j'avais laissé dans un coin, et revins avec la boîte originaire d'Italie, petit avant-goût du paradis. Je la donnai à Holmes. Il braqua sa loupe sur elle. Au bout d'une minute, il secoua la tête en signe d'impuissance et me tendis les deux objets. Après avoir adapté ma vue à la loupe, je remarquai que la ligne sculptée de motifs décoratifs qui bordait le bas de la boîte comportait une fissure aussi mince qu'un cheveu. La boîte avait un fond secret, mais il n'y avait ni loquet, ni serrure.

— Holmes, je ne vais pas séparer de force la boîte en deux, alors que nous savions tous les deux qu'il faudrait peut-être en arriver là.

Cette perspective me révulsait. J'en éprouvais une souffrance presque physique.

— Je vais m'efforcer d'empêcher cela, déclara Holmes d'un air absent, absorbé dans la contemplation de la boîte.

— Vous pensez pouvoir l'ouvrir ?

— Dorothy m'en croyait capable. Elle a peut-être été impressionnée par mon numéro de salon, mais je doute que cela l'ait amenée à me prêter des pouvoirs surnaturels. A-t-elle mentionné une caractéristique particulière de la boîte ? Cela nous aiderait.

— Pas que je me souvienne.

— Alors, cela ne doit pas être trop difficile. Ah, voilà. Puis-je emprunter une de vos épingles à cheveux, Russell ?

Il trouva très vite le minuscule point de pression : deux des taches de la girafe et les yeux du singe comportaient d'infimes dentelures creusées dans le bois. Pour le reste, il se trompait. Ce fut très difficile, étant donné l'âge de la boîte. Au bout de deux heures, il découvrit qu'en pressant à un certain rythme et en variant l'intensité de la pression, il parvenait à faire bouger le fond, mais sans le libérer complètement. J'allai préparer du café. Quand je revins, il avait l'air désespéré.

— Arrêtez-vous un instant, suggérai-je en versant le café.

— J'en ai besoin. Être si près du but me rend fou.

Il se leva, étira son dos, posa la main sur la boîte et se pencha pour prendre sa tasse. Nous entendîmes tous deux le déclic. Nous fixâmes la boîte, aussi stupéfaits que si elle venait de s'adresser à nous. Holmes fit courir ses doigts sur son pourtour, sépara son couvercle et ses flancs de la base. Un mécanisme d'horlogerie constitué de minuscules pièces de cuivre apparut au grand jour. En dessous, posé sur le fond, s'étirait un rouleau de papier qui ressemblait à une longue cigarette serrée par du fil noir. Holmes le dégagea d'un coup d'ongle et me le tendit. J'essuyai mes paumes moites sur mon pantalon, puis m'en emparai.

Il s'agissait d'une lettre : de tout petits mots serrés les uns contre les autres et noircissant six minuscules feuilles aussi transparentes que des pelures d'oignon. J'eus soudain la vision de Dorothy Ruskin penchée sur sa table, dans sa chambre d'hôtel, sa loupe dans la main gauche. Je lus la lettre à Holmes.

Chère mademoiselle Russell,

Si je n'avais pas, par chance, le don d'apprécier l'humour de certaines situations délicates, celle-là tournerait au macabre. Me voici assise devant une table branlante, dans un hôtel parisien de troisième ordre, écrivant à une jeune femme que je n'ai rencontrée qu'une fois, il y a plusieurs années, dans l'espoir qu'elle et son mari décideront de mener une enquête si je meurs dans des conditions suspectes pendant mon séjour dans ma mère patrie, en dépit du fait que je ne leur aurai donné aucun indice, aucune clé, aucune raison de croire que quelqu'un souhaite ma mort. En réalité, je ne suis pas du tout certaine d'avoir des raisons de le croire.

Situation amusante s'il en est...

J'ai passé plusieurs jours à essayer d'imaginer les circonstances dans lesquelles vous lirez cette lettre, si tant est que vous la lisiez un jour. Êtes-vous en train d'enquêter sur mon décès ? Quelle sensation bizarre provoque cette question ! Et si votre réponse est affirmative, que puis-je en dire ? « Je suis heureuse de l'apprendre » me paraît quelque peu inadapté. Pourtant, si c'est effectivement ce que vous êtes en train de faire, si cela vous a conduite jusqu'à cette lettre, cela me donnerait la... satisfaction n'est certes pas le mot qui convient... de savoir que mes craintes irraisonnées n'était pas injustifiées.

Encore une situation très particulière...

Mais assez tourné autour du pot. J'ai l'intention de vous rendre visite dans votre maison du Sussex et de vous laisser cette boîte, le manuscrit et, incidemment, le contenu de ce compartiment secret. Il me faudra trouver un moyen d'implanter dans votre esprit la possibilité que cette boîte puisse être ouverte, de façon assez anodine pour rester naturelle, mais assez ferme pour que vous vous en souveniez plus tard au besoin. Si je me suis trompée et si votre curiosité vous a amenée à ouvrir cette boîte alors que je suis encore en vie, je vous conjure de replacer ce document dans sa cachette et de rire de l'imagination débordante d'une vieille femme. Si je n'ai pas réussi dans ma tentative pour vous mettre la puce à l'oreille et si vous ne vous souvenez pas de mes allu-

sions, j'écris cette missive comme on jette une bouteille à la mer, à l'intention d'un parfait inconnu qui n'est peut-être pas encore né. Et toutes mes précautions n'auront servi à rien.

C'est ridicule. C'est stupide de ma part et je ne suis pas habituée à agir de façon inconsidérée. Je n'ai aucune preuve de ma mort prochaine, ni signe, ni présage. On n'a déposé aucune lettre de menaces dans ma boîte. Et pourtant... Je me sens saisie d'une crainte étrange à l'idée de traverser la Manche et je suis tentée de rentrer directement chez moi, en Palestine. Je ne le peux pas, bien sûr, mais je ne peux pas non plus ignorer cette bizarre sensation de menace sur ma vie. Ce n'est pas la mort que je redoute. Je sais, pour l'avoir fréquentée de près, que sa silhouette maternelle m'ouvrira ses bras compatissants. Mais j'ai peur que mon travail, qui a occupé toute ma vie, ne périsse avec moi. Si je retourne en Palestine, j'ai l'intention de dresser un inventaire précis de mes biens et de voir comment ils pourraient, même modestement, contribuer à la recherche archéologique. Cette lettre est une simple assurance. Je n'ai pas le temps de faire établir un testament officiel. J'ai donc écrit et signé un testament olographe qu'ont contresigné, à titre de témoins, deux des clients de mon hôtel. Il notifie mes désirs et mes intentions en ce qui concerne la distribution de mes biens. Je vous prie de bien vouloir le porter aux autorités compétentes, que vous connaissez mieux que moi.

Ainsi que je l'ai dit, je n'ai pas de preuve que quelqu'un veuille attenter à mes jours, hormis ce pressentiment inexplicable. Il est possible que je meure de maladie ou dans un accident. Il est aussi fort possible que je survive à mon séjour en Angleterre et qu'une fois rentrée chez moi je demande à mon notaire de Jérusalem de rédiger un testament dans les règles. Je vous écrirai alors, toute honte bue, pour vous révéler l'ouverture secrète de la boîte. En tout cas, je n'accuserai personne par-delà la tombe, et même le testament joint à cette lettre pourra difficilement être utilisé pour confondre une personne en apparence innocente. Mais s'il la désigne furtivement du doigt, qu'il en soit ainsi.

Vous vous demanderez sans doute pourquoi, si je souhaite modifier mon testament, je ne le fais pas au grand jour. Je me suis posé la même question. Même s'il y a plusieurs raisons à cela, elles se résument à deux. Premièrement, je dois m'informer de la situation financière de ma famille avant de prendre une décision définitive. Deuxièmement, je me sens partagée entre l'absurdité de mes pressentiments et la nécessité urgente d'agir. Ceci est un compromis, que je mets entre les mains de Dieu. Ce que je dis là sidérerait nombre de mes connaissances, mais je crois que vous, mademoiselle Russell, me comprendrez quand j'affirme que la foi en une force divine et le développement d'une pensée rationnelle ne sont pas incompatibles. Je suis fatiguée, remplie de doutes. Aussi vais-je faire en sorte que Dieu puisse prendre la décision finale.

J'adorerais voir votre réaction à tout cela et je regrette de ne pas pouvoir assister aux manipulations qui permettront à cette lettre de revoir la lumière du jour. Quoi qu'il en soit, le plaisir d'imaginer cette scène remplira les moments vides de mes prochains jours.

Merci, mademoiselle Russell, et merci à vous, monsieur Holmes, de votre fidélité à mon égard, moi qui ne suis pour vous qu'une inconnue. Ne considérez pas la boîte et le manuscrit comme une rétribution, car je vous les aurais donnés de toute façon, et je sais que cette rétribution ne serait ni demandée, ni acceptée. J'espère que la main délicate de Marie vous procurera autant de joie qu'à moi.

Croyez à toute mon amitié,

Dorothy Ruskin

Le testament commençait ainsi : « Je soussignée Dorothy Ruskin, saine de corps et d'esprit... ». Il déclarait ensuite que l'ensemble de ses biens devait servir à soutenir l'effort archéologique en Palestine. Suivaient les noms et adresses des légataires.

Quand on montra à Erica Rogers une copie du testament, elle garda le silence mais fut victime, au cours de la nuit, d'une attaque massive. Elle passa les derniers jours qui lui restaient à vivre dans une maison de repos, près de sa mère. Lorsque des agents de Scotland Yard vinrent arrêter son petit-fils et son complice, Jason Rogers s'échappa. Le lendemain, deux randonneurs retrouvèrent son corps dans les débris d'une voiture de luxe qui ne lui appartenait pas.

Le problème de l'alibi d'Erica Rogers fut réglé lors de l'interrogatoire de l'épouse de Jason, qui confessa, en larmes, qu'elle avait pris la place d'Erica, dans sa maison, pendant ses deux nuits d'absence, s'occupant de la vieille Mme Ruskin et allumant puis éteignant les lumières aux moments appropriés. Elle ne fut pourtant pas accusée de complicité d'assassinat, car il était de notoriété publique qu'elle avait l'habitude d'obéir à tout ce que lui ordonnait son mari.

L'autre participant au meurtre, un dénommé Thomas Rand, n'avoua jamais. Il fut traduit en justice, condamné et pendu.

Lestrade se déplaça de Londres en personne pour nous apprendre son arrestation. Il souhaitait, je crois, se libérer devant son mentor du goût amer de l'échec.

Il vint prendre le thé, plus débraillé que jamais, ce qui, curieusement, le faisait paraître plus compétent encore, et nous donna tous les détails des preuves qui confondaient Thomas Rand, y compris la découverte, chez lui, de mon appareil photo, de certains de mes manuscrits et des bijoux de Mme Hudson.

— Il y a une seule chose que je ne comprends pas, dit-il enfin.

Holmes me jeta une œillade sardonique.

— Je suis heureux que vous me laissiez quelque chose à expliquer, Lestrade, grommela-t-il, ce qui le fit rougir de fierté.

— C'est l'histoire des papiers de Mme Hol... de Mlle Russell. S'ils ne cherchaient pas le manuscrit, la pi... le pa... Comment l'appelez-vous, déjà ?

— Le papyrus, dis-je.

— C'est ça. Si ce n'était pas ce qu'ils cherchaient, pourquoi fouiller dans tout ce bazar écrit en alphabet étranger et en embarquer la moitié ? On imagine mal Jason Rogers ou son ami lisant le grec, ou connaissant la valeur de cette lettre. Et je ne crois pas que ce soit non plus le style de la vieille bique.

— Ah ! s'exclama Holmes. Là, vous auriez tort. Ce que cherchait Erica Rogers était bien, comme vous dites, dans son style. Le jour où elle est venue ici, Mlle Ruskin nous a raconté que, lorsqu'elle était enfant, sa sœur et elle, filles de pasteur, souvenez-vous, jouaient à cacher des messages codés dans un endroit qu'elles appelaient l'Apocalypse parce qu'il n'avait plus de couvercle. Le verbe *apocalyptein,* Russell vous le confirmera, est le terme grec pour « découvrir ». Il est fort probable que ce code n'était que de l'anglais écrit en alphabet grec. Je me rappelle avoir joué à ce même jeu avec Mycroft. Et vous, Russell, le faisiez-vous avec votre frère ?

— Oui, mais nous utilisions l'hébreu, ce qui était un peu plus ardu.

— Souvenez-vous aussi que Erica Rogers était une admiratrice enthousiaste des âneries de Watson. Quand elle a appris que sa sœur s'apprêtait à venir me voir, ses soupçons ont dû se confirmer. Et il était dans son « style » de croire que sa sœur écrirait un testament codé, ou rédigé dans une des langues étrangères qu'elle parlait, et le confierait ensuite au grand détective pour le mettre en sûreté.

— Mais c'est absurde... Je vous demande pardon, monsieur Holmes.

— Tordu, ridicule et ne ressemblant en rien à ce qu'aurait pu faire Dorothy Ruskin, je vous l'accorde. Mais, encore une fois, tout à fait dans le style d'Erica Rogers. Une femme capable de mettre sur pied un assassinat impliquant un homme déguisé en mendiant et une automobile, d'anticiper la possibilité que ce meurtre ne soit pas accepté comme un simple accident, capable ensuite de brouiller toute enquête en s'arrangeant pour faire croire qu'elle était restée chez elle, et enfin d'envoyer à sa sœur une lettre décrivant un groupe imaginaire mais plausible d'Arabes nommés Mad – une femme avec un cerveau pareil n'hésiterait pas à croire que sa sœur pourrait rédiger un testament en serbo-croate et le dissimuler au sommet de la colonne Nelson. Un roman à deux sous et, à mon avis, imaginé par une demi-folle. Scotland Yard va devoir étudier l'influence de l'art, de nos jours, sur le crime, Lestrade. Retenez bien mes propos.

Le jeune policier prit la remarque pour une plaisanterie et rit poliment.

— Inspecteur, lui demandai-je, avez-vous déjà une estimation de la valeur des biens des Ruskin ?

— Plus élevée que vous ne pourriez le penser et, pris dans l'ensemble, justifiant très bien une lutte sans merci. Quand Dorothy Ruskin est arrivée de Palestine, elle a dû apprendre à sa sœur, soit directement, soit par une allusion, qu'elle avait décidé de rédiger un testament et de consacrer son argent à ses projets archéologiques. Erica Rogers n'avait pas dû voir d'un bon œil le tiers de la fortune de leur père, qui avait déjà été divisée en deux, jeté au fond de trous creusés dans le sol, mais elle n'a pas supporté l'idée de voir la moitié des richesses de la vieille Mme Ruskin suivre le même chemin. Si celle-ci décédait la première, Dorothy Ruskin recevrait sa part, qui partirait en fumée. Il fallait donc que Dorothy Ruskin meure avant sa mère. J'imagine que Mme Rogers en a parlé à son petit-fils Jason, qui a recruté un de ses amis, déjà familier de ce genre de choses. Ils ont alors décidé de récupérer ce que

Dorothy Ruskin possédait déjà, en trouvant et en détruisant son testament. S'ils s'étaient contentés de l'argent de la vieille dame, nous n'aurions jamais mis la main sur eux.

— La cupidité se nourrit d'elle-même, commenta Holmes.

— Je ne suis pas très sûr, toutefois, de comprendre pourquoi ces trois-là pensaient que le testament se trouvait ici.

— Mlle Ruskin l'a peut-être suggéré, dis-je. Selon sa lettre cachée, c'était ce qu'elle avait prévu : nous apporter la boîte et nous laisser entendre qu'elle renfermait un secret. Je suppose qu'elle a fait la même chose avec sa sœur, la provoquant pour la tenter et l'orienter vers le Sussex. Si Erica avait été honnête, elle n'aurait pas réagi.

— Mlle Ruskin a tendu un piège.

— On peut dire cela. Un piège qui ne se refermerait que sur des intentions criminelles.

— Ce n'était pas très gentil à elle, de ne pas vous mettre au courant de votre rôle dans ce plan.

— Elle avait une incroyable confiance en nous, je vous l'accorde. Et pas entièrement justifiée, du moins en ce qui me concerne. Sa sœur a eu l'ouïe bien plus fine que moi.

— La fouille de notre cottage a quand même attiré notre attention, déclara benoîtement Holmes.

— Si compliqué, soupira Lestrade. Et presque suicidaire... Pourquoi n'être pas venue nous trouver d'entrée de jeu, ou ne pas vous avoir mis dans la confidence ? Aussi folle que sa sœur, dans un sens.

— Je crois que cela a commencé simplement : un soupçon qui s'est mué en certitude. Oui, les gens qui se consacrent corps et âme à une seule passion peuvent paraître fous. Mais vous avez peut-être raison sur un point : elle se souciait peu de survivre après être devenue aveugle.

Peu après, le chauffeur de la police locale arriva pour conduire Lestrade à la gare. Juste avant son départ, Holmes le félicita si chaudement qu'il parut, en se dirigeant vers la voiture, flotter à un mètre au-dessus du gravier. Tandis que le chauffeur négociait le virage de l'allée, Holmes secoua la tête avec aigreur.

— Qu'est-ce qui ne va pas, Holmes ? J'aurais pensé que vous seriez aussi fier que Lestrade d'avoir démêlé un écheveau aussi complexe...

— Ah, Russell, j'avais mis tant d'espérances dans ce cas ! dit-il d'une voix lugubre. Mais, au bout du compte, il ne s'agissait que d'une sordide histoire de gros sous. Une cupidité si commune, si peu digne d'attention... Vous savez, pendant quelques jours, je me suis laissé bercer par l'espoir que nous nous trouvions aux prises avec une affaire inédite, un meurtre motivé par la haine des femmes émancipées. On aurait pu en faire un livre : *L'Assassin misogyne.* Mais l'argent ! Quelle honte !

Deux jours plus tard, je pris le train pour Londres et rendis visite au colonel Edwards. Je m'étais habillée soigneusement pour cette rencontre, chaussée de mes bottines à lacets qui me grandissaient de quinze centimètres.

Je rentrai en fin d'après-midi. Laissant Mme Hudson faire chauffer de l'eau pour le thé, je me postai devant la grande fenêtre donnant sur le sud de la maison, d'où l'on voyait les Downs rouler jusqu'à la mer. Je vis le ciel virer au pourpre, gardant, tout en haut, cette couleur bleue qui était celle des yeux de Dorothy Ruskin. Des bruits, derrière moi, m'apprirent que Holmes bourrait puis allumait sa pipe. Son tabac, ce soir-là, avait une odeur de miel, en rapport avec son humeur.

Mme Hudson nous apporta le thé. J'acceptai une tasse et retournai devant la fenêtre. La nuit était presque tombée.

— Eh bien, Russell...

— Oui, Holmes.

— Qu'avait à vous dire votre colonel ?

J'avalai une gorgée de thé brûlant, me remémorant l'ahurissement de Dennis Edwards lorsque sa douce et timide secrétaire aux épaules voûtées était descendue du taxi sous les traits de Mary Russell Holmes. Un sourire espiègle me vint aux lèvres.

— Il a dit, je cite : « J'ai toujours eu l'intuition qu'il y avait chez vous quelque de plus, Mary, mais je ne m'étais jamais imaginé à quel point. »

Je me retournai. Holmes s'esclaffait sans retenue, d'un rire inextinguible, la tête renversée dans son fauteuil, oubliant tout, sa pipe, ses doutes, tout, sauf la beauté et l'absurdité de l'élégie du colonel.

ÉPILOGUE

Oméga

La lettre qui constituait le cœur de notre enquête, ce petit rouleau de papyrus taché, écrit dans la hâte quelque dix-huit siècles et demi avant que je ne pose pour la première fois les yeux sur lui, préservé par de simples paysans n'ayant qu'une vague conscience de son importance, passé ensuite, dans son amulette d'argile, au cours des années de formation de l'islam, entre les mains d'une famille qui avait suivi le Prophète, conservé par des générations de croyants tout au long de siècles de guerre et d'errance jusqu'à ce que l'acte de pure générosité d'une Anglaise le sorte de l'ombre, est toujours en ma possession. Au cours des décennies qui se sont déroulées depuis qu'il m'a été offert, l'étude scientifique des documents anciens a fait des progrès foudroyants, depuis l'analyse chimique des matériaux d'écriture jusqu'à la datation au carbone 14 et l'analyse sémantique des mots eux-mêmes. Aucun de ces tests ne m'a conduite plus loin que les conclusions graphologiques de Holmes ou que mon intime conviction à propos de son authenticité. Et aucun de ceux auxquels j'ai été en mesure de procéder et que j'ai pu superviser n'a distillé le moindre doute sur la lettre de Marie. Jusqu'à présent, je n'ai trouvé aucun indice permettant d'affirmer qu'elle est autre chose que ce qu'elle semble être : un message affectueux, écrit dans l'urgence par une femme d'une grande sagesse et d'une grande force de caractère, à une sœur sceptique mais aimante, à un moment où l'auteur réalise que son monde s'achemine vers un fin tragique et violente.

Je suis peinée, encore aujourd'hui, de ne pas avoir tenu la promesse que je m'étais faite à propos de Mariam. J'ai le sentiment d'avoir trahi sa confiance. Les facteurs rationnels comptent peu, et ce que j'ai juré au colonel Edwards en cet ultime après-midi, il y a tant d'années, le serment de différer la publication de la lettre de Marie, n'a pas à être pris en compte. Seule la lâcheté m'a empêchée de rendre publique la lettre que Dorothy Ruskin avait confiée à ma garde, la terreur abjecte à la perspective de la bataille où je me trouverais plongée, un combat qui aurait consumé ma vie et mon énergie. Je l'ai mise en sûreté dans un coffre de banque. Je passerai le relais à quelqu'un d'autre. Mais je ne suis pas fière de moi.

Je ressens, tout comme Dorothy Ruskin, une grande frustration à l'idée que je ne serai jamais témoin des réactions que suscitera, quand elle sera projetée en pleine lumière, la lettre de Marie. Elle ne sera rendue publique que dix ans après ma mort. J'ai fait cette promesse au colonel Dennis Edwards, pour racheter mon attitude envers lui ; et même si j'ai eu souvent la tentation de briser mon serment, je ne le ferai pas. Toutefois, comme sa précédente propriétaire, j'éprouve un plaisir délectable à imaginer les conséquences de sa future publication.

Je suppose que le monde chrétien, à la fin du XXe siècle, sera mieux préparé à accepter les révélations contenues dans la lettre de Marie que dans les premières décennies de ce même siècle. Ainsi que l'avait noté Mlle Ruskin, les notions préconçues sur le rôle dirigeant des femmes au cours du Ier siècle doivent être balayées avant que l'image de Marie-Madeleine apôtre de Jésus et chef, parmi d'autres, de l'Église de Jérusalem, s'installe durablement dans les esprits. Les archéologues, hommes ou femmes, nous conduisent inexorablement dans cette direction, et les préjugés vacillent. Nous savons que des femmes se sont trouvées à la tête de synagogues au cours des premiers temps de notre ère et que l'adaptation à la conception romaine de la divinité a joué un rôle considérable lorsque l'Église chrétienne naissante a dû quitter, à cause des troubles qui le ravageaient, son pays d'origine et lutter pour se faire une place dans l'Empire.

Peut-être, avant que trop d'années se soient écoulées, mon héritière estimera-t-elle le monde assez mûr pour prendre connaissance de la lettre de Marie. Je ne sais si je l'envie ou si je la plains.

La vie, la mort, et le mot écrit qui les relie. La première lettre à atterrir sur mon bureau avait provoqué la résurrection trop brève d'une ancienne amitié et la mort de quatre personnes. La lettre suivante ramena à la vie une voix que le monde avait perdue depuis plus de mille huit cents ans. Et une dernière missive, surgie de la tombe pour authentifier le testament de son auteur et permettre la poursuite de l'œuvre à laquelle elle avait consacré sa vie, coïncida avec la condamnation de ceux qui voulaient y mettre fin. La main de chair, de tendons et d'os, accède à l'immortalité en prenant la plume. Sa trace sur une page possède un pouvoir mille fois plus grand que celui qu'elle aura exercé pendant sa courte existence.

Impression réalisée sur CAMERON par

BRODARD & TAUPIN

GROUPE CPI

La Flèche

pour le compte des Éditions Michel Lafon
en mai 2006

Imprimé en France
Dépôt légal : juin 2006
N° d'impression : 35848
ISBN : 2-7499-0461-7
LAF : 803A